"*Aprendendo a Aprender* explica o a forma fascinante e totalmente memorável. Este livro é um clássico, não só para os estudantes de todas as idades, mas também para os professores de todas as áreas".

—Frances R. Spielhagen, Ph.D., Diretora do Centro de Pesquisa e Desenvolvimento para Adolescentes, Mount Saint Mary College

"Há muito tempo eu não fico tão empolgado com um livro. Dar aos alunos um conhecimento profundo sobre como aprender levará a uma menor evasão de estudantes e a um maior sucesso em todos os campos. É um presente que irá durar a vida toda."

—Robert R. Gamache, Ph.D., Vice-Presidente Adjunto, Assuntos Acadêmicos, Assuntos Estudantis e Relações Internacionais da Universidade de Massachusetts, Lowell

"Uma introdução engenhosamente acessível à ciência da aprendizagem humana, com conselhos práticos sobre como pensar melhor."

—James Taranto, *The Wall Street Journal*

"É fácil dizer 'trabalhe com mais inteligência, não com mais esforço', mas Barbara Oakley realmente mostra como fazer exatamente isso, em um livro rápido e acessível que reúne dicas baseadas na experiência e em conhecimentos científicos sólidos. Na verdade, eu vou incorporar algumas dessas dicas em minhas próprias aulas."

—Glenn Harlan Reynolds, Ilustre Professor de Direito da Cadeira Buchamp Brogan, Universidade do Tennessee

"Um bom professor o educará. Mas um grande professor o deixará curioso. Bem, Barbara Oakley é uma grande professora. Ela não apenas tem uma mente para os números, mas também tem um dom com as palavras, e você aprenderá com cada uma delas."

—Mike Rowe, criador e apresentador do programa "Dirty Jobs" no Discovery Channel e presidente da mikeroweWORKS

"*Aprendendo a Aprender* é um excelente livro sobre como aprender matemática, ciências ou qualquer assunto em que a resolução de problemas desempenhe um papel importante."

—J. Michael Shaughnessy, ex-presidente do Conselho Nacional de Professores de Matemática

"Magnífico não só para aqueles que têm dificuldades com a matemática, ou que são peritos nessa matéria, mas também para os leitores que desejam pensar e aprender de forma mais eficiente."

—Library Journal

"Para os alunos com medo de matemática e ciências e para aqueles que amam essas matérias, este livro envolvente mostra como estabelecer hábitos de estudo que tiram proveito da forma como o cérebro funciona."

—Deborah Schifter, cientista-chefe de pesquisas, programas de matemática e ciências, Education Development Center, Inc.

"Se você sofreu com a matemática e dormiu durante as aulas de ciências, há esperança. Em *Aprendendo a Aprender*, a polímata Barbara Oakley revela como desbloquear os poderes analíticos de nossos cérebros para que possamos aprender a aprender. Este livro deveria ser leitura obrigatória para os estudantes e para a minha mãe".

—Adam Grant, autor do best-seller do *New York Times* Give and Take

"Ser bom em ciências e matemática não é apenas algo que você *é*; é algo que você *se torna*. Este guia do usuário para o cérebro revela os segredos para alcançar o sucesso em matemática e ciências. Eu vi muitos estudantes desistirem ao passarem por uma fase difícil. Mas, agora que os alunos têm um guia prático para 'aprender melhor', eles também serão capazes de 'se sair melhor'."

—Shirley Malcom, diretora de programas de educação e recursos humanos, Associação Americana para o Progresso da Ciência

"*Aprendendo a Aprender* é um recurso excelente sobre como abordar a aprendizagem da matemática e, de fato, a aprendizagem em qualquer área. O notável guia de Barbara Oakley é baseado nas mais recentes pesquisas nas ciências cognitivas e apresenta um roteiro claro, conciso e divertido para saber como tirar o máximo proveito da aprendizagem. Ele é leitura obrigatória para qualquer um que tenha tido dificuldades com a matemática e qualquer pessoa interessada em melhorar a sua experiência de aprendizagem."

—DAVID C. GEARY, PROFESSOR DE CIÊNCIAS PSICOLÓGICAS E NEUROCIÊNCIA INTERDISCIPLINAR, UNIVERSIDADE DO MISSOURI

"*Aprendendo a Aprender* ajuda a colocar os alunos atrás do volante, capacitando-os a aprender mais profundamente e com mais facilidade. Esse excelente livro é também um recurso útil para os líderes do ensino. Dada a necessidade urgente de os Estados Unidos melhorarem a educação científica e matemática para que possam manter sua competitividade, *Aprendendo a Aprender* é um achado bem-vindo."

—GEOFFREY CANADA, PRESIDENTE, HARLEM CHILDREN'S ZONE

aprendendo
a aprender

aprendendo a aprender

Como Ter Sucesso em Matemática, Ciências e Qualquer Outra Matéria
(Mesmo se Você foi Reprovado em Álgebra)

BARBARA OAKLEY

ATENA
SÃO PAULO, 2024

Copyright © 2014 by Barbara Oakley

Copyright da tradução autorizada do idioma inglês © 2015 Infopress Nova Mídia Ltda.
5ª reimpressão – 08/2024

Edição publicada mediante acordo com Jeremy P. Tarcher, membro do Penguin Group (USA) LLC, uma empresa Penguin Random House. Todos os direitos reservados incluindo o direito de reproduzir no todo ou em parte em qualquer forma.

É proibida a reprodução total ou parcial, por qualquer meio ou processo. É vedada a inclusão de qualquer parte desta obra em qualquer sistema de processamento de dados. A violação dos direitos autorais é crime (art. 184 e parágrafos, do Código Penal, cf. Lei nº 6.895, de 17/12/80) punível com pena de prisão e multa, conjuntamente com busca e apreensão e indenizações diversas.

Do original A mind for numbers: how to excel at math and science (even if you flunked algebra),

Imagens da capa: Imagem principal © Infopress Nova Mídia Ltda. e Nota A+ © THPStock / Fotolia

Para adquirir nossos livros em quantidade com descontos especiais para uso educacional, corporativo ou promocional, entre em contato através do e-mail corporativo@infopress.com.br.

DADOS INTERNACIONAIS DE CATALOGAÇÃO NA PUBLICAÇÃO (CIP)
(eDOC BRASIL, Belo Horizonte/MG)

O11a   Oakley, Barbara A.
         Aprendendo a aprender: como ter sucesso em matemática, ciências e qualquer outra matéria (mesmo se você foi reprovado em álgebra) / Barbara Oakley; tradução: Alexandre de Azevedo Palmeira Filho – São Paulo: Infopress Nova Mídia, 2015
         347 p. :il.; 16 x 23 cm

         Bibliografia: p. 311-322
         Título original em inglês: A mind for numbers: how to excel at math and science (even if you flunked algebra)
         ISBN: 978-85-86622-45-8

         1. Aprendizagem. 2. Matemática – Estudo e Ensino – Aspectos Psicológicos. 3. Psicologia educacional. I. Oakley, Barbara A. II. Título.

CDD 501.9

ÍNDICE PARA CATÁLOGO SISTEMÁTICO:
501.9 – Matemática e Ciências - Teoria e Ensino - Psicologia
153.1 – Memória e aprendizagem
153.3 – Imaginação e criatividade
153.43 – Raciocínio
153.8 – Força de vontade
153.9 – Inteligência e aptidões
158.1 – Aperfeiçoamento pessoal

INFOPRESS NOVA MÍDIA LTDA
CNPJ 01.277.125/0001-26
Rua Baltazar Lisboa, 180B
04110-060 – São Paulo – SP
telefone (19)99549-6356
www.infopress.com.br
atendimentoaoleitor@infopress.com.br

 Atena é um selo editorial de Infopress Nova Mídia Ltda.

Aprendendo a Aprender é dedicado ao Dr. Richard Felder, cujo brilhantismo e paixão levaram a melhorias extraordinárias pelo mundo afora no ensino de ciências, matemática, engenharia e tecnologia. Meus próprios sucessos, e também os de dezenas de milhares de outros educadores, tiveram origem em suas produtivas abordagens educacionais. *Il miglior maestro.*

A Lei da Serendipidade: a sorte favorece quem tenta

conteúdo

APRESENTAÇÃO por Terrence J. Sejnowski, Professor da Cadeira
Francis Crick, Instituto Salk de Estudos Biológicos — xvii

PREFÁCIO por Jeffrey D. Karpicke, Professor Associado, Cadeira James V.
Bradley de Ciências Psicológicas, Universidade de Purdue — xix

NOTA PARA O LEITOR — xxi

1 Abra a Porta — 1

2 Vá com Calma: — 10
Por Que o Esforço Excessivo Pode às Vezes Ser Parte do Problema

3 Aprender é Criar: — 31
Lições da Frigideira de Thomas Edison

4 Formando Blocos e Evitando Ilusões de Competência: 55

Os Segredos para se Tornar um "Encantador de Equações"

5 Evitando a Procrastinação: 90

Alistando seus Hábitos ("Zumbis") como Ajudantes

6 Zumbis por Toda Parte: 101

Investigando mais Fundo para Entender o Hábito da Procrastinação

7 Blocos e Bloqueios: 121

Como Aumentar sua Perícia e Reduzir a Ansiedade

8 Ferramentas, Dicas e Truques 135

9 Palavras Finais sobre os Zumbis da Procrastinação 154

10 Melhorando sua Memória 167

11 Mais Dicas de Memória 180

12 Aprendendo a Apreciar seu Talento 196

13 Esculpindo seu Cérebro 207

14 Desenvolvendo a Imaginação através de Equações Poemas 216

15 Aprendizagem Renascentista 230

16 Evitando o Excesso de Confiança: 241

O Poder do Trabalho em Equipe

17 Fazendo Provas   254

18 Libere seu Potencial   269

POSFÁCIO por David B. Daniel, Ph.D., Professor,
Departamento de Psicologia, Universidade James Madison   281

AGRADECIMENTOS   285

NOTAS DE FIM   291

REFERÊNCIAS   311

CRÉDITOS   323

apresentação

Seu cérebro tem habilidades incríveis, mas não vem com um manual de instruções. Você encontrará esse manual em *Aprendendo a Aprender*. Não importa se você é um novato ou perito, você encontrará neste livro novas maneiras de aperfeiçoar suas habilidades e técnicas poderosas de aprendizagem, em especial aquelas relacionadas à matemática e às ciências.

Henri Poincaré foi um matemático do século XIX. Certa vez ele descreveu como solucionou um difícil problema matemático, ao qual ele tinha dedicado semanas de trabalho intenso sem sucesso. Ele tirou férias. Quando ele estava entrando em um ônibus no sul da França, a resposta para o problema lhe ocorreu súbita e espontaneamente, vinda de uma parte do cérebro que tinha continuado a trabalhar no problema enquanto ele estava desfrutando suas férias. Ele soube imediatamente que tinha a solução certa, embora só fosse colocar os detalhes no papel mais tarde, após retornar para Paris.

O que funcionou para Poincaré pode funcionar também para você, como Barbara Oakley explica neste livro revelador. Surpreendentemente, seu cérebro também pode trabalhar em um problema até mesmo enquanto você está dormindo e desligado de tudo. Mas ele só fará isso se você se concentrar e tentar resolver o problema antes de dormir. Pela manhã, na maior parte das vezes, uma nova ideia, que pode ajudar você a resolver o problema, surge em sua mente. O esforço intenso antes de um período de férias, ou antes de adormecer, é importante para preparar seu cérebro; caso contrário, ele irá trabalhar em algum outro problema. Não há nada especial quanto à matemática ou outra matéria acadêmica sob esse aspecto – seu cérebro trabalhará com o mesmo empenho em problemas de relacionamentos sociais ou em problemas de matemática e ciências, se for isso que estiver ocupando sua mente recentemente.

Você encontrará muitas revelações e técnicas sobre como aprender efetivamente neste livro fascinante e oportuno, que aborda a aprendizagem como uma aventura, e não como um tipo de trabalho forçado. Você verá como pode estar se enganando, imaginando erroneamente que entendeu um assunto; você encontrará maneiras de manter sua concentração e planejar suas sessões de estudos e revisão; e você aprenderá a condensar ideias-chave, para que possa mantê-las mais facilmente em sua mente. Domine as abordagens simples e práticas descritas aqui e você será capaz de aprender de forma mais eficaz e com menos frustração. Este maravilhoso guia enriquecerá sua aprendizagem e sua vida.

—Terrence J. Sejnowski, Professor da Cadeira Francis Crick,
Instituto Salk de Estudos Biológicos

prefácio

Este é um livro que pode fazer uma grande diferença na forma como você vê e entende a aprendizagem. Você aprenderá as técnicas *mais simples, mais eficazes* e *mais eficientes* que os pesquisadores conhecem sobre como aprender. E você se divertirá enquanto estiver fazendo isso.

O que é surpreendente é que muitos estudantes usam estratégias ineficazes e ineficientes. No meu laboratório, por exemplo, nós entrevistamos estudantes universitários sobre como eles estudam. Na maior parte das vezes, eles usam a estratégia da *leitura repetida*—simplesmente lendo livros ou anotações de aula várias vezes. Nós e outros pesquisadores descobrimos que essa estratégia passiva e superficial muitas vezes produz uma aprendizagem mínima ou inexistente. Chamamos isso de "trabalho em vão"—os estudantes estão fazendo um esforço real, mas não chegam a lugar nenhum.

Nós não decidimos fazer releituras passivas porque somos burros ou preguiçosos. Fazemos isso porque somos vítimas de uma ilusão cognitiva. Quando lemos algum material várias vezes, o material torna-se familiar e fluente, no sentido de que se torna fácil para nossas mentes processá-lo. Então pensamos que esse processamento fácil é um sinal de que nós aprendemos alguma coisa, mesmo se não tivermos aprendido.

Este livro apresentará essa e outras ilusões do processo de aprendizagem e fornecerá ferramentas para superá-las. E também introduzirá ferramentas poderosas, como o treinamento pela recordação, que podem ter um efeito poderoso e multiplicar o resultado do tempo gasto na aprendizagem. Este é um livro profundamente prático, mas inspirador, que o ajudará a ver claramente por que algumas abordagens são muito mais eficazes do que outras.

Estamos testemunhando uma explosão no conhecimento sobre como aprender mais efetivamente. Neste novo mundo de conhecimento, você descobrirá que *Aprendendo a Aprender* é um guia indispensável.

—Jeffrey D. Karpicke, Professor Associado da Cadeira James V. Bradley de Ciências Psicológicas da Universidade de Purdue

nota para o leitor

As pessoas que trabalham profissionalmente com matemática e ciências muitas vezes passam anos descobrindo técnicas eficazes de aprendizagem. Depois que elas desvendam esses métodos, *ótimo*! Elas passaram, sem se dar conta disso, pelos ritos de iniciação necessários para se juntar à misteriosa sociedade dos praticantes da matemática e das ciências.

Escrevi este livro para apresentar essas técnicas simples para que você possa começar a usá-las imediatamente. O que leva anos para os profissionais descobrirem está agora a seu alcance.

Usando essas abordagens, não importa qual seja seu nível de habilidade em matemática, ciências ou outra matéria, você pode mudar seu modo de pensar e mudar sua vida. Se você já é um especialista, essa es-

xxii   nota para o leitor

piadela por trás das cortinas da mente lhe dará ideias para turbinar a aprendizagem bem-sucedida, apresentando dicas contrárias à intuição para se sair melhor em provas e sugestões que o ajudarão a fazer melhor uso do tempo que você passa fazendo os deveres de casa e listas de exercícios. Se você está enfrentando dificuldades nos estudos, você verá várias técnicas práticas, com explicações passo a passo, do que você precisa fazer para encontrar o caminho do sucesso. Se você está interessado em aprender como aprendemos, você se divertirá muito e encontrará muitas informações que você pode usar para ajudar os outros.

Este é um livro para estudantes do ensino médio que amam as aulas de espanhol e português, mas detestam matemática, e também para os estudantes universitários que já se destacam em matemática, ciências, engenharia e negócios, que suspeitam que existem ferramentas mentais que podem ser adicionadas a seus conjuntos de ferramentas de aprendizagem. É para estudantes de todos os tipos que querem melhorar sua capacidade geral de aprender. É para os pais cujos filhos estão ficando para trás em matemática ou tentando levantar um voo para o estrelato em matemática e ciências. É para o trabalhador que, esgotado ao chegar em casa, não foi capaz de passar em um teste de certificação importante, e para a empregada do turno da noite de uma loja de conveniências que sonha em se tornar uma enfermeira—ou até mesmo uma médica. É para o crescente exército de pais que ensinam seus filhos em casa. É para os professores do ensino fundamental, médio e universitários— não só de matemática, ciências, engenharia e tecnologia, mas também de campos como educação, psicologia e negócios. E é para os leitores que gostam de aprender um pouco sobre tudo.

Em resumo, este livro é para você. Divirta-se!

—Barbara Oakley, Ph.D., P.E., Pesquisadora, Instituto Americano para a Engenharia Médica e Biológica e Vice-Presidente, Instituto de Engenheiros de Eletricidade e Eletrônica— Sociedade de Engenharia em Medicina e Biologia

{ 1 }

abra a porta

Quais são as chances de você abrir a porta de sua geladeira e encontrar um zumbi tricotando meias dentro dela? As chances são as mesmas de que uma pessoa em sintonia com seu lado emocional, com afinidade com idiomas, como eu, acabaria se tornando uma professora de engenharia.

Na escola, eu *odiava* matemática e ciências. Fui reprovada várias vezes nessas matérias no ensino médio e só comecei a estudar trigonometria—um curso supletivo de trigonometria—quando eu tinha vinte e seis anos.

Quando eu era criança, mesmo o simples conceito de ler um mostrador de relógio parecia não fazer sentido. Por que o ponteiro pequeno aponta para a hora? Não deveria ser o ponteiro grande, já que a hora é mais importante do que o minuto? O relógio está marcando dez e dez? Ou uma hora e cinquenta? Eu estava permanentemente confusa. Pior que meus problemas com os relógios era a televisão. Naquela época, antes do controle remoto, eu nem sequer sabia qual botão ligava a televisão. Eu só assistia a programas de TV na companhia de meus irmãos. Eles não só sabiam ligar a TV, mas também sabiam sintonizar o canal do programa que nós queríamos ver. Muito bom.

Eu só podia concluir, olhando minha inépcia técnica e notas vermelhas em matemática e ciências, que eu não era muito inteligente. Pelo menos, não nessa área. Eu não sabia à época, mas minha autoimagem, de uma pessoa técnica, científica e matematicamente incapaz, foi moldando minha vida. A raiz disso tudo era meu problema com a matemática. Cheguei a ver os números e as equações como algo semelhante à exposição a uma doença mortal—algo a ser evitado a todo custo. Eu ainda não sabia que existiam truques mentais simples que poderiam ter colocado a matemática em foco para mim, truques que são úteis não só para as pessoas que são ruins em matemática, mas também para aquelas que já são boas nessa matéria. Eu não sabia que meu modo de pensar é típico das pessoas que acreditam que não são capazes de entender matemática e ciências. Agora eu entendo que meu problema estava relacionado a dois modos distintamente diferentes de ver o mundo. Naquela época, eu só sabia usar um modo de aprendizagem—e como resultado eu era surda para a música da matemática.

A matemática, como é geralmente ensinada, pode ser uma fada madrinha. Ela avança lógica e majestosamente da soma passando pela subtração, multiplicação e divisão. Em seguida ela sobe em direção ao céu da beleza abstrata. Mas a matemática também pode ser uma madrasta malvada. Ela é absolutamente imperdoável se você perder qualquer etapa da sequência lógica—e é fácil perder uma etapa. Basta uma vida familiar tumultuada, um professor desiludido ou um período prolongado de doença—mesmo uma ou duas semanas em um momento crítico podem causar um grande prejuízo.

Ou, como era meu caso, simplesmente não ter nenhum interesse ou talento aparente.

No oitavo ano, minha família foi atingida por um desastre. Meu pai perdeu o emprego depois de uma grave lesão nas costas. Acabamos em um distrito escolar miserável no qual um professor de matemática excêntrico nos fazia ficar sentados durante horas, em um calor sufocante, fazendo exercícios de memorização de multiplicação e adição. Para piorar, o Senhor Excêntrico se recusava a dar qualquer explicação. Ele parecia gostar de nos ver tendo dificuldades.

A essa altura, eu não só não via nenhuma utilidade na matemática—eu odiava ativamente a matéria. E, quanto a ciências, bem, a situação não era muito melhor. No meu primeiro experimento de

Eu aos dez anos com Earl, o carneirinho. Eu adorava
animais, ler e sonhar. Matemática e ciências
não estavam na minha lista de interesses

química, minha professora, por alguma razão, deu, para mim e meu parceiro de laboratório, uma substância diferente daquela que o resto da turma recebeu. Ela nos ridicularizou quando nós alteramos os dados para tentar fazer com que fossem semelhantes aos resultados dos outros alunos. Quando meus pais, sempre bem-intencionados, viram minhas notas vermelhas e sugeriram que eu fosse buscar ajuda fora do período de aulas com os professores, eu senti que não valeria a pena fazer isso. A matemática e as ciências eram inúteis, em todo caso. Mas os "Deuses dos Cursos Obrigatórios" estavam determinados a me obrigar a fazer cursos de ciências. Meu jeito de ganhar era me recusar a entender qualquer coisa que fosse ensinada e, expressando minha revolta, ser reprovada em todas as provas. Não havia nenhuma maneira de derrotar minha estratégia.

Eu tinha outros interesses, no entanto. Eu gostava de história, estudos sociais, cultura e especialmente idiomas. Felizmente, essas matérias equilibraram minhas notas.

Assim que terminei o colegial, eu me alistei no exército porque eles pagariam para eu aprender outro idioma (de verdade!). Eu me saí tão bem estudando russo (um idioma que escolhi por capricho), que ganhei uma bolsa de estudos do Corpo de Treinamento de Oficiais da Reserva. Comecei meus estudos na Universidade de Washington para obter um diploma de bacharelado em Línguas e Literatura Eslavas, em que me formei com louvor. O russo fluía facilmente—meu sotaque era tão bom que às vezes eu era confundida com um nativo dessa língua. Passei muito tempo ganhando essa competência—quanto melhor eu me tornava, mais eu gostava do que estava fazendo. E quanto mais eu gostava do que estava fazendo, mais tempo eu passava me aperfeiçoando. Meus sucessos conduziam à prática, que preparava o terreno para mais sucessos.

Mas em uma situação tão improvável que eu jamais poderia tê-la imaginado, eventualmente me vi ocupando um posto de segundo-tenente na unidade de comunicações do exército americano. De repente, todos esperavam que eu me tornasse uma especialista em sistemas de rádio, telégrafo e telefone. Que divisor de águas! Em um momento eu estava no topo do mundo, uma linguista especialista, no controle de meu destino, e em seguida fui jogada em um novo mundo tecnológico, no qual eu não estava familiarizada sequer com os princípios mais básicos.

Uau!

Eu tive de me inscrever em cursos de eletrônica com ênfase em matemática (terminei entre os últimos da classe) e então fui enviada para a Alemanha Ocidental, onde me tornei uma lastimável líder de pelotão de comunicações. Eu notei que havia grande demanda pelos oficiais e soldados alistados que *eram* tecnicamente competentes. Eles eram solucionadores de problemas de primeira ordem, e seu trabalho ajudava todos a realizar a missão.

Eu refleti sobre o progresso de minha carreira e percebi que tinha seguido minhas paixões interiores sem também estar aberta para o desenvolvimento de novas oportunidades. Como consequência, eu tinha inadvertidamente limitado minhas possibilidades. Se eu ficasse no exército, meu fraco conhecimento técnico sempre me deixaria em desvantagem.

Por outro lado, se deixasse o serviço militar, o que eu poderia fazer com uma licenciatura em Línguas e Literatura Eslavas? Não existem muitos empregos para linguistas com especialidade em russo. Basicamente, eu teria que competir por empregos de nível inicial de secretariado com milhões de outras pessoas que também tinham diplomas de Bacharel em Artes. Um purista poderia argumentar que eu tinha me destacado em meus estudos e no serviço militar e conseguiria encontrar trabalho muito melhor, mas esse purista provavelmente desconhece como o mercado de trabalho pode ser difícil às vezes.

Felizmente, havia outra opção pouco comum. Um dos grandes benefícios do serviço militar era que eu tinha direito a uma bolsa para pagar os custos de meus estudos no futuro. E se eu usasse essa ajuda para fazer o impensável e tentasse me requalificar? Eu poderia reorganizar meu cérebro de averso à matemática para amante da matemática? De tecnófoba para nerd da tecnologia?

Nunca tinha ouvido falar de ninguém que tivesse feito nada parecido com isso antes, e certamente não a partir das profundezas da fobia em que eu tinha afundado. Na verdade, não podia haver nada mais contrário a minha personalidade do que dominar a matemática e as ciências. Mas meus colegas no serviço militar haviam me mostrado que havia benefícios concretos em fazer isso.

Isso se tornou um desafio—um desafio irresistível.

Tomei a decisão de retreinar meu cérebro.

Não foi fácil. Os primeiros semestres foram repletos de uma frustração assustadora. Eu me sentia como se estivesse usando uma venda. Os alunos mais jovens a meu redor pareciam em sua maioria ter um dom natural para ver as soluções, enquanto eu esbarrava em obstáculos.

Mas eu comecei a compreender as matérias. Parte do meu problema original, eu descobri, era que, da forma como eu estudava, meus esforços não eram produtivos—como se eu estivesse tentando levantar um pedaço de madeira estando em pé sobre ele. Comecei a aprender pequenos truques não só sobre como estudar, mas também sobre quando parar. Aprendi que internalizar determinados conceitos e técnicas pode ser uma ferramenta poderosa. Também aprendi a não tentar fazer muita coisa ao mesmo tempo. Era importante que eu tivesse bastante tempo para praticar, mesmo se isso significasse que meus colegas iriam algumas vezes se formar antes de mim, porque eu não estava fazendo tantos cursos em cada semestre quanto eles.

À medida que eu gradualmente *aprendi a aprender* matemática e ciências, as coisas se tornaram mais fáceis. Surpreendentemente, assim como com o estudo de um idioma, quanto melhor eu me tornava, mais eu gostava do que estava fazendo. Esta antiga Rainha dos Confusos em matemática terminou recebendo um diploma de bacharel em engenharia elétrica e em seguida um mestrado em engenharia elétrica e da computação. Finalmente, completei um doutorado em engenharia, após estudar uma ampla gama de assuntos, entre eles a termodinâmica, o eletromagnetismo, a acústica e a físico-química. Quanto mais alto eu chegava, melhor eu me saía. Quando eu cheguei a meus estudos de doutorado, eu estava passando facilmente com notas perfeitas. (Bem, talvez não tão facilmente. Boas notas ainda exigiam trabalho. Mas eu sabia o que precisava fazer.)

Agora, como professora universitária, eu me tornei interessada no funcionamento interno do cérebro. Meu interesse se desenvolveu naturalmente do fato de que a engenharia está por trás das imagens médicas que permitem que nós decifremos as funções do cérebro. Eu posso agora ver mais claramente como e por que eu fui capaz de mudar meu cérebro. Vejo também como posso ajudá-lo a aprender mais efetivamente, sem a frustração e as dificuldades que enfrentei[1]. E, como uma pesquisadora cujo trabalho se localiza entre a engenharia, as ciências sociais e as ciências humanas, também tenho consciência da criatividade essencial por trás não só da arte e da literatura, mas também da matemática e das ciências.

Se você (ainda) não se considera naturalmente bom em matemática e ciências, você pode se surpreender ao ouvir que **o cérebro é _projetado_ para fazer cálculos mentais extraordinários.** Nós temos de fazê-los cada vez que pegamos uma bola, ou balançamos nosso corpo ao ritmo de uma música ou manobramos o carro para desviar de um buraco na estrada. Costumamos fazer cálculos complexos, resolvendo equações complexas inconscientemente, sem saber que às vezes já sabemos a solução que estamos trabalhosamente tentando encontrar[2]. Na verdade, todos nós, como seres humanos, temos um talento natural para a matemática e as ciências. Basicamente, só precisamos dominar o jargão e a cultura.

Ao escrever este livro, eu entrei em contato com centenas de professores entre os mais proeminentes do mundo, de matemática, física, química, biologia, engenharia, e também de educação, psicologia e disciplinas profissionais, como negócios e ciências da saúde. Foi surpreendente ouvir quantas vezes esses especialistas de classe mundial tinham usado precisamente as abordagens descritas neste livro quando eles mesmos estavam aprendendo suas disciplinas. Essas técnicas também eram aquelas que eles pediam que seus alunos usassem—mas, como os métodos parecem às vezes ser contrários à intuição, e até mesmo irracionais, os instrutores muitas vezes acham difícil transmitir sua essência simples. Na verdade, como alguns desses métodos de ensino e aprendizagem são ridicularizados por instrutores comuns, os professores "astros" às vezes divulgavam seus segredos de ensino e aprendizagem com constrangimento, sem saber que muitos outros instrutores de destaque compartilhavam abordagens similares. Encontrando muitas dessas ideias práticas reunidas em um só lugar, você também pode facilmente aprender e aplicar técnicas que dão resultados, muitas delas coletadas de professores que são os "melhores entre os melhores". Essas técnicas são especialmente valiosas para ajudá-lo a aprender de maneira mais profunda e efetiva em um tempo limitado. Você também aprenderá com a experiência de alunos e outros estudantes—pessoas que compartilham com você suas dificuldades e considerações.

Lembre-se, este é um livro voltado igualmente para especialistas em matemática e para pessoas que detestam a matemática. Este livro foi escrito com o objetivo de tornar mais fácil para você aprender matemática, ciências e outras matérias, independentemente de suas notas anteriores, ou de você achar que é bom ou ruim nessas áreas. Ele foi projetado para revelar seus processos de pensamento, para que você possa entender como sua mente aprende—e também como sua mente às vezes o engana e faz você acreditar que está aprendendo, quando na verdade não está. O livro também inclui muitos exercícios para desenvolver suas habilidades, que você pode aplicar diretamente a seus estudos presentes. **Se você *já* é um bom estudante, as ideias neste livro podem ajudá-lo a se tornar ainda melhor.** Elas ampliarão sua satisfação, sua criatividade e a precisão de seu raciocínio.

Se você está simplesmente convencido de que não leva jeito para números ou ciências, este livro pode mudar a forma como você pensa. Você pode achar difícil acreditar que isso é possível, mas há esperança. Seguindo essas dicas concretas baseadas em como nós aprendemos, você se surpreenderá ao ver as mudanças dentro de você mesmo, mudanças que podem permitir que novas paixões floresçam.

O que você está prestes a descobrir nas páginas seguintes o ajudará a ser mais eficaz e criativo, não só em matemática e ciências, mas em quase tudo que você faz.

Vamos começar!

{ 2 }

vá com calma:

Por Que o Esforço Excessivo Pode às Vezes Ser Parte do Problema

Se você quer entender alguns dos segredos mais importantes para a aprendizagem da matemática e das ciências, dê uma olhada nesta foto.

O homem à direita é o legendário Grande Mestre de xadrez Garry Kasparov. O menino à esquerda, com 13 anos de idade, é Magnus Carlsen. Carlsen simplesmente se afastou do tabuleiro durante a parte crucial de um jogo de xadrez de velocidade, em que cada jogador tem poucos segundos para pensar em movimentos ou estratégia. Isso não é muito diferente de casualmente decidir dar um salto mortal ao andar em uma corda bamba sobre as Cataratas do Niágara.

Sim, Carlsen estava intimidando psicologicamente seu oponente. Ao invés de aniquilar o jovem surgido do nada, o desconcertado Kasparov conseguiu somente empatar. Mas o brilhante Carlsen, que viria a se tornar o mais jovem jogador de xadrez a ocupar a primeira

Magnus Carlsen (à esquerda), aos treze anos, e o lendário gênio Garry Kasparov jogando xadrez no torneio "Reykjavík Rapid" em 2004. A surpresa de Kasparov está apenas começando a se tornar aparente.

posição no ranking mundial, estava fazendo algo muito além de travar jogos mentais com seu adversário mais velho. Entender a abordagem de Carlsen pode nos ajudar a entender como a mente aprende matemática e ciências. Antes de tratarmos da forma como Carlsen desnorteou Kasparov, precisamos examinar algumas ideias importantes sobre como as pessoas pensam. (Mas eu prometo que voltaremos a Carlsen.)

Nós trataremos de alguns dos principais temas do livro neste capítulo, então não se surpreenda se você precisar mudar frequentemente o foco de seus pensamentos. Ser capaz de alternar seu pensamento—de adquirir uma ideia geral do que você está aprendendo antes de voltar mais tarde ao assunto para compreender mais plenamente o que está acontecendo, é em si mesmo uma das principais ideias do livro!

AGORA TENTE VOCÊ!

Prepare Sua Mente

Quando você começar a olhar para um capítulo ou uma seção de um livro que ensina conceitos de matemática ou ciências, vale a pena examinar inicialmente as figuras do capítulo, olhando não só para os gráficos, diagramas e fotos, mas também para os títulos das seções, o resumo final e até mesmo as perguntas no final do capítulo, se houver. Isso parece ser contrário à intuição—você ainda não leu o capítulo, mas ajuda a preparar sua mente. Então vá em frente agora e folheie este capítulo.

Você ficará surpreso em como *passar um ou dois minutos vendo o que está por vir antes de ler em profundidade o ajudará a organizar seus pensamentos*. Você está criando pequenos ganchos mentais para pendurar seus pensamentos, o que torna mais fácil entender os conceitos.

Pensamento Focado versus Pensamento Difuso

Na última década, os neurocientistas fizeram profundos avanços na compreensão das duas diferentes redes entre as quais o cérebro alterna—que correspondem a um *estado de atenção concentrada* e um *estado de repouso* mais relaxado[1]. Chamaremos os processos de pensamento relacionados a essas redes de **modo focado** e **modo difuso**, respectivamente—esses modos são muito importantes para a aprendizagem[2]. Parece que você frequentemente alterna entre esses dois modos nas atividades de seu dia a dia. Você está em um modo ou em outro—e não conscientemente em ambos ao mesmo tempo. O modo difuso parece ser capaz de trabalhar silenciosamente em segundo plano em algo em que você não esteja concentrado ativamente[3].

O modo focado de pensamento é essencial para estudar matemática e ciências. Ele envolve uma abordagem direta na resolução de problemas usando métodos racionais, sequenciais e analíticos. O modo focado está associado às habilidades de concentração do córtex pré-frontal do cérebro, localizado atrás de sua testa[4]. Volte sua atenção para algo e *bum*—o modo focado é *ativado,* como o feixe de luz preciso e penetrante de uma lanterna.

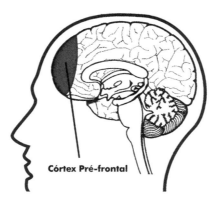

O córtex pré-frontal é a área
logo atrás da testa.

O pensamento em modo difuso também é essencial para aprender matemática e ciências. É ele que nos permite entender de repente um problema que estamos nos esforçando para resolver sem sucesso e está associado às perspectivas de "visão global". O pensamento em modo difuso é o que acontece quando você relaxa sua atenção e simplesmente deixa sua mente vagar. Esse relaxamento pode permitir que diferentes áreas do cérebro troquem informações e produzam conclusões valiosas. Ao contrário do modo focado, o modo difuso não está associado a nenhuma área específica do cérebro—você pode pensar nele como se fosse "difuso", isto é, espalhado, por todo o cérebro[5]. As revelações encontradas pelo modo difuso muitas vezes derivam de pensamentos preliminares que foram feitos no modo focado. (O modo difuso precisa ter barro para fazer tijolos!)

A aprendizagem envolve uma complexa sucessão de processamento neural entre diferentes áreas do cérebro e também um vaivém entre os hemisférios cerebrais[6]. Isso significa que pensar e aprender é mais complicado do que simplesmente uma alternância entre os modos focado e difuso. Mas, felizmente, nós não precisamos nos aprofundar nos mecanismos físicos. Nós adotaremos uma abordagem diferente.

O Modo Focado—Uma Máquina de Pinball com os Pinos Próximos

Para entender os processos mentais *concentrados* e *difusos,* nós vamos jogar pinball. (As metáforas são *sempre* ferramentas poderosas para a aprendizagem em matemática e ciências.) No velho jogo de

O zumbi feliz está jogando pinball neural

pinball, você puxa para trás um disparador acionado por mola e lança uma bola, que acaba sendo desviada aleatoriamente por pinos circulares emborrachados.

Dê uma olhada na ilustração na página seguinte. Quando você focaliza sua atenção em um problema, sua mente puxa para trás o disparador mental e libera um pensamento. Bum—esse pensamento é lançado e viaja de um pino para outro, como a bola em movimento dentro da cabeça na ilustração à esquerda. Esse é o *modo focado de pensamento*.

Observe como os pinos circulares estão muito próximos uns dos outros no modo focado. Em contraste, no modo difuso à direita os pinos estão mais afastados. (Se você quer levar a metáfora ainda mais longe, você pode pensar em cada pino como um grupo de neurônios.)

Os pinos próximos do modo focado significam que você pode formular mais facilmente um pensamento preciso. Basicamente, o modo focado é utilizado para se concentrar em algo que já está firmemente sedimentado em sua mente, muitas vezes porque você está familiarizado com os conceitos envolvidos. Se você olhar com atenção para a parte superior do padrão de pensamento do modo focado, você verá que uma parte da linha é mais larga, "mais frequentemente percorrida". O caminho mais largo mostra como o modo focado está seguindo uma rota que corresponde a algo que você já fez ou vivenciou.

Por exemplo, você pode usar o modo focado para multiplicar números, isto é, se você já souber multiplicar. Se você está estudando espanhol, você pode usar o modo focado para se tornar mais fluente na conjugação de um verbo que você aprendeu na semana passada. Se você é um nadador, você pode usar o modo focado para analisar seu nado de peito enquanto você pratica permanecer abaixado, para permitir que seja usada mais energia em seu movimento para frente.

Quando você se concentra em algo, o que acontece automatica-

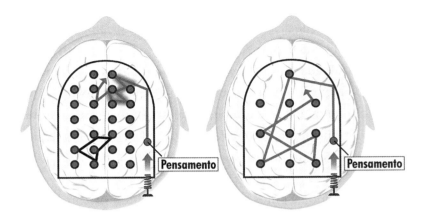

No jogo de "pinball", quando o disparador é solto, liberando a mola comprimida, uma bola, que representa um pensamento, é lançada e ricocheteia aleatoriamente nas fileiras de pinos emborrachados. Estas duas máquinas de pinball representam os modos de pensamento focado (à esquerda) e difuso (à direita). O modo focado está relacionado com a atenção intensa em um problema ou conceito específico. Mas, no modo focado, às vezes você focaliza sua atenção em abordagens que envolvem pensamentos errôneos, que não estão no mesmo lugar do cérebro em que estão os pensamentos que levam à solução do problema.

Como exemplo disso, observe o "pensamento" inicial na parte superior da imagem à esquerda. Ele está muito longe e completamente desconectado do padrão inferior de pensamento no mesmo cérebro. Você pode ver como parte do pensamento superior parece estar percorrendo um caminho subjacente largo. Isso ocorre porque você já pensou algo semelhante antes. O pensamento mais abaixo é um novo pensamento— ele não tem um padrão subjacente largo.

A abordagem difusa à direita muitas vezes envolve uma perspectiva mais abrangente. Esse modo de pensar é útil quando você está aprendendo algo novo. Como você pode ver, o modo difuso não permite que você se concentre intensamente para resolver um problema específico, mas pode permitir que você chegue mais perto de onde a solução está porque você é capaz de ir muito mais longe antes de atingir outro pino.

mente é que o córtex pré-frontal, a área do cérebro relacionada com a atenção consciente, envia sinais por caminhos neurais. Esses sinais ligam as diferentes áreas do cérebro relacionadas com o que você está pensando. Esse processo é semelhante a um polvo que estende seus tentáculos para diferentes áreas em seus arredores para executar alguma tarefa. O polvo tem apenas certo número de tentáculos para fazer conexões, assim como sua memória de trabalho pode armazenar apenas certo número de coisas ao mesmo tempo. (Falaremos mais sobre a memória de trabalho mais tarde.)

Você muitas vezes primeiro canaliza um problema para seu cérebro concentrando sua atenção em palavras—lendo um livro ou olhando suas notas de aula. Seu polvo da atenção ativa seu modo focado. Quando você começa a explorar o problema, você concentra sua atenção, utilizando os pinos que estão próximos uns dos outros para seguir caminhos neurais familiares. Isso não é um problema se você estiver tentando descobrir alguma coisa muito parecida com algo que já sabe. Seus pensamentos percorrem facilmente os padrões previamente assentados e encontram rapidamente uma solução. Em matemática e ciências, no entanto, muitas vezes não é preciso mudar muito um problema para ele tornar-se bastante diferente. E a dificuldade para solucioná-lo aumenta consideravelmente.

Por Que a Matemática e as Ciências Podem Ser Mais Desafiadoras

A resolução concentrada de problemas em matemática e ciências frequentemente exige mais esforço do que o pensamento em modo focado envolvendo idiomas e pessoas[7]. A razão para isso pode ser porque os seres humanos não evoluíram ao longo dos milênios para manipular ideias matemáticas, que são frequentemente codificadas mais abstratamente do que aquelas da linguagem convencional[8]. Obviamente, podemos ainda pensar *sobre* matemática e ciências—a *abstração* e *codificação* apenas acrescentam um nível—às vezes vários níveis—de complexidade.

O que quero dizer com abstração? Você pode apontar para uma *vaca*, de verdade e viva, ruminando em um pasto e associá-la às letras *v-a-c-a* na página. Mas você não pode apontar para um *sinal de mais* por mais verdadeira e viva que seja a manifestação concreta do símbolo "+"—a ideia por trás do sinal de mais é mais *abstrata*. Com *codificação*, quero dizer que um símbolo pode representar várias operações ou ideias diferentes, assim como o sinal de multiplicação simboliza adições repetidas. Em resumo, então, em nossa analogia com o pinball, é como se a abstração e a codificação da matemática fizessem os pinos amortecerem mais a bola inicialmente—exigindo treino extra para deixar os pinos mais rígidos e fazer a bola ricochetear corretamente. É por isso que lidar com a procrastinação, embora seja importante no estudo de qualquer disciplina, é particularmente importante em matemática e ciências. Falaremos mais sobre isso mais tarde.

Há outro desafio relacionado com essas dificuldades em matemática e ciências. Ele é chamado de efeito **Einstellung** (pronuncia-se *ainshtélun*). Nesse fenômeno, uma ideia anterior, ou sua primeira abordagem ao tentar resolver um problema, evita que uma ideia ou solução melhor seja encontrada[9]. Vimos isso na figura do pinball concentrado, na qual a bola de seu pensamento foi inicialmente para a parte superior do cérebro, mas a solução era um padrão na parte inferior da figura. (A palavra alemã Einstellung significa instalação—para se lembrar do que é *Einstellung*, imagine-o *instalando* um bloqueio em razão da maneira como você encara inicialmente alguma coisa.)

Esse tipo de abordagem errada é especialmente frequente em ciências porque, às vezes, sua intuição inicial sobre o que está acontecendo é enganosa. Você tem que desaprender suas ideias errôneas mais antigas ao mesmo tempo em que está aprendendo ideias novas[10].

O efeito *Einstellung* é um obstáculo com que os estudantes fre-

vá com calma

quentemente se deparam. Não se trata apenas de que às vezes suas intuições naturais precisam ser treinadas novamente—a situação é pior do que isso, às vezes é difícil até mesmo descobrir por onde começar, como ao tentar resolver um problema do dever de casa. Você fica indo de um lugar para outro sem fazer progresso—com seus pensamentos sempre longe da solução real—porque a aglomeração de pinos do modo focado impede que você salte para um novo lugar onde a solução pode ser encontrada.

É precisamente por isso que **os estudantes às vezes cometem um grande erro ao aprender matemática e ciências,** *eles pulam dentro da água antes de aprender a nadar*[11]. Em outras palavras, eles cegamente começam a trabalhar no dever de casa sem ler o livro, assistir às aulas, assistir aos vídeos online ou falar com alguém que domine o assunto. Isso é uma receita para afogar-se. É como permitir que um pensamento apareça aleatoriamente na máquina de pinball de modo focado sem prestar nenhuma atenção em onde a solução realmente está.

Entender como obter soluções *reais* é importante, não apenas para a resolução de problemas de matemática e ciências, mas para a vida em geral. Por exemplo, um pouco de investigação, autoconsciência e até mesmo autoexperimentação podem evitar que você jogue fora seu dinheiro—ou até mesmo comprometa sua saúde—com produtos que fazem alegações "científicas" falsas[12]. E ter um pouco de conhecimento de matemática pode ajudá-lo a não ficar com dívidas em atraso—uma situação que pode ter um grande impacto negativo em sua vida[13].

O Modo Difuso—Uma Máquina de Pinball com os Pinos Afastados

Pense na máquina de pinball do *modo difuso* do cérebro que vimos várias páginas atrás, do lado direito, na qual os pinos estavam afastados. Esse modo de pensamento permite que o cérebro olhe o mundo de uma perspectiva muito mais ampla. Você vê como um pensamento pode viajar muito mais longe antes de encontrar um pino? As conexões são mais distantes—você pode saltar rapidamente de uma área de pensamento para outra bem longe. Claro, é difícil formular pensamentos precisos ou complexos nesse modo.

Se você está se confrontando com um novo conceito ou tentando resolver um novo problema, não existem padrões neurais já existentes para ajudá-lo a orientar seus pensamentos—não há nenhum esboço de caminho para ajudar a guiá-lo. Você pode precisar explorar regiões vastas para encontrar uma solução em potencial. O modo difuso é o segredo para fazer isso!

Outra maneira de pensar na diferença entre os modos focado e difuso é pensar em uma lanterna. Você pode ajustar uma lanterna para que ela tenha um feixe focalizado e estreito, que pode chegar mais longe, mas iluminando uma pequena área. Ou você pode ajustar a lanterna com uma configuração mais difusa, na qual ela lança sua luz em uma região mais ampla, mas a luz não é tão forte.

Se você está tentando entender ou descobrir algo novo, sua melhor aposta é desligar seu pensamento concentrado de precisão e ativar seu modo difuso de "visão global" por tempo suficiente para conseguir encontrar uma abordagem nova e mais frutífera. Como veremos, o modo difuso tem espírito próprio—você simplesmente não pode dar uma ordem para que ele seja ativado. Mas nós veremos em breve alguns truques que podem ajudá-lo na transição entre os modos.

CRIATIVIDADE CONTRÁRIA À INTUIÇÃO

"Quando eu estava aprendendo sobre o modo difuso, comecei a notá-lo na minha vida diária. Por exemplo, eu percebi que meus melhores refrãos de guitarra sempre me ocorriam quando eu estava 'apenas brincando', e não quando eu me sentava com a intenção de criar uma obra-prima musical (caso em que as minhas músicas eram muitas vezes sem inspiração e cheias de clichês). Coisas semelhantes aconteciam quando eu estava escrevendo um trabalho escolar, tentando bolar uma ideia para um projeto ou tentando resolver um problema difícil de matemática. Agora sigo a seguinte regra prática: quanto mais você tenta fazer seu cérebro criar algo criativo, menos criativas serão suas ideias. Até agora, eu não encontrei uma única situação à qual isso não se aplicasse. Em última análise, isso significa que o relaxamento é uma parte importante do trabalho duro—e bom trabalho, a propósito."

– Shaun Wassell, cursando o primeiro ano de engenharia da
computação

Por Que Existem Dois Modos de Pensamento?

Por que temos esses dois modos de pensamento diferentes? A resposta pode estar relacionada com dois grandes problemas que os vertebrados tiveram que enfrentar para permanecer vivos e passar seus genes para seus descendentes. Um pássaro, por exemplo, precisa concentrar sua atenção cuidadosamente para pegar pequenos pedaços de grão quando ele bica o chão em busca de alimentos e, ao mesmo tempo, ele deve vigiar se há predadores como gaviões no horizonte. Qual é a melhor maneira de realizar essas duas tarefas tão diferentes? Separar as coisas, é claro. Você pode ter um hemisfério do cérebro mais voltado para a atenção concentrada necessária para bicar a comida, e o outro voltado para vigiar se há perigo no horizonte. Quando cada hemisfério cuida de um determinado tipo de percepção, isso pode aumentar as chances de sobrevivência[14]. Se você observar os pássaros, você verá que eles bicam primeiro e então fazem uma pausa para examinar o horizonte—quase como se estivessem alternando entre os modos focado e difuso.

Nos seres humanos, vemos uma divisão similar das funções cerebrais. O lado esquerdo do cérebro está um pouco mais associado à atenção focada e cuidadosa. Ele também parece ser mais especializado na manipulação de informações sequenciais e no pensamento lógico—o primeiro passo leva ao segundo passo e assim por diante. O hemisfério direito parece estar mais associado à observação difusa do ambiente e à interação com outras pessoas, e parece estar mais associado ao processamento de emoções[15]. Ele também está associado ao gerenciamento do processamento simultâneo e de visão global[16].

As pequenas diferenças entre os hemisférios podem nos dar uma noção de por que surgiram dois modos diferentes de processamento. Mas cuidado com a ideia de que o "lado esquerdo" ou o "lado direito" do cérebro de algumas pessoas é dominante—a pesquisa indica que isso simplesmente não é verdade[17]. Em vez disso, é evidente que *ambos* os hemisférios estão envolvidos nos modos de pensamento focado e difuso. **Para aprender matemática e ciências, e ser criativo nessas áreas, precisamos reforçar e usar ambos os modos focado e difuso**[18].

A evidência sugere que, para lidar com um problema difícil, nós devemos primeiro nos esforçar para encontrar a solução do problema no modo focado. (Nós aprendemos isso na escola!) Aqui está a parte interessante: o modo difuso *também* é, frequentemente, uma parte importante da resolução de problemas, especialmente quando o problema é difícil. *Mas, enquanto estamos nos concentrando conscientemente em um problema, nós estamos bloqueando o modo difuso.*

ACEITE A PERPLEXIDADE!

"Um estado de perplexidade é uma parte saudável do processo de aprendizagem. Quando os alunos tentam resolver um problema e não sabem como fazê-lo, eles muitas vezes concluem que não são bons na matéria. Os estudantes mais brilhantes, em particular, podem ter esse tipo de dificuldade—como eles passaram sempre com facilidade no ensino médio, eles não têm nenhuma razão para pensar que estar confuso é normal e necessário. Mas a parte essencial do processo de aprendizagem é conseguir sair de um estado de confusão. Articular a sua pergunta é 80% da batalha. Quando você descobrir o que está causando as dificuldades, é provável que você mesmo já tenha respondido à pergunta!"

– Kenneth R Leopold, Professor Benemérito de Ensino,
Departamento de Química, Universidade de Minnesota

A moral da história é que a resolução de problemas em qualquer disciplina muitas vezes envolve um intercâmbio entre esses dois modos fundamentalmente diferentes. Um modo processa as infor-

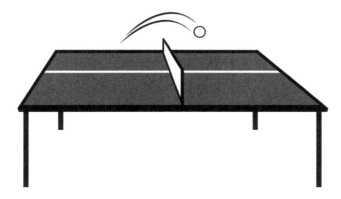

Só há um vencedor no pingue-pongue se a bola puder ir de um lado para o outro.

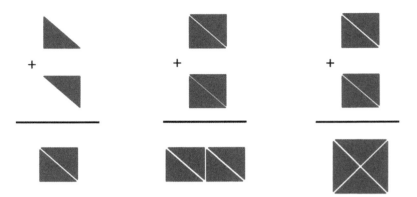

Aqui está um rápido exemplo que dá uma ideia da diferença entre os modos de pensamento focado e difuso. Se pedirem para você colocar dois triângulos juntos, formando um quadrado, você conseguirá fazer isso facilmente, como mostrado à esquerda. Se lhe derem mais dois triângulos e pedirem para você formar um quadrado, sua primeira tendência será erroneamente juntá-los formando um retângulo, como mostrado no meio. Isso acontece porque você já estabeleceu um padrão de modo focado, e sua tendência é repeti-lo. É necessário um salto intuitivo difuso para perceber que você precisa reorganizar completamente as peças, se você quiser formar outro quadrado, como mostrado à direita[19].

mações que recebe e, em seguida, envia o resultado para o outro modo. Essa saraivada de informações de um modo para o outro, à medida que o cérebro faz progresso em direção a uma solução consciente, é essencial para compreender e resolver todos os problemas e conceitos, exceto os mais triviais[20]. As ideias apresentadas aqui são extremamente úteis para entender como se dá a aprendizagem em matemática e ciências. Mas, como você provavelmente está começando a ver, elas podem ser igualmente úteis para muitas outras áreas, como a linguagem, a música e a redação criativa.

AGORA TENTE VOCÊ!

Mudando de Modo

Aqui está um exercício cognitivo que pode ajudá-lo a sentir a transição do modo focado para o modo difuso. Veja se você consegue formar um novo triângulo apontando para baixo, movendo apenas três moedas.

Quando você relaxa, liberando sua atenção e não se concentrando em nada em particular, a solução pode se formar mais facilmente em sua mente.

Você deve saber que algumas crianças resolvem esse exercício instantaneamente, enquanto alguns professores universitários de inteligência indiscutível simplesmente desistem. Invocar sua criança interior pode ajudar a responder a essa pergunta. A solução para esse desafio, e para todos os desafios Agora Tente Você, pode ser encontrada nas notas de fim do livro[21].

Introdução à Procrastinação

Muitas pessoas lutam com a procrastinação. Teremos muito a dizer mais tarde neste livro sobre como lidar eficazmente com esse problema. Por enquanto, tenha em mente que **quando você fica deixando algo para depois, você geralmente termina só tendo tempo**

suficiente para fazer uma aprendizagem superficial em modo focado. Você também está aumentando seu nível de estresse, porque você sabe que precisa completar o que você percebe que é uma tarefa desagradável. Os padrões neurais resultantes serão fracos e fragmentados e desaparecerão rapidamente—você ficará com uma base frágil. Em matemática e ciências em particular, isso pode criar problemas graves. Se você estudar para uma prova no último minuto ou fizer seu dever de casa às pressas, você não terá tempo para que nenhum dos modos de aprendizagem o ajude a enfrentar os problemas e conceitos mais difíceis ou a sintetizar as conexões que tornam mais permanente o que você está aprendendo.

AGORA TENTE VOCÊ!

Concentre-se intensamente, mas brevemente

Se você costuma ficar adiando o início dos estudos, como muitos de nós fazemos, aqui vai uma dica. Coloque seu telefone em modo silencioso e desligue a televisão, o rádio, o computador e tudo que possa interrompê-lo. Depois programe um alarme para tocar em 25 minutos e trabalhe durante esses 25 minutos concentrado em uma tarefa—qualquer tarefa. Não se preocupe em terminar a tarefa—só se preocupe em trabalhar nela. Quando os 25 minutos terminarem, recompense-se navegando na internet, verificando seu celular ou fazendo o que você gostar de fazer. *Essa recompensa é tão importante quanto o próprio trabalho.* Você ficará espantado ao ver como um intervalo concentrado de 25 minutos pode ser produtivo—especialmente quando você está apenas se concentrando no trabalho em si, e *não* em terminá-lo.

Se você quer aplicar uma versão mais avançada dessa técnica, imagine que, no final do dia, você está refletindo sobre a tarefa mais importante que você realizou nesse dia. Qual seria essa tarefa? Anote-a. Então trabalhe nela. Tente realizar pelo menos três dessas sessões de 25 minutos, para a tarefa ou tarefas que você acha que são as mais importantes.

No final de seu dia de trabalho, veja o que você riscou de sua lista e saboreie a sensação de realização. Em seguida, escreva uma ou duas coisas importantes em que você gostaria de trabalhar no dia seguinte. Essa preparação preliminar ajudará seu modo difuso a começar a pensar em como você realizará essas tarefas no dia seguinte.

EM RESUMO

- Nosso cérebro utiliza dois processos muito diferentes para pensar—os modos focado e difuso. Você alterna entre esses modos, usando ora um, ora outro.
- É comum ficar atrapalhado com novos conceitos e problemas quando nós começamos a estudá-los.
- Para descobrir novas ideias e resolver problemas, é importante não só concentrarmos nossa atenção inicialmente, mas também, depois, desviar nossa atenção do que queremos aprender.
- *Einstellung* significa ficar empacado ao tentar resolver um problema ou entender um conceito em consequência de uma abordagem inicial incorreta, que impede que você veja a questão de outra forma, bloqueando seu progresso. Alternar entre os modos focado e difuso pode ajudá-lo a libertar-se do *Einstellung*. Lembre-se de que às vezes você precisará ser flexível em seu modo de pensar. Você pode precisar mudar de modo para resolver um problema ou entender um conceito.

PAUSA E RECORDAÇÃO

Feche o livro e desvie o olhar. Quais foram as principais ideias deste capítulo? Não se preocupe se você não se lembrar de muita coisa nas primeiras tentativas. Conforme você for praticando essa técnica, você começará a notar mudanças em como você lê e de quanto você se lembra.

PARA MELHORAR SUA APRENDIZAGEM

1. Como você percebe quando você está no modo difuso? Qual é a sensação de estar no modo difuso?

2. Quando você está conscientemente pensando em um problema, qual modo está ativo e qual está bloqueado? O que você pode fazer para escapar desse bloqueio?

3. Lembre-se de um episódio no qual você experimentou o efeito *Einstellung*. Como você conseguiu mudar sua forma de pensar para superar a noção preconcebida, mas errônea?

4. Explique como os modos focado e difuso podem ser comparados ao feixe de luz ajustável de uma lanterna. Quando você consegue enxergar mais longe? Quando você pode ver uma área maior, mas não tão longe?

5. Por que a procrastinação é às vezes um desafio, especialmente para quem está estudando matemática e ciências?

DESEMPACANDO: OBSERVAÇÕES DE NADIA NOUI-MEHIDI, ALUNA DO ÚLTIMO ANO DE ECONOMIA

"*Eu estudei Cálculo 1 no terceiro ano do ensino médio e foi um pesadelo. Era tão profundamente diferente de tudo o que tinha aprendido antes que eu não sabia nem por onde começar. Estudei mais tempo e com mais afinco do que jamais havia estudado; no entanto, não importava quantos problemas eu resolvesse ou quanto tempo eu passasse na biblioteca, eu não estava aprendendo nada. Eu terminei me contentando com o que eu conseguia fazer memorizando problemas e fórmulas. Não preciso dizer que não me saí bem no exame de nível médio.*

Evitei a matemática nos dois anos seguintes e, então, no segundo ano da faculdade, eu cursei Cálculo 1 e obtive nota 10,0. Não acho que havia me tornado mais inteligente dois anos mais tarde, mas houve uma mudança completa na forma como eu estava abordando a matéria.

Acho que na escola eu estava empacada no modo focado de pensamento (Einstellung!) e sentia que, se eu continuasse tentando resolver os problemas da mesma forma, eles iriam eventualmente fazer sentido.

Eu agora dou aulas particulares para estudantes de matemática e economia, e eles quase sempre enfrentam dificuldades porque estão examinando obsessivamente os detalhes do problema em busca de pistas sobre como resolvê-lo, e não tentando entender o problema em si. Eu não acredito que você pode ensinar alguém a pensar—é como uma jornada pessoal. Mas aqui estão algumas coisas que me ajudaram a compreender um conceito que inicialmente parecia complicado ou confuso.

1. *Eu entendo melhor quando eu leio o livro em vez de ouvir alguém falar, então eu sempre leio o livro. Eu primeiro folheio o capítulo, para saber basicamente onde ele está tentando chegar, e depois eu o leio detalhadamente. Eu leio o capítulo mais de uma vez (mas não em seguida).*

2. *Se, depois de ler o livro, eu ainda não entendo o que está acontecendo, eu procuro o assunto na internet, ou vejo vídeos*

no YouTube explicando-o. Não faço isso porque a explicação do livro ou do professor não é completa, mas porque às vezes ouvir a explicação de uma forma ligeiramente diferente pode fazer a sua mente encarar o problema de um novo ângulo e despertar a compreensão.

3. *Penso com mais clareza quando estou dirigindo. Às vezes eu simplesmente faço uma pausa e dirijo pelos arredores—isso me ajuda muito. Eu tenho que estar um pouco ocupada porque, se eu só me sentar e pensar, acabo ficando entediada ou distraída e não consigo me concentrar."*

{ 3 }

aprender é criar:

*Lições da
Frigideira de Thomas Edison*

Thomas Edison é um dos inventores mais prolíficos da história, com mais de mil patentes em seu nome. *Nada* ficava no caminho de sua criatividade. Mesmo quando seu laboratório estava sendo destruído por um terrível incêndio, causado por um acidente, Edison estava empolgado, esboçando planos para um novo laboratório, ainda maior e melhor do que o anterior. Como Edison conseguia ser tão incrivelmente criativo? A resposta, como você verá, está relacionada com seus truques incomuns para mudar seu modo de pensar.

Alternando Entre os Modos Focado e Difuso

Para a maioria das pessoas, alternar do modo focado para o difuso acontece naturalmente quando se distraem e deixam passar um pouco de tempo. Você pode fazer uma caminhada, tirar uma soneca ou ir à academia. Ou você pode trabalhar em algo que ocupa outras partes de seu cérebro: ouvir música, conjugar verbos em espanhol ou limpar a gaiola de seu hamster[1]. *O segredo é fazer outra coisa até que seu cérebro esteja livre de qualquer pensamento consciente sobre o problema.* A não ser que outros truques sejam postos em jogo, isso geralmente leva várias horas. Você pode dizer—*não tenho tanto tempo.* Você tem, no entanto, se simplesmente mudar seu foco para outras coisas que você precisa fazer e intercalar um pouco de tempo para recreação e descanso.

O especialista em criatividade Howard Gruber sugere que um dos três "Cs" geralmente parece dar conta do recado: a cama, o chuveiro ou o carro[2]. Um químico extremamente inventivo dos meados do século XIX, Alexander Williamson, observou que uma caminhada solitária podia ajudá-lo a fazer mais progresso em seu trabalho do que uma semana no laboratório[3]. (Para sua sorte, ainda não havia smartphones naquela época.) Caminhar estimula a criatividade em muitos campos; vários escritores famosos, como Jane Austen, Charles Dickens e Carl Sandburg, encontravam inspiração em suas frequentes e longas caminhadas.

Quando você para de pensar no problema, o modo difuso entra em ação e pode, a partir de uma visão global, começar a formar conexões buscando uma solução[4]. Após o intervalo, quando retornar para o problema, você muitas vezes ficará surpreso com a facilidade com que você encontra a solução. Mesmo se a solução não vir à tona, você muitas vezes estará mais perto de sua compreensão. Pode ser preciso muito trabalho duro no modo focado primeiro, mas a solução inesperada que emerge do modo difuso faz com que você sinta que ele deveria ser chamado de modo "Heureca!".

Essa solução intuitiva, sussurrada pelo seu subconsciente, para o quebra-cabeça que você está tentando resolver, é uma das sensações mais indescritivelmente triunfantes da matemática e das ciências—e da arte, literatura e qualquer outra atividade criativa, a propósito! E sim, como você verá, *a matemática e as ciências são formas profundamente*

O brilhante inventor Thomas Edison (acima) teria usado um engenhoso truque para alternar do modo focado para o difuso. O famoso pintor surrealista Salvador Dalí (abaixo) usava esse mesmo truque em seu processo criativo.

criativas de pensar, mesmo quando você está apenas aprendendo-as na escola.

Aquele sentimento desconectado, de falta de clareza, que você experimenta ao adormecer era, ao que parece, parte da magia por trás da extraordinária criatividade de Edison. Ao enfrentar um problema difícil, ao invés de insistir e continuar pensando nele, Edison, segundo a lenda, tirava uma soneca. Mas ele fazia isso sentado em uma poltrona, segurando um rolamento de aço acima de uma frigideira ou chapa de metal no chão. Quando ele relaxava, seus pensamentos passavam para o livre e aberto modo difuso. (Isso serve para lembrá-lo de que dormir é uma boa maneira de fazer o cérebro pensar livremente sobre um problema que você quer resolver ou sobre qualquer coisa em que você estiver trabalhando de forma criativa.) Quando Edison dormia, o rolamento caía de sua mão. O barulho o acordava, e ele agarrava os fragmentos de seus pensamentos em modo difuso para criar novas formas de enfrentar o problema[5].

A Criatividade Depende de Você Aproveitar e Ampliar suas Habilidades

Há uma profunda conexão entre a criatividade técnica, científica e artística. O extravagante pintor surrealista Salvador Dali, assim como Thomas Edison, também usava uma soneca e o barulho de um objeto caindo de sua mão para conectar-se com as perspectivas criativas de seu modo difuso[6]. **Fazer uso do modo difuso ajuda você a atingir um nível de compreensão mais profundo e criativo.** Há muita criatividade por trás da resolução de problemas de matemática e ciências. Muitas pessoas pensam que há apenas uma maneira de resolver um problema, mas muitas vezes há várias soluções diferentes, se você tiver a criatividade de vê-las. Por exemplo, são conhecidas mais de *trezentas* provas do teorema de Pitágoras. Como aprenderemos em breve, problemas de ciências exatas e suas soluções podem ser considerados uma forma de poesia.

A criatividade, de toda forma, é mais do que simplesmente dispor de um conjunto desenvolvido de capacidades científicas ou artísticas. Ela depende de você aproveitar e estender suas habilidades. Muitas pessoas acham que não são criativas, mas isso simplesmente não é verdade. *Todos nós* temos a capacidade de fazer novas conexões neurais e de tirar da memória algo que nunca foi colocado lá antes—o que os pesquisadores da criatividade Liane Gabora e Apara Ranjan chamam de "a magia da criatividade"[7]. Compreender como funciona sua mente ajuda a compreender melhor a natureza criativa de alguns de seus pensamentos.

AGORA TENTE VOCÊ!

Do Modo focado para o Difuso

Leia a seguinte frase e identifique quantos erros ela contém:

Está sentença contém trez erros.

Os dois primeiros erros são facilmente descobertos usando uma abordagem de modo focado. O terceiro erro, de natureza paradoxal, torna-se evidente somente quando você muda de perspectiva e adota uma abordagem mais difusa[8]. (Lembre-se de que a solução está no fim do livro).

Trabalhando Alternadamente com os Dois Modos para Dominar o Material

A história de Edison nos lembra de outra coisa. *Nós aprendemos muito com nossos fracassos em matemática e ciências*[9]. Saiba que você está fazendo progresso com cada erro que você comete ao tentar resolver um problema—encontrar erros deve dar-lhe um sentimento de satisfação. Como Edison disse: "Eu não falhei mil vezes, eu descobri com sucesso 1.000 maneiras de não fazer uma lâmpada[10]".

Os erros são inevitáveis. Para superá-los, comece a trabalhar cedo em suas tarefas e, a menos que você realmente esteja gostando do que está fazendo, *mantenha suas sessões de trabalho curtas*. Lembre-se, quando você faz pausas, seu modo difuso ainda está trabalhando em segundo plano. É o melhor negócio possível—você continua aprendendo enquanto descansa. Algumas pessoas acham que elas nunca entram em modo difuso, mas isso simplesmente não é verdade. Cada vez que você relaxa e não pensa em nada em particular, seu cérebro entra em um modo padrão natural que é uma forma de pensamento difuso. Todo mundo faz isso[11].

O sono é provavelmente o fator mais eficaz e importante para permitir que seu modo difuso enfrente um problema difícil. Mas não se deixe enganar pela natureza aparentemente descontraída, às vezes sonolenta, do modo difuso. Uma maneira de pensar no modo difuso é como uma estação base quando você está escalando uma montanha. As estações base são locais de descanso essenciais na longa jornada para difíceis picos de montanhas. Você as usa para parar, refletir, verificar seu equipamento e certificar-se de que você está na rota certa. Mas você nunca confundiria o descanso em uma estação base com o trabalho duro necessário para chegar ao pico de uma montanha. **Em outras palavras, usar seu modo difuso não significa que você pode ficar por aí vadiando e esperar chegar a algum lugar.** Conforme os dias e as semanas passam, é a prática distribuída—e o vaivém entre a atenção do modo focado e o relaxamento do modo difuso—que o leva ao resultado desejado[12].

Tenha em mente que usar o modo focado, que muitas vezes é o que você precisa para fazer com que seu cérebro comece a trabalhar em um problema, exige atenção total. Estudos mostraram que temos uma quantidade limitada de energia mental—força de vontade—para esse tipo de pensamento[13]. Quando sua energia diminui, às vezes você pode fazer uma pausa e dedicar-se a outras tarefas que exigem atenção concentrada, parando de estudar matemática e passando a estudar vocabulário francês, por exemplo. Mas quanto mais tempo você passa no modo focado, mais recursos mentais você usa. É como uma série estendida de levantamento de pesos mentais. É por isso que breves intervalos para movimentar-se ou conversar com os amigos, durante os quais você não tem que se concentrar atentamente, podem ser tão revigorantes.

Talvez você queira que sua aprendizagem progrida mais rapidamente—queira de alguma forma dar uma ordem para que seu modo difuso assimile novas ideias mais depressa. Mas compare isso com a prática de exercícios. Levantar pesos constantemente não torna seus músculos maiores—seus músculos precisam de tempo para descansar e crescer antes de serem utilizados novamente. O descanso entre as sessões de peso ajuda a construir músculos fortes no longo prazo. A consistência é fundamental!

USE ESSAS FERRAMENTAS DIFUSAS COMO RECOMPENSA APÓS O TRABALHO INTENSO NO MODO FOCADO[14]

Ativadores gerais do modo difuso
- Ir para a academia
- Praticar um esporte, como futebol ou basquetebol
- Correr, caminhar ou nadar
- Dançar
- Ir dar uma volta de carro (ou andar com alguém de carro)
- Desenhar ou pintar
- Tomar um banho ou uma ducha
- Ouvir música, especialmente sem palavras
- Meditar ou orar
- Tocar músicas que você conhece bem com um instrumento musical
- Dormir (o modo difuso definitivo!)

Ativadores do modo difuso que são mais bem usados brevemente, como recompensa. (Estas atividades podem ajudá-lo a chegar a um modo mais concentrado do que as apresentadas acima)

- Jogar videogames
- Navegar na internet
- Conversar com os amigos
- Oferecer-se para ajudar alguém a fazer uma tarefa simples
- Ler um livro relaxante
- Enviar mensagens de texto para os amigos
- Ir assistir a um filme ou a um jogo
- Assistir televisão (deixar cair o controle remoto se você cair no sono não conta)

Não se Preocupe em Competir com seus Vizinhos

Os alunos que estão começando a ter dificuldades com matemática e ciências muitas vezes olham para outros que são cavalos de corrida intelectuais e dizem a si mesmos que eles não podem ficar para trás. Então eles não dedicam o tempo extra que precisam para dominar verdadeiramente o material e ficam ainda mais para trás. Como resultado dessa situação desconfortável e desanimadora, os alunos acabam se distanciando desnecessariamente da matemática e das ciências.

Dê um passo para trás e avalie friamente suas forças e fraquezas. Se você precisa de mais tempo para aprender matemática e ciência, isso é simplesmente algo que você deve aceitar. Se você está no ensino médio, tente organizar sua agenda de forma que você tenha o tempo que precisa para se concentrar nos materiais mais difíceis e limite esses materiais a proporções que não sejam excessivas. Se você está na faculdade, tente evitar uma carga completa de cursos pesados, especialmente se você também estiver trabalhando. Uma carga mais leve de cursos de matemática e ciências pode, para alguns, ser o equivalente a uma carga pesada de outros tipos de cursos. Especialmente nas fases iniciais da faculdade, evite a tentação de acompanhar o ritmo de seus colegas a todo custo.

Você pode se surpreender ao descobrir que aprender lentamente pode fazer com que você termine aprendendo mais profundamente do que seus colegas de pensamento mais rápido. Um dos truques mais importantes que me ajudaram a reorganizar meu cérebro foi aprender a evitar a tentação de fazer muitos cursos de matemática e ciências ao mesmo tempo.

Evite o *Einstellung* (Ficar Empacado)

Lembre-se, aceitar a primeira ideia que vem à mente quando você estiver trabalhando em uma tarefa ou problema pode impedi-lo de encontrar uma solução melhor. Os jogadores de xadrez que são vítimas do *Einstellung* realmente acreditam que estão examinando o tabuleiro em busca de uma solução diferente. Mas o estudo cuidadoso do movimento de seus olhos mostra que eles estão mantendo seu foco na solução original. *Não apenas seus olhos, mas sua própria mente não consegue se afastar o suficiente para ver uma nova abordagem para o problema*[15].

De acordo com pesquisas recentes, *piscar é uma atividade vital que fornece outro meio de reavaliar a situação.* Fechar nossos olhos nos ajuda a fazer uma micropausa que momentaneamente desativa a nossa atenção e nos permite, por um breve momento, revigorar e renovar nossa consciência e perspectiva[16]. As pessoas muitas vezes olham para longe ou fecham os olhos para evitar distrações quando se concentram, tentando achar uma resposta[17]. Cobrir seus olhos enquanto você pensa atentamente sobre algo pode ser útil, permitindo que você se concentre mais profundamente.

Agora podemos começar a entender Magnus Carlsen e sua genialidade ao apreciar a importância de distrações aparentemente triviais. Quando Carlsen levantou e desviou seu olhar—e sua atenção—para os outros tabuleiros de xadrez, ele ajudou sua mente a deixar o modo focado. Voltar os olhos e a atenção para outro lugar provavelmente foi fundamental para permitir que sua intuição difusa trabalhasse em seu jogo com Kasparov. Como Carlsen foi capaz de alternar entre modos tão rapidamente para alcançar sua súbita nova percepção do jogo? Sua vasta experiência em xadrez provavelmente desempenhou um papel importante, em conjunto com suas próprias habilidades de prática intuitiva. Essa é uma indicação de que você, também, pode ser capaz de desenvolver maneiras de alternar rapidamente entre os modos focado e difuso à medida que desenvolve seus conhecimentos sobre um assunto.

Aliás, Carlsen provavelmente também sabia que ao saltar da cadeira ele distrairia Kasparov. Mesmo ligeiras distrações nesse nível de jogo podem ser desconcertantes—um lembrete que a atenção profunda e concentrada é um recurso importante, e você não quer que alguma distração o interrompa. (Isto é, a menos que seja hora de intencionalmente dar um passo para trás e deixar o modo difuso assumir o controle.)

Resolver um problema difícil ou aprender um novo conceito quase sempre requer um ou mais períodos durante os quais você não está conscientemente trabalhando no problema. Cada intervalo em que você não está diretamente concentrado no problema permite que seu modo difuso o examine de uma nova maneira. Ao voltar sua atenção concentrada para o problema, você consolida as novas ideias e os padrões encontrados pelo modo difuso.

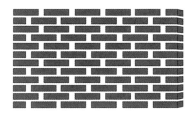 

Aprender bem significa deixar o tempo passar entre sessões de estudo concentrado, para que os padrões neurais possam se solidificar corretamente. É como dar tempo para a argamassa secar quando você está construindo uma parede de tijolos, como mostrado à esquerda. Tentar aprender tudo às pressas em umas poucas sessões não deixa tempo para que as estruturas neurais se consolidem em sua memória de longo prazo, e o resultado é uma pilha confusa de tijolos, como a da direita.

ALTERNANDO ENTRE O PENSAMENTO FOCADO E DIFUSO

"Durante uma década e meia como pianista, algumas vezes me deparei com um trecho de uma composição particularmente difícil. Eu simplesmente não conseguia dominá-lo e, assim, eu forçava os meus dedos a tocá-lo repetidamente (embora muito lenta ou incorretamente) e então eu deixava para continuar depois. No dia seguinte, quando eu tentava novamente, eu era capaz de tocá-lo perfeitamente, como se por mágica.

Eu experimentei fazer uma pausa hoje com um problema de cálculo que era bastante complexo e estava começando a me irritar. No carro, no caminho para o festival do Renascimento, a solução me veio à mente e tive que escrevê-la em um guardanapo, antes que eu me esquecesse! (Sempre tenha guardanapos no seu carro. Nunca se sabe.)"

– *Trevor Drozd, cursando o terceiro ano de ciência da computação*

Os intervalos de descanso entre seus esforços em modo focado devem ser longos o suficiente para que sua mente consciente se desligue completamente do problema em que você está trabalhando. Geralmente algumas horas é tempo suficiente para o modo difuso fazer um progresso significativo. Muito mais do que isso, e suas descobertas podem desaparecer antes de serem passadas para o modo focado. Uma boa regra, quando você está aprendendo novos conceitos, é não deixar as coisas paradas por mais de um dia.

O modo difuso não só permite que você veja o material sob novas perspectivas, mas também permite que você sintetize as novas ideias e as incorpore ao que você já sabe. Isso também ajuda a entender por que "dormir pensando no assunto", antes de tomar grandes decisões, é geralmente uma boa ideia[18] e por que tirar férias é tão importante.

Seu cérebro precisa de tempo para resolver a tensão entre os modos focado e difuso que ocorre quando você aprende novos conceitos e técnicas. Trabalhar no modo focado é como produzir tijolos e trabalhar no modo difuso é como ir juntando os tijolos com argamassa. A paciente capacidade de continuar trabalhando, um pouco por vez, é importante e, por isso, se a procrastinação for um problema para você, será fundamental aprender alguns dos truques neurais que veremos mais adiante para lidar efetivamente com ela.

AGORA TENTE VOCÊ!

Observe suas reações

Na próxima vez que algo ou alguém estiver o deixando frustrado, experimente dar um passo mental para trás e observar como você reage. A raiva e a frustração podem às vezes nos motivar a atingir nossos objetivos, mas elas também podem desligar áreas do cérebro essenciais para a aprendizagem. A frustração crescente costuma significar que você deve parar, sinalizando que você precisa alternar para o modo difuso.

O Que Fazer Quando Você *Realmente* Não Sabe o Que Fazer

Pessoas com forte autocontrole podem ter mais dificuldades em conseguir *desligar* seu modo focado para que o modo difuso possa entrar em ação. Afinal de contas, elas se tornaram bem-sucedidas porque às vezes continuaram trabalhando enquanto outros esmoreciam. Se você se vê com frequência nessa situação, há outro truque que você pode usar. Obrigue-se a ouvir colegas de estudos, amigos ou entes queridos que podem sentir quando você está se tornando perigosamente frustrado. Às vezes é mais fácil dar ouvidos aos outros do que a si mesmo. (Quando meu marido ou filhos, por exemplo, sugerem que eu pare de procurar erros em um programa de computador, eu sigo essa regra, embora a contragosto.)

Falando sobre conversar com outras pessoas, quando você está realmente empacado, não há nada mais útil do que ouvir a opinião de seus colegas, pares ou de seu instrutor. Procure alguém que possa apresentar uma perspectiva diferente sobre como resolver o problema ou uma analogia diferente para entender o conceito; no entanto, é melhor que antes você tente resolver o problema, porque dessa forma você pode incorporar os conceitos básicos em profundidade suficiente para se tornar receptivo à explicação. Aprender muitas vezes significa decifrar o que nós já vimos e, para isso, precisamos ter visto algo. (Eu me lembro de olhar com hostilidade para meus professores de ciências no ensino médio, culpando-os pela minha falta de compreensão, sem perceber que era eu quem precisava dar os passos iniciais.) E não espere até a semana antes dos exames finais para pedir ajuda. Faça isso desde o início e frequentemente. O professor pode, muitas vezes, reformular ou explicar o assunto de uma forma diferente, que permita que você compreenda melhor o assunto.

O FRACASSO PODE SER UM GRANDE PROFESSOR

Quando eu estava no colegial, decidi fazer um curso de ciência da computação de nível avançado e terminei sendo reprovada no exame. Mas eu não iria aceitar essa derrota tão facilmente, então eu fiz o curso e o exame novamente no ano seguinte. De alguma forma, ficar longe da programação por quase um ano e depois voltar a ela me fez perceber o quanto eu realmente gostava da matéria. Eu passei no exame tranquilamente na segunda tentativa. Se eu tivesse tido medo demais de fracassar, de fazer o curso de ciência da computação uma primeira e depois uma segunda vez, eu certamente não seria o que sou hoje, uma cientista da computação entusiasmada e feliz.

– Cassandra Gordon, cursando o segundo ano de ciência da computação

AGORA TENTE VOCÊ!

Entenda os paradoxos da aprendizagem

A aprendizagem é muitas vezes paradoxal. A mesma coisa de que precisamos para aprender impede nossa capacidade de aprender. Temos de nos concentrar intensamente para sermos capazes de resolver problemas, mas a concentração também pode impedir que vejamos novas abordagens de que podemos precisar. O sucesso é importante, mas, de modo crítico, o fracasso também é. A persistência é essencial, mas a persistência mal dirigida provoca frustração desnecessária.

Ao longo deste livro, você vai encontrar muitos paradoxos da aprendizagem. Você pode antecipar quais seriam alguns deles?

Introdução à Memória de Trabalho e de Longo Prazo

A esta altura, é útil falar sobre alguns dos princípios básicos da memória. Para nossos propósitos, vamos falar apenas sobre dois importantes sistemas de memória: *a memória de trabalho* e *a memória de longo prazo*[19].

A memória de trabalho é a parte da memória relacionada com o que você está imediata e conscientemente processando em sua mente. Antes se acreditava que nossa memória de trabalho poderia armazenar cerca de sete itens, ou "blocos", mas hoje é geralmente aceito que a memória de trabalho tem capacidade para armazenar apenas cerca de quatro blocos de informação. (Nossa tendência de agrupar automaticamente itens de memória em blocos faz com que nossa memória de trabalho pareça ser maior do que ela realmente é[20].)

Você pode pensar na memória de trabalho como o equivalente mental de um malabarista. Os quatro itens apenas ficam no ar—ou na memória de trabalho—porque você continua o tempo todo adicionando um pouco de energia a eles. Essa energia é necessária para que seus vampiros metabólicos—processos naturais de dissipação—não apaguem as memórias. Em outras palavras, você precisa manter essas memórias ativas, caso contrário, seu corpo desviará sua energia para outro lugar, e você se esquecerá das informações que havia reunido.

Sua memória de trabalho é importante na aprendizagem das matérias que envolvem matemática e ciências, porque ela é como sua própria lousa mental particular, na qual você pode escrever algumas ideias que está examinando ou tentando entender.

Como você mantém algo na memória de trabalho? Muitas vezes é através da repetição; por exemplo, você pode repetir um número de telefone até que tenha uma chance de anotá-lo. Você pode fechar

Geralmente, você pode armazenar cerca de quatro itens em sua memória de trabalho, como mostrado na memória com quatro lugares à esquerda. Quando você domina uma técnica ou conceito em matemática ou ciências, ele passa a ocupar menos espaço em sua memória de trabalho. Isso libera espaço para mais itens, permitindo que você lide mais facilmente com outras ideias, como mostrado à direita.

os olhos e concentrar-se para impedir que outros itens invadam as posições limitadas de sua memória de trabalho.

Por outro lado, **a memória de longo prazo pode ser vista como um armazém**. Depois que os itens são guardados, eles geralmente ficam lá. O armazém é grande, com espaço para bilhões de itens, e os pacotes armazenados podem facilmente terminar enterrados tão profundamente que se torna difícil encontrá-los. A pesquisa mostrou que, quando seu cérebro coloca inicialmente um item de informação na memória de longo prazo, você precisa visitá-lo algumas vezes para aumentar as chances de mais tarde ser capaz de encontrá-lo quando precisar dele[21]. (As pessoas que gostam de computadores às vezes comparam a memória de curto prazo à memória RAM e a memória de longo prazo ao espaço no disco rígido.)

A memória de longo prazo é importante para a aprendizagem de matemática e ciências, porque é nela que você armazena os conceitos fundamentais e técnicas usadas na resolução de problemas. Leva algum tempo para mover informações da memória de trabalho para a memória de longo prazo. Para ajudar nesse processo, use uma técnica chamada de *repetição espaçada*. Como você deve ter adivinhado, essa técnica consiste em repetir o que você está tentando reter na memória, como uma nova palavra de vocabulário ou uma nova técnica de resolução de problemas, mas espaçando as repetições ao longo de vários dias.

Intercalar um dia entre sessões de repetição—estendendo o treinamento ao longo de alguns dias—faz diferença. A pesquisa mostrou que, se você tentar guardar coisas em sua memória, repetindo-as cerca de vinte vezes em uma noite, por exemplo, isso não dará um resultando tão bom quanto se você praticasse o mesmo número de vezes ao longo de vários dias ou semanas[22]. Isso é semelhante à construção do muro de tijolos que vimos anteriormente. Se você não reservar tempo para a argamassa secar (para as conexões sinápticas se formarem e se fortalecerem), você não construirá uma estrutura muito boa.

AGORA TENTE VOCÊ!

Deixe sua Menta Trabalhar em Segundo Plano

Da próxima vez que você estiver trabalhando em um problema difícil, tente resolvê-lo durante alguns minutos. Quando ficar empacado, passe para outro problema. Seu modo difuso pode continuar trabalhando no problema mais difícil em segundo plano. Quando você retornar mais tarde para o problema mais difícil, ficará muitas vezes agradavelmente surpreso com o progresso que fez.

CONSELHOS SOBRE DORMIR

"Muitas pessoas dizem que não conseguem cochilar. A única coisa que aprendi com uma única aula de ioga de que participei muitos anos atrás foi diminuir a velocidade da minha respiração. Eu apenas respiro lentamente, inspirando e expirando, e não penso, 'Eu preciso dormir'. Em vez disso, eu penso em coisas como 'Hora de dormir!' e me concentro na minha respiração. Eu também me certifico de que esteja escuro no quarto, ou eu cubro meus olhos com uma destas máscaras para dormir em avião. Eu também ajusto o alarme do meu telefone para 21 minutos porque transformar um cochilo curto em um sono mais longo pode lhe deixar grogue. Essa quantidade de tempo me dá o que é basicamente uma reinicialização cognitiva."

Amy Alkon, colunista e rainha da soneca

A Importância do Sono na Aprendizagem

Você pode se surpreender ao saber que simplesmente estar acordado cria produtos tóxicos em seu cérebro. Durante o sono, suas células encolhem, causando um notável aumento no espaço *entre* elas. Isso é equivalente a ligar uma torneira—fazendo o fluído circular e empurrando as toxinas para fora[23]. Essa faxina noturna é parte do que mantém o cérebro saudável. Quando você dorme pouco, é o acúmulo desses produtos tóxicos que explica por que você não consegue pensar muito claramente. (A falta de sono, na verdade, está associada a condições que vão do mal de Alzheimer à depressão—a insônia prolongada é letal.)

Estudos mostraram que o sono é uma parte vital da memória e aprendizagem[24]. Parte do que essa faxina noturna faz é apagar os aspectos triviais das memórias e simultaneamente reforçar as áreas importantes. Durante o sono, seu cérebro também ensaia algumas das partes mais difíceis de tudo o que você está tentando aprender—revisando os padrões neurais repetidamente para aprofundá-los e fortalecê-los[25].

Finalmente, foi demonstrado que o sono faz uma diferença notável na capacidade das pessoas de resolver problemas difíceis e encontrar o significado e a interpretação do que elas estão aprendendo. É como se a desativação completa do "você" consciente no córtex pré--frontal ajudasse as outras áreas do cérebro a começar a falar mais facilmente umas com as outras, permitindo que elas formem a solução neural para seu problema enquanto você dorme[26]. (Claro, você deve plantar a semente para o modo difuso primeiro, trabalhando em modo focado.) Parece que se você rever o material logo antes de tirar uma soneca ou ir dormir, você tem uma chance maior de sonhar com ele. Se você for ainda mais longe e estabelecer em sua mente que você quer sonhar com o material, isso parece melhorar suas chances de sonhar com ele ainda mais[27]. Sonhar com o que você está estudando pode melhorar substancialmente sua capacidade de assimilar o assunto—de alguma forma, isso consolida suas memórias em blocos de compreensão mais simples[28].

Tenha em mente que, se você está cansado, muitas vezes é melhor simplesmente ir dormir, levantar um pouco mais cedo no dia seguinte e ler o material com um cérebro mais descansado. Os estudantes experientes atestarão que ler com um cérebro bem descansado durante uma hora é melhor do que ler com um cérebro cansado durante três horas. Um cérebro com falta de sono simplesmente não consegue fazer as conexões usuais que você faz durante os processos normais de pensamento. Ficar sem dormir na noite antes de uma prova pode significar que, mesmo se você estiver perfeitamente preparado, sua mente será simplesmente incapaz de funcionar corretamente, e você se sairá mal na prova.

UM MÉTODO PARA MUITAS DISCIPLINAS

As abordagens focada e difusa são valiosas para todos os campos e disciplinas, não apenas para a matemática e as ciências. Como Paul Schwalbe, um aluno do último ano em inglês, observa:

"Se tenho dificuldades em resolver um problema, eu me deito na cama com um caderno aberto e uma caneta na mão e apenas escrevo meus pensamentos sobre o problema ao cair no sono, bem como às vezes logo após acordar. Uma parte do que eu escrevo não faz sentido, mas às vezes eu descubro uma maneira totalmente nova de olhar para o meu problema."

EM RESUMO

- Use o modo focado para começar a tentar entender conceitos e problemas em matemática e ciências.
- Depois que você fez seu primeiro esforço concentrado, deixe o modo difuso assumir o controle. Relaxe e faça algo diferente!
- Quando você começa a ficar frustrado, é hora de fazer outra coisa para permitir que o modo difuso comece a trabalhar em segundo plano.
- É melhor trabalhar em matemática e ciências em pequenas doses—um pouco todos os dias. Isso dá a ambos os modos focado e difuso o tempo de que precisam para desempenhar seus papéis, para que você possa entender o que está aprendendo. É assim que estruturas neurais sólidas são construídas.
- Se a procrastinação é um problema, experimente ajustar um alarme para disparar em 25 minutos e concentre-se atentamente em sua tarefa sem se distrair com mensagens de texto, páginas da internet ou outras tentações.

aprender é criar 51

- Existem dois importantes sistemas de memória:
  - A memória de trabalho—semelhante a um malabarista que só pode manter quatro itens no ar.
  - A memória de longo prazo—semelhante a um armazém que pode guardar uma grande quantidade de material, mas que você precisa rever ocasionalmente para manter as memórias acessíveis.
- A repetição espaçada ajuda a mover itens de memória de trabalho para memória de longo prazo.
- Dormir é uma parte crítica do processo de aprendizagem. Dormir ajuda a:
  - Fazer as conexões neurais necessárias para os processos normais de pensamento—é por isso que dormir bem na noite antes de uma prova é tão importante.
  - Resolver problemas difíceis e encontrar o *significado* do que você está aprendendo.
  - Fortalecer e ensaiar as partes importantes do que você está aprendendo e descartar as partes sem importância.

PAUSA E RECORDAÇÃO

Levante-se e faça uma pequena pausa—pegue um copo de água ou um lanche, ou finja que você é um elétron e circule em órbita ao redor de uma mesa nas proximidades. Enquanto você se move, verifique se consegue se lembrar das principais ideias deste capítulo.

PARA MELHORAR SUA APRENDIZAGEM

1. Cite algumas atividades que você acredita que seriam particularmente úteis para ir do modo focado para o difuso.

2. Às vezes você pode ter *certeza* que explorou novas abordagens para analisar um problema, quando na verdade isso não ocorreu. O que você pode fazer para tornar-se mais ativamente consciente de seus processos de pensamento para ajudar a permanecer aberto a outras possibilidades? Você deve *sempre* se manter aberto a novas possibilidades?

3. Por que é importante usar o autocontrole para obrigar-se a *parar* de fazer algo? Você pode pensar em situações fora de seus estudos e da área acadêmica em que essa habilidade também pode ser importante?

4. Quando estiver aprendendo novos conceitos, você deve rever o material até o dia seguinte para que as mudanças iniciais que você fez em seu cérebro não desapareçam. Mas sua mente muitas vezes acaba ficando ocupada com outros assuntos—é fácil deixar alguns dias ou mais passarem antes de voltarmos a examinar o material. O que você poderia fazer para garantir que voltará aos novos materiais importantes em tempo hábil?

CONSELHOS DO NEUROPSICÓLOGO ROBERT BILDER SOBRE A CRIATIVIDADE

Robert Bilder *apenas fazendo* em Makapu'u, Havaí

O professor de psiquiatria Robert Bilder é diretor do Centro Tennenbaum para a Biologia da Criatividade da UCLA e lidera a iniciativa "Bem-Estar da Mente" para aperfeiçoar o potencial criativo e o bem-estar psicológico de estudantes, funcionários e professores da UCLA.

A pesquisa sobre a biologia da criatividade sugere vários ingredientes que todos nós podemos usar em nossas receitas pessoais para o sucesso. O fator número um é o fator Nike: Apenas faça!

- *A criatividade é um jogo de números: O melhor indicador de quantas obras criativas produzimos em nossas vidas... é o número de obras que produzimos. Às vezes é uma tortura mostrar meu trabalho para os outros, mas, sempre que faço isso, o resultado é melhor do que eu esperava.*

- *Lide com o medo: Um cartaz motivacional que recebi após dar uma palestra na sede do Facebook diz: "O que você faria se não tivesse medo?" Tento olhar para ele todos os dias, e meu objetivo é fazer algo sem medo diariamente. Do que você tem medo? Não deixe que isso o detenha!*
- *Repetições fazem parte do jogo: Se você não gosta do jeito como algo saiu—faça-o novamente!*
- *A crítica nos torna melhores: Mostrando nosso trabalho para os outros, e externalizando-o de forma que possamos nós mesmos inspecioná-lo, ganhamos uma perspectiva única, uma nova compreensão, e desenvolvemos planos novos e melhorados para a próxima versão.*
- *Esteja disposto a ser do contra: Conforme aumenta a tendência a concordar com os outros, o nível de criatividade costuma diminuir. Aqueles que contestam mais o consenso são em geral mais criativos. Olhando para trás, as poucas vezes em que eu encontrei alguma coisa nova, foi porque eu desafiei as respostas existentes. Então eu acredito que a maneira criativa ganha terreno sempre que nós trazemos um problema de volta a suas raízes e questionamos nossas suposições (em conjunto com as suposições sugeridas pelos outros); em seguida, repita!*

{ 4 }

formando blocos e evitando ilusões de competência:

Os Segredos para se Tornar um "Encantador de Equações"

Solomon Shereshevsky chamou a atenção de seu chefe, inicialmente, porque ele era preguiçoso. Ou pelo menos era isso o que seu chefe pensava.

Solomon era um jornalista. Naquela época, em meados da década de 20 na União Soviética, ser um jornalista significava relatar o que as autoridades mandavam, nem mais, nem menos. As tarefas diárias eram distribuídas—detalhando quem você deveria encontrar, em qual endereço e o que deveria perguntar. O editor encarregado começou a notar que todo mundo fazia anotações. Todos, isto é, exceto Solomon Shereshevsky. Curioso, o editor perguntou a Solomon o que estava acontecendo.

Solomon ficou surpreso—por que ele deveria tomar notas, ele perguntou, quando ele era capaz de lembrar-se de tudo o que ouviu?

56   aprendendo a aprender

Em seguida, Solomon repetiu parte da palestra da manhã, palavra por palavra. O que surpreendeu Solomon foi que ele pensava que *todos* tinham uma memória como a dele. Perfeita. Permanente[1].

Você não gostaria de ter o dom de uma memória como essa?

Na verdade, você provavelmente não gostaria. Porque, em paralelo com sua extraordinária memória, Solomon tinha um problema. Neste capítulo, falaremos sobre no que exatamente consiste esse problema—que está relacionado com a maneira como a *concentração* afeta *a compreensão* e a *memória*.

O Que Acontece Quando Você Focaliza sua Atenção?

Aprendemos no último capítulo sobre essa situação irritante em que você fica preso a uma maneira de encarar um problema e não consegue dar um passo para trás e ver abordagens melhores e mais fáceis—o *Einstellung*. A atenção concentrada, em outras palavras, pode muitas vezes ajudar a resolver problemas, mas também pode criar dificuldades, bloqueando nossa capacidade de ver novas soluções.

Quando você dirige a atenção para alguma coisa, seu polvo da atenção estica seus tentáculos neurais para conectar diferentes partes do cérebro. Você está prestando atenção em uma forma geométrica? Em caso afirmativo, um tentáculo de consciência se estende do tálamo até o lobo occipital, enquanto outro tentáculo se estende em direção à superfície rugosa do córtex. O resultado? Uma percepção sussurrada de *redondeza*.

Você está prestando atenção na cor? O tentáculo de atenção no lóbulo occipital se desloca ligeiramente e uma percepção de *verde* surge.

Mais conexões de tentáculos. Você conclui que está olhando para um tipo particular de maçã—uma maçã-verde. Saborosa!

Concentrar sua atenção para conectar partes do cérebro é uma

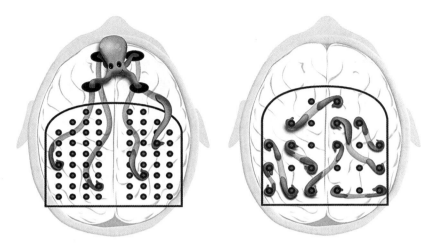

O polvo de sua atenção concentrada *(à esquerda)* estende os tentáculos através das quatro aberturas de sua memória de trabalho para conectar deliberadamente os pinos mentais próximos de seu cérebro concentrado. No modo difuso (à direita), os pinos estão mais espalhados. Esse modo consiste em uma miscelânea extravagante e excêntrica de possíveis conexões.

parte importante da aprendizagem em modo focado. Curiosamente, quando você está estressado, seu polvo da atenção começa a perder a capacidade de fazer algumas dessas conexões. É por isso que seu cérebro não parece funcionar bem quando você está irritado, estressado ou com medo[2].

Digamos que você quer aprender a falar espanhol. Se você é uma criança em uma casa em que se fala espanhol, aprender espanhol é tão natural quanto respirar. Sua mãe diz *mama* e você responde repetindo *mama*. Seus neurônios disparam e se conectam em um cintilante laço mental, cimentando em sua mente a relação entre o som *mama* e o rosto sorridente de sua mãe. Esse cintilante laço neural é um traço de memória—que se conecta, naturalmente, a muitos outros traços de memória relacionados.

Os melhores cursos de idiomas, como aqueles do Instituto de Idiomas do Departamento de Defesa, em que aprendi russo, incorporam a prática estruturada, que inclui muita repetição e a aprendizagem mecânica do idioma em modo focado, em conjunto com a conversação livre com falantes nativos, de natureza mais difusa. O objetivo é incorporar as palavras e os padrões básicos para que você possa falar livre e criativamente em seu novo idioma, como você faz em sua língua nativa[3].

A prática e a repetição focada—a criação de traços de memória—são também o que está por trás de uma tacada de golfe, do dedilhamento de um acorde de guitarra ou de um lance livre de basquetebol executados com maestria. Na dança, há uma longa distância da pirueta desastrada de uma criança até a graça coreografada de uma bailarina profissional. Mas esse caminho até a perícia é construído pouco a pouco. Pequenos movimentos memorizados, como rodopios, pliés e demi-pliés, são incorporados em interpretações mais complexas e criativas.

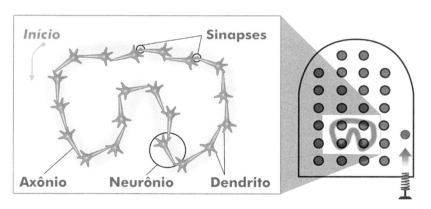

A imagem à esquerda simboliza as conexões compactas que se formam quando você transforma um conceito ou técnica em um bloco—os neurônios que disparam juntos permanecem juntos. A imagem à direita mostra o mesmo padrão na máquina de pinball que simboliza sua mente. É fácil trazer à mente um traço de memória como esse quando você precisa dele.

O Que é um Bloco? O Problema de Solomon para Formar Blocos

A memória extraordinária de Solomon Shereshevsky era acompanhada de uma desvantagem surpreendente. Seus traços de memória individuais eram tão exuberantes e emocionais—tão ricos com conexões—que eles interferiam em sua capacidade de reunir esses traços e criar **blocos** conceituais. Ele não conseguia ver a floresta, em outras palavras, porque as imagens de cada uma das árvores individuais eram vívidas demais.

Blocos são unidades de informação que têm o significado como elemento unificador. Você pode pegar as letras "S", "O" e "L" e uni-las em um bloco conceitual, de fácil lembrança, a palavra "SOL". É como converter vários arquivos de computador em um arquivo compactado. Atrás de um bloco simples, como SOL, há uma sinfonia de neurônios que aprenderam a soar em sintonia uns com os outros. Nossos blocos são abstrações simplificadoras, e a complexa atividade neural que os une, não importando se estão associados a siglas, ideias ou conceitos, é a base de grande parte da ciência, literatura e arte.

Vejamos um exemplo. No início do século XX, o pesquisador alemão Alfred Wegener juntou as peças de sua teoria da deriva continental. Enquanto Wegener analisava mapas e pensava sobre as informações que tinha recolhido em seus estudos e explorações, ele percebeu que as diferentes massas de terra se encaixavam como peças de um quebra-cabeça. A semelhança das rochas e fósseis encontrados nas massas de terra reforçava o encaixe. Quando Wegener juntou as pistas, ficou claro que todos os continentes tinham uma vez, há muito tempo, sido partes de uma única massa de terra. Com o passar do tempo, essa massa se dividiu e suas partes se deslocaram para longe, formando os continentes separados pelos oceanos que vemos hoje.

60 aprendendo a aprender

A deriva continental! Uau—que grande descoberta!

Mas, se Solomon Shereshevsky tivesse lido essa história sobre a descoberta da deriva continental, ele não teria entendido seu significado. Ele seria capaz de repetir cada palavra individual da história, mas teria muita dificuldade em entender o conceito de deriva continental, já que ele era incapaz de unir seus traços de memória individuais para criar blocos conceituais.

Como se constatou, **para ganhar experiência em matemática e ciências, um dos primeiros passos é criar blocos conceituais—saltos mentais de compreensão que unem itens separados de informações através de seu significado**[4]. Agrupar as informações com que você trabalha em blocos ajuda seu cérebro a funcionar mais eficientemente. Depois de criar um bloco para uma ideia ou conceito, você não precisa se lembrar de todos os detalhes subjacentes: você tem a ideia principal—o bloco—e isso é suficiente. É como se vestir de manhã. Geralmente você formula apenas um pensamento simples— *eu vou me vestir*. Mas, em consequência desse pensamento, desse simples bloco, ocorre um incrível turbilhão de atividades.

Quando você está estudando matemática e ciências, então, como você forma um bloco?

Etapas Básicas para Formar um Bloco

Blocos relacionados com procedimentos e conceitos diferentes podem ser moldados de várias maneiras diferentes. Muitas vezes o processo é bastante fácil. Você formou um bloco simples, por exemplo, quando você entendeu a ideia da deriva continental. Mas e se você estiver aprendendo matemática, em vez de geologia? Nosso exemplo inicial de bloco será *a capacidade de compreender e trabalhar com um determinado tipo de problema de matemática ou ciências*.

Quando você estiver aprendendo um novo assunto em matemática e ciências, você quase sempre verá, nas aulas ou nos livros, exemplos de problemas com soluções. Isso é comum porque, quando você está começando a tentar entender como resolver um problema, você está sob uma pesada carga cognitiva—e por isso começar com um exemplo totalmente solucionado ajuda. É como usar um GPS quando você está dirigindo por ruas desconhecidas no meio da noite. A maioria dos detalhes da solução estão bem a sua frente, e sua tarefa é simplesmente descobrir por que os passos são executados na forma apresentada. Isso pode ajudá-lo a ver as principais características de um problema e os princípios que estão por trás dele.

Alguns instrutores não gostam de dar aos alunos problemas solucionados extras ou provas dos anos anteriores, porque acham que isso torna as coisas fáceis demais. Mas há evidência abundante de que os alunos aprendem muito mais profundamente quando esses recursos estão disponíveis[5]. A única preocupação é que, ao estudar exemplos solucionados, pode ser muito fácil se concentrar na lógica de um passo intermediário, e não na *conexão* entre os passos—em

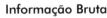

Informação Bruta

Memorização sem entendimento

A informação é transformada em blocos e entendida

Quando você encontra pela primeira vez um conceito totalmente novo em ciências ou matemática, ele às vezes não faz muito sentido, como ilustrado pelas peças de quebra-cabeça acima à esquerda. Apenas memorizar um fato (*centro*) sem entender o contexto não o ajuda a entender o que realmente está acontecendo, ou como o conceito se encaixa nos outros conceitos que você está aprendendo—observe que não há encaixes na peça para ajudá-lo a prendê-la a outras peças. A formação de **blocos** (*direita*) é o salto mental que permite que você agrupe as informações de acordo com o que significam. A nova estrutura lógica faz com que seja mais fácil se lembrar do bloco e encaixá-lo no contexto geral daquilo que você está aprendendo.

outras palavras, na razão pela qual um determinado passo deve vir após outro. Então tenha em mente que não estou falando em estudar uma solução usando uma abordagem mecânica, de decorar "receitas de bolo". É mais como usar um guia para ajudá-lo a viajar para um lugar novo. Preste atenção no que estiver acontecendo a seu redor ao viajar com o guia, e em breve você descobrirá que é capaz de chegar lá por conta própria. Você até começará a descobrir novos caminhos que o guia não mostrou.

1. **O primeiro passo para formar um bloco, então, é simplesmente concentrar sua atenção nas informações que você deseja agrupar**[6]. Se você está estudando com a televisão ligada, ou se você está verificando suas mensagens de texto ou de e-mail de cinco em cinco minutos, isso significa que você terá dificuldades em formar um bloco, porque seu cérebro não está realmente concentrado na formação de blocos. Quando você começa a aprender alguma coisa, você está formando novos padrões neurais e conectando-os com padrões preexistentes que estão espalhados por muitas áreas do cérebro[7]. Os tentáculos de seu polvo da atenção não podem se estender com eficiência se alguns deles estão trabalhando em outros pensamentos.

2. **O segundo passo é** *entender* **a ideia básica que você está tentando agrupar**, seja entender um conceito como a deriva continental, a ideia de que a força é proporcional à massa, o princípio econômico da oferta e da procura ou um tipo específico de problema de matemática. Embora essa etapa de compreensão básica—sintetizar a essência do que é importante—fosse difícil para Solomon Shereshevsky, a maioria dos estudantes entendem as ideias principais com facilidade. Ou, pelo menos, eles podem captar essas ideias se permiti-

rem que os modos focado e difuso se revezem para ajudá-los a descobrir o que está acontecendo.

A compreensão é como uma cola que ajuda a manter os traços de memória subjacentes juntos. Ela cria traços amplos e abrangentes que se conectam a muitos outros traços de memória[8]. É possível criar um bloco se você não entende algo? Sim, mas ele será um bloco inútil, que não se encaixará no restante do material que você está aprendendo.

Dito isso, é importante observar que *apenas compreender como um problema foi resolvido não cria necessariamente um bloco que você pode facilmente trazer à mente mais tarde.* Não confunda o "entendi!" de um avanço na compreensão com conhecimentos sólidos! (É em parte por isso que você pode entender uma ideia quando um professor a explica para a classe, mas, se você não revê-la pouco tempo depois de tê-la visto pela primeira vez, ela pode parecer incompreensível quando chegar a hora de se preparar para uma prova.) Fechar o livro e testar se você se lembra de como resolver os problemas também ajuda a acelerar sua aprendizagem nesta fase.

3. **O terceiro passo é entender o contexto, para que você não saiba apenas como, mas também *quando* usar esse bloco**. O contexto significa ir além do problema inicial e ver mais amplamente, repetindo e praticando com problemas relacionados e não relacionados para que você saiba não somente quando usar o bloco, mas também quando *não* usá-lo. Isso ajuda a ver como seu bloco recém-formado se encaixa no quadro global. Em outras palavras, você pode ter uma ferramenta em sua caixa de ferramentas de estratégias ou de resolução de problemas, mas se você não souber quando usá-la, ela não será de muita ajuda. Em última análise, a prática ajuda a ampliar as redes de neurônios ligadas a seu bloco,

64   a p r e n d e n d o   a   a p r e n d e r

garantindo não apenas que ele seja sólido, mas também que possa ser acessado por diversos caminhos diferentes.

Há blocos associados a conceitos e também a procedimentos, e eles reforçam uns aos outros. Resolver muitos problemas de matemática oferece uma oportunidade para aprender por que e como o procedimento funciona. Entender os conceitos por trás dos problemas torna mais fácil detectar erros quando você os comete. (Confie em mim, você *cometerá* erros, e isso é uma coisa boa.) Isso também torna muito mais fácil aplicar seu conhecimento a novos problemas, um fenômeno chamado *transferência*. Falaremos mais sobre transferência mais tarde.

Como você pode ver na ilustração na página ao lado, a aprendizagem ocorre de duas maneiras. Há um processo de baixo para cima de formação de blocos, no qual a prática e a repetição podem ajudar a construir e também a fortalecer cada bloco, para que você possa acessá-lo facilmente quando necessário. E há um processo de cima para baixo, de "visão global" que permite que você veja onde o que você está aprendendo se encaixa[9]. *Ambos os processos são vitais para dominar o assunto que você está estudando.* O contexto é onde as aprendizagens "de baixo para cima" e "de cima para baixo" se encontram. Em outras palavras—a formação de blocos pode envolver aprender *como* você usa certa técnica de resolução de problemas. O contexto significa aprender *quando* você usa essa técnica em vez de alguma outra técnica.

Esses são os passos essenciais para formar um bloco e encaixá-lo em uma visão global conceitual mais ampla do que você está aprendendo.

Mas isso não é tudo.

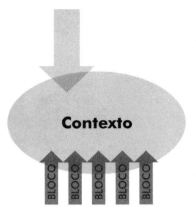

Para adquirir perícia em matemática e ciências, tanto a visão global (aprendizagem de baixo para cima), quanto a formação de blocos (de cima para baixo) são importantes.

AGORA ME DEITO PARA DORMIR

"Eu digo aos meus alunos que internalizar os fundamentos da contabilidade é como aprender a digitar em um teclado. De fato, enquanto escrevo este texto, não estou pensando no ato de digitar, mas apenas em formular meus pensamentos—a digitação acontece naturalmente. Meu mantra no final de cada aula é sugerir aos alunos que revejam as regras de *débito* e *de crédito*, e também a *equação da contabilidade*, antes de irem dormir. Que essa seja a última coisa que eles repitam para si mesmos antes de adormecer. Bem, exceto meditação ou orações, claro!"

– *Debra Gassner Dragone, Instrutora de Contabilidade, Universidade de Delaware*

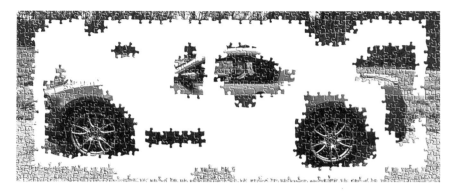

Ler rapidamente um capítulo ou assistir uma aula bem organizada pode ajudá-lo a ter uma ideia do quadro global. Isso pode ajudá-lo a saber onde colocar os blocos que você está construindo. Aprenda primeiro os principais conceitos ou ideias—eles são frequentemente as partes principais do resumo, fluxogramas, tabelas ou mapas de conceito de um capítulo ou de uma aula de um bom instrutor. Depois de fazer isso, preencha os detalhes. Mesmo se, no final de seus estudos, algumas peças do quebra-cabeça estiverem faltando, você ainda poderá ver o quadro global.

Ilusões de Competência e a Importância de se Recordar

Tentar *se recordar* do material que você está tentando aprender—a prática da recordação de informações—é muito mais eficaz do que simplesmente reler o material[10]. O psicólogo Jeffrey Karpicke e seus colegas mostraram que muitos alunos experimentam *ilusões de competência* quando estão estudando. A maioria dos estudantes que Karpicke encontrou "leem repetidamente suas anotações ou o livro (apesar dos limitados benefícios dessa estratégia), mas relativamente poucos empregam as práticas de autoteste ou de recordação enquanto estudam"[11]. Quando você tem o livro (ou o Google!) aberto bem a sua frente, isso provoca a ilusão de que o material está também em seu cérebro. *Mas ele não está.* Como pode ser mais fácil olhar para o livro em vez de se recordar, os alunos persistem nessa ilusão—estudando de forma muito menos produtiva.

Isso, na verdade, é por que só *querer* aprender o material, e gastar muito tempo fazendo isso, não garante que você realmente irá aprendê-lo. Como Alan Baddeley, um famoso psicólogo e especialista em memória, observa: **"a intenção de aprender é útil somente se leva ao uso de boas estratégias de aprendizagem"**[12].

Você pode se surpreender ao saber que destacar e sublinhar o texto são práticas que exigem cuidado—caso contrário, podem não ser apenas ineficazes, mas também enganosas. É como se o movimento da mão pudesse iludi-lo, fazendo-o acreditar falsamente que colocou o conceito em seu cérebro. Quando estiver destacando o texto, procure as ideias principais antes de colocar o marcador no papel e tente destacar pouca coisa—uma frase ou menos por parágrafo[13]. Palavras ou notas nas margens que sintetizam conceitos-chave são uma boa ideia[14].

Usar a recordação—a recuperação mental das ideias-chave—ao invés de releitura passiva tornará seu tempo de estudo mais focado e eficaz. A única situação em que reler o texto parece ser eficaz é se você deixar passar algum tempo entre as releituras, de modo que elas se tornem um exercício de repetição espaçada[15].

Nessa mesma linha, sempre resolva os problemas do dever de casa de matemática e ciências por conta própria. Alguns livros incluem soluções nas últimas páginas, mas você só deve olhar para as soluções se realmente ficar empacado. Isso ajuda a garantir que o assunto fique enraizado mais profundamente em sua mente, tornando-o muito mais acessível quando você realmente precisar dele. Na verdade, é por isso que os instrutores fazem tanta questão de que você mostre seu trabalho e apresente seu raciocínio nas provas e problemas do dever de casa. Isso obriga você a ter em mente com clareza sua estratégia para resolver um problema e demonstra que você sabe o que está fazendo. Com essas informações adicionais sobre seu raciocínio, também é mais fácil para quem está corrigindo a prova fazer comentários úteis.

Você não deve esperar muito tempo antes de praticar a recordação do material, para não ter que recomeçar o reforço do conceito do zero a cada vez. Tente voltar a ver o que você está aprendendo até o dia seguinte, especialmente se for algo novo e desafiador. É por isso que muitos professores recomendam que após a aula, se possível, você reescreva suas anotações no mesmo dia. Isso ajuda a solidificar os blocos que estão se formando e também revela as lacunas em seu entendimento, que geralmente correspondem aos pontos que os professores *adoram* incluir nas provas. Saber onde estão as lacunas, é claro, é o primeiro passo para começar a preenchê-las.

Após dominar o material, você pode aumentar o tempo entre as repetições de "manutenção" para semanas ou meses—eventualmente ele pode se tornar quase permanente. (Voltando para a Rússia em uma visita, por exemplo, fiquei irritada com um motorista de táxi sem escrúpulos. Para meu espanto, palavras que eu tinha passado vinte e cinco anos sem pensar ou usar emergiram da minha boca— eu nem tinha consciência de que eu *sabia* essas palavras!)

TORNE SEU CONHECIMENTO INSTINTIVO

"Entender um conceito na aula e ser capaz de aplicá-lo a um problema físico é a diferença entre um simples estudante e um cientista ou engenheiro consumado. A única maneira que conheço para dar esse salto é trabalhar com o conceito até que ele se torne quase instintivo, então você pode começar a usá-lo como uma ferramenta."

— Thomas Day, Professor de Engenharia de Áudio, Faculdade de Música McNally Smith, Saint Paul, Minnesota

Mais tarde, discutiremos aplicativos e programas úteis que podem ajudá-lo em seus estudos. Mas, por ora, vale a pena saber que um sistema eletrônico de cartões com respostas no verso (flashcards) bem concebido, como o Anki, calcula automaticamente o tempo de repetição espaçada apropriado para otimizar a taxa de aprendizagem de novas informações.

Uma maneira de pensar sobre esse tipo de aprendizagem e recordação é mostrada na ilustração da memória de trabalho a seguir. Como mencionado anteriormente, existem geralmente quatro posições na memória de trabalho.

Quando você está começando a aprender a resolver um problema, toda sua memória de trabalho está envolvida no processo, como mostrado à esquerda. Mas quando você se torna bem familiarizado com o conceito ou método que está aprendendo, encapsulando-o como um único bloco, é como ter uma faixa fluída de pensamento, como mostrado à direita. A formação de blocos, que fazem uso da memória de longo prazo, libera o resto de sua memória de trabalho para processar outras informações. Sempre que quiser, você pode trazer aquela faixa (bloco) da memória de longo prazo para sua me-

Antes de você transformar um conceito em um bloco, suas partes ainda desagrupadas ocupam toda sua memória de trabalho, como mostrado à esquerda. Conforme você começa a transformar o conceito em um bloco, você sentirá ele se conectando em sua mente de forma mais fácil e fluída, como mostrado no centro. Depois que o conceito foi transformado em um bloco, ele só ocupa uma posição em sua memória de trabalho. Ele se torna uma tira fluída que você pode seguir com facilidade e usar para formar novas conexões. O resto de sua memória de trabalho não é usada. A tira suspensa, com todas as informações que formam o bloco, aumentou, em determinado sentido, a quantidade de informações disponíveis em sua memória de trabalho, como se a posição em sua memória de trabalho fosse um link apontando para uma extensa página na internet.[16]

mória de trabalho e seguir por ela, fazendo novas conexões com agilidade.

Agora você entende por que é crucial que você resolva os problemas, e não apenas leia a solução do livro. Se você estudar um problema só olhando para a solução e então dizer a si mesmo "Ah sim, eu vejo por que fizeram isso", a solução não será realmente sua—você não fez quase nada para costurar os conceitos em sua base de neurocircuitos. Apenas olhar para a solução de um problema e *pensar* que você realmente aprendeu a resolvê-lo é uma das ilusões de competência mais comuns na aprendizagem.

formando blocos e evitando ilusões   71

AGORA TENTE VOCÊ!

Entendendo as Ilusões de Competência

Anagramas são rearranjos das letras de uma palavra ou frase que produzem palavras diferentes. Digamos que você tem a palavra "América". Você pode reorganizá-la para soletrar o nome de um romance da literatura brasileira[17]? Talvez você precise pensar um pouco para encontrar a solução. Mas, se você visse a solução aqui na página, seu sentimento de *Descobri!* ao ler a resposta faria você pensar que sua habilidade para resolver anagramas é melhor do que realmente é.

Da mesma forma, os alunos muitas vezes erroneamente acreditam que eles estão aprendendo simplesmente lendo e relendo o material que está na página à frente deles. Eles têm uma ilusão de competência *porque a solução já está lá*[18].

Escolha um conceito matemático ou científico, de suas anotações de aula ou de uma página de um livro. Leia o material, então desvie o olhar e veja do que você consegue se lembrar—tentando compreendê-lo ao mesmo tempo em que você está se recordando dele. Então olhe de volta, releia o conceito e tente novamente.

No final desse exercício, você provavelmente se surpreenderá ao ver quanto esse exercício simples de recordação ajudou a melhorar sua *compreensão* do conceito.

Você deve ter as informações sedimentadas em sua memória se quiser dominar o material bem o suficiente para tirar boas notas nas provas e usá-lo de forma criativa[19]. Na verdade, a capacidade de combinar blocos de novas formas está por trás de boa parte da inovação histórica. Steven Johnson, em seu brilhante livro *Where Good Ideas Come From*, descreve o "palpite lento"—a fervura branda em fogo baixo por longos anos de processos concentrados e difusos que resultam em descobertas criativas, desde a teoria da evolução de Darwin até a criação da internet[20]. O ingrediente essencial do palpite lento é simplesmente ter acesso mental a aspectos de uma ideia. Dessa forma, alguns aspectos podem se combinar de forma provisória e aleatória com outros até que, finalmente, uma bela inovação surja[21]. Bill Gates e outros líderes da indústria, observa Johnson, reservam períodos estendidos, de várias semanas, para a leitura, para que eles possam ter em mente ao mesmo tempo muitas ideias variadas. Isso estimula seu próprio pensamento inovador, permitindo que ideias frescas na mente e ainda não esquecidas se conectem. (Uma importante observação a ser feita aqui é que uma diferença fundamental entre os cientistas criativos e aqueles tecnicamente competentes, mas não imaginativos, é sua amplitude de interesses[22].)

Quanto maior for sua biblioteca mental de blocos, mais facilmente você será capaz de resolver problemas. Além disso, conforme você ganha mais experiência na formação de blocos, você verá que os blocos que você é capaz de criar vão ficando maiores—as faixas se tornam mais longas.

Você pode pensar que existem tantos problemas e conceitos em um único capítulo de um livro de ciências ou matemática que você está estudando que não é possível dominar todos eles! É aqui que a **Lei da Serendipidade** entra em jogo: **a sorte favorece quem tenta**[23].

Apenas se concentre na seção que você estiver estudando, qualquer que seja ela. Você verá que, depois de colocar o primeiro problema ou conceito em sua biblioteca, *não importa qual ele seja,* em seguida será um pouco mais fácil colocar o segundo conceito. E o terceiro, mais fácil ainda. Não que isso tudo seja moleza, mas se torna mais fácil.

Ao construir uma biblioteca de blocos, você está treinando seu cérebro para reconhecer não somente um problema específico, mas diferentes tipos e classes de problemas para que você possa automaticamente saber como resolver rapidamente o que quer que você encontre. Você começará a ver os padrões que simplificam a resolução de problemas e logo descobrirá que diferentes técnicas de solução estão presentes na periferia de sua memória. Antes dos exames, é fácil rever o assunto e deixar essas soluções de prontidão mental.

formando blocos e evitando ilusões 73

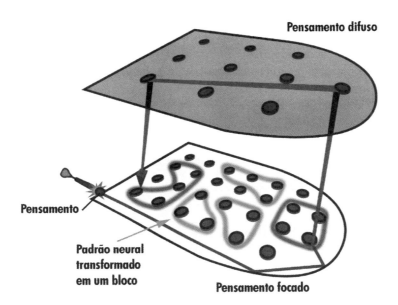

Se você tem uma biblioteca de conceitos e soluções internalizada como padrões na forma de blocos, você pode chegar mais facilmente à solução correta para um problema ouvindo os sussurros de seu modo difuso. Seu modo difuso também pode ajudá-lo a conectar dois ou mais blocos para chegar a novas maneiras de resolver problemas incomuns.

Há duas maneiras de resolver os problemas—a primeira, através do raciocínio sequencial, passo a passo, e a segunda, através da intuição mais holística. O raciocínio sequencial, em que cada pequeno passo faz, metodicamente, você chegar mais perto da solução, envolve o modo focado. A intuição, por outro lado, muitas vezes parece exigir um modo difuso e criativo, associando vários pensamentos de modo focado aparentemente sem relação entre si.

Os problemas mais difíceis são resolvidos através da intuição, porque eles estão distantes daquilo com o que você está familiarizado[24]. Tenha em mente que a natureza semialeatória das conexões do modo difuso significa que as soluções que ele produz devem ser cuidadosamente verificadas usando o modo focado. As percepções intuitivas nem sempre são corretas![25]

AGORA TENTE VOCÊ!

O que fazer se você estiver perdido

Se você não entende um método apresentado em um curso que você está fazendo, pare e retroceda. Vá para a internet e procure quem descobriu o método ou algumas das primeiras pessoas que o usaram. Tente entender como o inventor chegou à ideia e por que a ideia é usada—você pode frequentemente encontrar uma explicação simples que dá uma ideia básica de por que um método está sendo ensinado e por que você poderia querer usá-lo.

A Prática Torna Permanente

Já mencionei que apenas *entender* o que está acontecendo geralmente *não* basta para criar um bloco. Você pode ter uma noção do que quero dizer olhando para a imagem de um "cérebro" mostrada na página ao lado. Os blocos (laços cinza na figura) são na realidade apenas traços estendidos de memória que surgiram porque você se dedicou a entender um determinado assunto. Um bloco, em outras palavras, é simplesmente um traço de memória mais complexo. Na parte superior está um bloco fraco. Esse bloco é o que começa a se formar depois que você entendeu um conceito ou problema, mas voltou a ele apenas uma ou duas vezes. No meio, o padrão é mais escuro. Esse padrão neural se tornou mais forte porque você praticou um pouco mais e viu o bloco em mais contextos. Na parte de baixo, o bloco é muito escuro. Você agora tem um bloco sólido que está firmemente inserido na memória de longo prazo.

Aliás, fortalecer um padrão de aprendizagem inicial em até um dia depois de você começar a formá-lo é importante. Sem o reforço, o padrão pode desaparecer rapidamente. Mais tarde, vamos falar mais sobre a importância da repetição espaçada na aprendizagem.

formando blocos e evitando ilusões 75

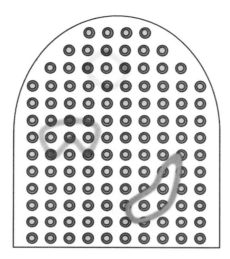

Resolver problemas em matemática e ciências é como tocar uma composição no piano. Quanto mais você praticar, mais firmes, escuros e fortes seus padrões mentais se tornarão

Além disso, você pode reforçar um processo "errado", resolvendo várias vezes os mesmos problemas incorretamente. É por isso que conferir as coisas é tão importante. Mesmo obter a resposta certa pode ocasionalmente enganá-lo, se você chegou a ela usando um procedimento incorreto.

76   a p r e n d e n d o   a   a p r e n d e r

A IMPORTÂNCIA DA FORMAÇÃO DE BLOCOS

"A matemática é incrivelmente compressível: você pode ter difi-culdades durante muito tempo e ter que estudar, passo a passo, o mesmo processo ou ideia a partir de várias abordagens. Mas, de-pois de realmente entendê-la e conquistar a perspectiva mental para vê-la como um todo, muitas vezes ocorre uma tremenda compressão mental. Você pode arquivá-la, recordar-se dela rá-pida e completamente quando precisar e usá-la como uma etapa em outro processo mental. A percepção que acompanha essa compressão é uma das verdadeiras alegrias da matemática"[26].

William Thurston, ganhador da Medalha Fields, o maior prêmio da matemática

O desafio da repetição e da prática, que estão por trás da criação de blocos sólidos, é que elas podem ser entediantes. Pior ainda, nas mãos de um instrutor medíocre, como meu velho professor de mate-mática, o Senhor Excêntrico, a prática pode tornar-se um implacável instrumento de tortura. No entanto, apesar de sua ocasional má uti-lização, ela é fundamental. Todo mundo sabe que não é possível aprender efetivamente os padrões do xadrez, linguagem, música, dança—na verdade, de quase tudo que vale a pena—sem repetição. Bons instrutores sabem explicar por que o resultado final vale o es-forço.

Em última análise, ambas as abordagens, de formação de blocos de baixo para cima e de visão global de cima para baixo, são vitais se você quer se tornar um especialista em um assunto. Adoramos a cria-tividade e a ideia de sermos capazes de aprender entendendo a ideia geral. Mas **não se aprende matemática ou ciências sem também uma boa dose de prática e repetição para ajudar a construir os blocos que consolidam seu domínio**[27].

Um artigo na revista *Science* apresentou evidências sólidas disso[28].

Estudantes leram um texto científico e então praticaram recordando-se do máximo que conseguiam. Então eles reestudaram o texto e tentaram se recordar dele (isto é, lembrar-se das ideias-chave) mais uma vez.

Os resultados?

No mesmo intervalo de tempo, *simplesmente praticando e recordando-se do material,* **os estudantes aprenderam muito mais e em um nível muito mais profundo do que usando qualquer outra abordagem,** inclusive a de simplesmente reler o texto várias vezes ou escrever mapas de conceito que supostamente enriqueceriam as relações entre os materiais estudados. Essa aprendizagem melhorada ocorre se os estudantes fazem uma prova formal ou se apenas se testam informalmente.

Isto reforça uma ideia de que já falamos. Quando nos recordamos do conhecimento, não somos robôs estúpidos—*o processo de recuperação por si só melhora a aprendizagem profunda e ajuda a começar a formar blocos*[29]. Ainda mais surpreendente para os pesquisadores foi que os próprios estudantes previram que simplesmente ler os materiais e recordar-se deles não seria a melhor maneira de aprender. Eles pensaram que o mapeamento de conceitos (desenhar diagramas que mostram a relação entre os conceitos) seria melhor. Mas, se você tentar construir conexões entre blocos *antes de os blocos básicos estarem incorporados ao cérebro,* isso não funciona tão bem. É como tentar aprender estratégias avançadas de xadrez antes de sequer entender os conceitos básicos de como as peças se movem[30].

Praticar problemas e conceitos de matemática e ciências em uma variedade de situações ajuda a construir blocos—padrões neurais sólidos com profunda riqueza contextual[31]. O fato é que, ao aprender *qualquer* nova habilidade ou disciplina, você precisa de muita prática, que deve ser variada e se dar em diferentes contextos. Isso ajuda a construir os padrões neurais de que você precisa para tornar a nova habilidade uma parte natural de seu modo de pensar.

NA PONTA DA LÍNGUA

"Por acaso, eu já usei muitas das técnicas de aprendizagem descritas neste livro. Como estudante universitário, eu fiz um curso de físico-química e fiquei fascinado com as demonstrações das fórmulas. Eu adquiri o hábito de fazer todos os problemas do livro. Fazendo isso, eu terminei programando meu cérebro para resolver problemas. No final do semestre, ao ver um problema eu sabia quase imediatamente como resolvê-lo. Sugiro essa estratégia para meus alunos que estão se especializando na área de ciências em particular, mas também para os não cientistas. Eu também falo sobre a necessidade de estudar todos os dias, não necessariamente por longos períodos de tempo, mas o suficiente para manter o que você está aprendendo na ponta da sua língua. Eu uso o exemplo de ser bilíngue. Quando eu vou para a França a trabalho, meu francês leva alguns dias para entrar em operação, mas a partir daí não tenho problemas. Quando volto para os Estados Unidos e um estudante ou um colega me pergunta algo no meu primeiro ou segundo dia de volta, eu tenho que fazer um esforço para encontrar algumas palavras em inglês! Quando você pratica todos os dias, as informações estão prontas para serem usadas— você não precisa procurá-las."

—Robert R. Gamache, Vice-Presidente Associado, Assuntos Acadêmicos, Assuntos Estudantis e Relações Internacionais, Universidade de Massachusetts, Lowell

Recorde-se do Material Fora de seu Lugar Habitual de Estudo; a Importância de Ir Dar uma Volta

Fazer alguma atividade física é especialmente útil quando você estiver *enfrentando dificuldade*s para entender uma ideia-chave. Como mencionamos, há muitas histórias de avanços científicos inovadores que ocorreram quando seus descobridores estavam passeando[32].

Além disso, **recordar-se do material quando você está fora de**

seu local habitual de estudo ajuda a fortalecer sua compreensão do assunto e a vê-lo sob uma nova perspectiva. As pessoas às vezes deixam passar despercebidas pistas subconscientes quando fazem uma prova em uma sala que parece diferente daquela onde elas estudaram. Pensando sobre o material em vários ambientes físicos diferentes, você se torna independente das sugestões associadas a um local específico, o que ajuda a evitar o problema de a sala de exames ser diferente de onde você aprendeu originalmente o material[33].

A internalização de conceitos de matemática e ciências pode ser *mais fácil* do que memorizar uma lista de palavras do vocabulário chinês ou de acordes de guitarra. Afinal de contas, você tem o problema a sua frente para falar com você, dizendo o que você precisa fazer em seguida. Nesse sentido, a resolução de problemas em matemática e ciências é como a dança. Na dança, você pode *sentir* seu corpo sugerindo o próximo passo.

Diferentes tipos de problemas têm prazos de revisão diferentes, que dependem de seu próprio estilo e velocidade de aprendizagem[34]. E, naturalmente, você tem outras obrigações fora da sala de aula. Você tem que levar em consideração quanto você é capaz de fazer, e também manter em mente que você *deve* reservar algum tempo para

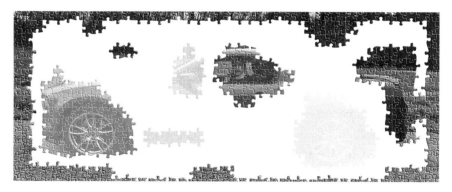

Se você não praticar com os blocos em desenvolvimento, será mais difícil juntá-los para formar uma visão global do assunto—as peças são simplesmente fracas demais

80   a p r e n d e n d o   a   a p r e n d e r

descansar, para que seu modo difuso possa também fazer sua parte. Quanto você consegue internalizar de uma vez? Depende—todo mundo é diferente. Mas essa é a beleza real de internalizar soluções de problemas em matemática e ciências. Quanto mais você trabalha, mais fácil e mais útil o processo se torna.

ORGANIZE, TRANSFORME EM BLOCOS E TENHA SUCESSO

"A primeira coisa que eu sempre faço com os alunos que estão tendo dificuldades é pedir para ver como eles estão organizando suas anotações de aula e de leitura. Muitas vezes passamos a maior parte da primeira reunião examinando como eles podem organizar ou agrupar suas informações, em vez de eu explicar conceitos. Eu peço para eles voltarem na semana seguinte com seu material já organizado, e eles ficam espantados com a quantidade de informações que conseguem assimilar."

– Jason Dechant, Ph.D., Diretor do Curso, Promoção da Saúde e Desenvolvimento, Escola de Enfermagem, Universidade de Pittsburgh

---

A Intercalação—o Rodízio de Diferentes Tipos de Problemas—Versus a Sobreaprendizagem

Uma última dica importante para tornar-se um encantador de equações é a intercalação[35]. **Intercalar significa treinar fazendo uma mistura de diferentes tipos de problemas que exigem estratégias diferentes.**

Quando você está aprendendo uma nova abordagem de resolução de problemas, explicada por seu professor ou em um livro, a tendência é você aprender a nova técnica e depois praticá-la várias vezes durante a mesma sessão de estudos. Continuar o estudo ou a prática depois que você já entendeu bem o material é chamado *sobreaprendizagem*. A sobreaprendizagem pode ter seu lugar—ela pode ajudar a produzir uma automaticidade que é importante quando você está sacando no jogo de tênis ou tocando em um concerto de piano. Mas cuidado com a sobreaprendizagem repetitiva durante uma única sessão de estudos de matemática e ciências—a pesquisa mostrou que ela pode ser um desperdício de seu valioso tempo de aprendizagem[36]. (Não há problemas em voltar à matéria durante uma sessão de estudos posterior, por outro lado.)

Em resumo, então, depois que você domina a ideia básica durante uma sessão, continuar em seguida a estudar a mesma coisa não reforça os tipos de conexão de memória de longo prazo que você quer fortalecer. Pior ainda, concentrar-se em uma única técnica é um pouco como aprender carpintaria praticando apenas com o martelo. Depois de um tempo, você acha que pode resolver qualquer problema simplesmente martelando[37].

Na realidade, dominar um novo assunto significa aprender a selecionar e utilizar a técnica adequada para um problema. A única maneira de fazer isso é praticando com problemas que exigem técnicas *diferentes*. Depois de entender bem a ideia básica de uma técnica durante sua sessão de estudos (que é semelhante a aprender a andar de bicicleta com rodinhas), comece a intercalar sua prática com problemas de tipos diferentes[38]. Às vezes isso pode ser um pouco difícil. Uma determinada seção de um livro, por exemplo, frequentemente trata apenas de uma técnica específica e, assim, quando você abre o livro nessa seção, você já sabe qual técnica você deve usar[39]. Mesmo assim, faça o que puder para misturar sua aprendizagem. Os conjuntos de problemas mais variados que às vezes você encontra no final dos capítulos podem ajudar. Ou você pode , às vezes, tentar deliberadamente escolher alguns problemas que exigem técnicas diferentes daquela que você está estudando. **Você quer que seu cérebro se acostume com a ideia de que apenas saber *como* usar uma determinada**

técnica de resolução de problemas não é suficiente—você também precisa saber *quando* usá-la.

Pense na possibilidade de criar fichas com a pergunta do problema de um lado e as etapas da solução do outro. Assim você pode facilmente embaralhar as fichas e encontrar uma variedade aleatória das técnicas que você deve assimilar. Quando você revisar inicialmente as fichas, você pode se sentar em uma escrivaninha ou mesa e ver quais partes da solução você consegue escrever em uma folha de papel em branco sem olhar a resposta na parte de trás do cartão. Mais tarde, quando tiver mais domínio, você pode revisar seus cartões em qualquer lugar, até mesmo quando sair para dar uma volta. Use a questão inicial como uma sugestão para trazer à mente a resposta e vire o cartão, se necessário, para verificar se você se lembra de todos os passos do procedimento. Outra ideia é abrir o livro em uma página escolhida ao acaso e resolver um problema tentando, tanto quanto possível, esconder de sua vista tudo menos o problema.

DÊ ÊNFASE NA INTERCALAÇÃO, E NÃO NA SOBREAPRENDIZAGEM

O psicólogo Doug Rohrer fez uma pesquisa considerável sobre a sobreaprendizagem e a intercalação em matemática e ciências. Ele observa:

"Muitas pessoas acreditam que a sobreaprendizagem significa estudar ou praticar até alcançar a maestria. No entanto, na literatura científica, a sobreaprendizagem se refere a uma estratégia de aprendizagem em que um estudante continua o estudo ou a prática imediatamente após ter alcançado algum nível de domínio do material. Um exemplo pode ser resolver corretamente certo tipo de problema de matemática e então imediatamente resolver vários outros problemas do mesmo tipo. Embora resolver mais problemas do mesmo tipo (ao invés de menos) muitas vezes aumente as notas em uma prova subsequente, resolver muitos problemas do mesmo tipo em sucessão imediata é também um uso ineficiente do tempo.

Na sala de aula e em outros lugares, os alunos devem maximizar quanto eles aprendem por unidade de tempo que passam estudando ou praticando—ou seja, eles devem obter o melhor retorno para o seu esforço. Como os alunos podem fazer isso? A literatura científica dá uma resposta inequívoca: ao invés de dedicar uma sessão longa para o estudo ou prática da mesma habilidade ou conceito para que ocorra a sobreaprendizagem, os estudantes devem dividir seus esforços em várias sessões mais curtas. Isso não significa que sessões longas de estudo sejam, necessariamente, uma ideia ruim. Não há problemas com sessões longas se os estudantes não dedicam muito tempo a uma única habilidade ou conceito. Após entender 'X', eles devem passar para outro assunto e retornar a 'X' outro dia." [40]

....

É melhor escrever a solução inicial, ou o diagrama, ou o conceito, à mão. Há evidências de que escrever à mão ajuda a fixar as ideias em sua mente mais facilmente do que se você digitar a resposta[41]. Mais do que isso, muitas vezes é mais fácil escrever símbolos como Σ ou Ω à mão do que procurar o símbolo e digitá-lo (a menos que você use tanto os símbolos que termine memorizando seus códigos Alt[42]). Depois você poderá, se quiser, fotografar ou escanear a pergunta e sua solução manuscrita para carregá-la em um programa de perguntas e respostas em seu smartphone ou laptop.

Cuidado—uma ilusão comum de competência é continuar praticando uma técnica que você domina simplesmente porque é fácil fazer isso e porque é gratificante conseguir resolver problemas. Intercalar seus estudos—fazendo questão, na revisão para uma prova, por exemplo, de alternar entre problemas em diferentes capítulos e materiais—pode às vezes parecer dificultar sua aprendizagem. Mas, na realidade, isso ajuda você a aprender mais profundamente.

EVITE IMITAR SOLUÇÕES—PRATIQUE MUDAR DE MARCHA MENTAL

"Quando os alunos fazem os deveres de casa, é comum eles encontrarem dez problemas idênticos, um depois do outro. Após o segundo ou terceiro, eles já não estão mais pensando; eles estão imitando o que fizeram no problema anterior. Eu lhes digo para, ao fazer o dever de casa da seção 9.4, depois de fazer alguns problemas, voltar e fazer um problema da seção 9.3, fazer mais alguns problemas da seção 9.4 e depois um da seção 9.1. Dessa forma, eles estarão treinando mudar mentalmente de marcha da mesma forma que precisarão mudar de marcha durante a prova.

Também acredito que muitos alunos fazem o dever de casa só pensando em acabar logo. Eles terminam um problema, checam sua resposta no final do livro, sorriem e vão para o próximo problema. Eu sugiro que eles acrescentem um passo entre sorrir e ir para o próximo problema—que eles se perguntem: como eu saberia que o problema deve ser resolvido dessa forma se eu o visse em uma prova, misturado com outros problemas e eu não soubesse que ele é desta seção do livro? Os alunos precisam pensar em cada problema do dever de casa em termos de preparação para a prova, e não como parte de uma tarefa que eles estão tentando completar."

– Mike Rosenthal, Instrutor Sênior, Matemática, Universidade Internacional da Florida

EM RESUMO

- A prática ajuda a construir padrões neurais fortes—ou seja, blocos conceituais que permitem entender um assunto.
- A prática lhe dá a fluidez e agilidade mental de que você precisa para as provas.
- Blocos são mais bem construídos com:
  - *atenção concentrada*

formando blocos e evitando ilusões 85

- *compreensão* da ideia básica
- *prática* para ajudá-lo a obter o contexto de visão global
- A simples recordação—tentar trazer à mente os pontos-chave, sem olhar para a página—é uma das melhores maneiras de facilitar o processo de formação de blocos.

PARA MELHORAR SUA APRENDIZAGEM

1. Qual é a relação entre um bloco e um traço de memória?

2. Pense em um tópico que o entusiasma. Descreva um bloco envolvendo o tópico que inicialmente você teve dificuldades em compreender, mas que agora parece fácil.

3. Qual é a diferença entre as abordagens de aprendizagem *de cima para baixo* e *de baixo para cima*? Uma abordagem é preferível à outra?

4. Entender *algo* é suficiente para criar um bloco? Explique.

Em determinado sentido, relembrar ajuda a formar ganchos neurais nos quais você pode pendurar seus pensamentos.

86   aprendendo a aprender

5. Qual é sua ilusão de competência mais comum em aprendizagem? Qual estratégia você pode usar para ajudar a evitar ser vítima dessa ilusão no futuro?

> **PAUSA E RECORDAÇÃO**
>
> Na próxima vez que você estiver com um membro da família, amigo ou colega de classe, relate a essência do que você está aprendendo, neste livro ou em um curso que você está fazendo. Contar o que você está aprendendo não apenas reforça e compartilha seu próprio entusiasmo, mas também esclarece e consolida as ideias em sua mente, para que você se lembre melhor delas nas semanas e meses seguintes. Mesmo se o que você estiver estudando for muito avançado, simplificá-lo para que você possa explicá-lo para pessoas com formação educacional diferente pode ser surpreendentemente útil na construção de sua compreensão.

SUPERANDO UMA LESÃO CEREBRAL TRAUMÁTICA E APRENDENDO A APRENDER COM TEMPO LIMITADO—A HISTÓRIA DE PAUL KRUCHKO

"Eu cresci pobre, e minha vida familiar era muito instável. Eu mal terminei o ensino médio. Depois, eu me alistei no exército e fui enviado como soldado de infantaria para o Iraque. Meu veículo foi atingido oito das doze vezes que nosso pelotão foi emboscado com bombas nas estradas.

Durante minha viagem, por sorte, eu conheci minha maravilhosa esposa. Conhecê-la me convenceu a deixar o serviço militar e começar uma família. O problema era que eu não sabia o que fazer. Pior ainda, depois de voltar para casa eu comecei a ter problemas de concentração, falta de percepção e irritabilidade, que eu nunca tinha experimentado antes. Às vezes, eu mal conseguia terminar uma frase. Foi só

Paul Kruchko com sua mulher e filha, que ajudaram a dar-lhe motivação para reformular sua vida

depois que li sobre soldados que, quando voltaram para casa do Iraque e do Afeganistão, enfrentaram problemas em razão de lesões cerebrais traumáticas—LCT—não diagnosticadas.

Eu me matriculei em um curso de tecnologia de eletrônica e informática. Minha LCT era grave a ponto de fazer com que, no começo, eu tivesse dificuldades até em compreender frações.

Mas isso foi uma bênção disfarçada: a aprendizagem estava fazendo algo com o meu cérebro. Era como se a concentração mental—apesar das dificuldades—estivesse readaptando minha mente e ajudando meu cérebro a se curar. Para mim, esse processo parecia ser semelhante a como eu me exercitava na academia, e o sangue circulava por meus músculos, aumentando minha força. Em pouco tempo minha mente estava curada—eu me formei com honras e consegui um emprego como técnico em eletrônica.

Decidi voltar a estudar novamente com o objetivo de obter um diploma de engenharia. A matemática—especialmente o cálculo—é muito mais importante ao estudar engenharia do que é ao treinar como um técnico voltado para a prática. Nesse ponto, minha falta de conhecimentos de base em matemática desde os primeiros anos da escola primária começou a se tornar um problema.

A essa altura eu estava casado, tinha recentemente me tornado pai e trabalhava em tempo integral. Agora o desafio que enfrentava não era mais apenas a cognição básica, mas a administração do tempo. Eu tinha apenas umas poucas horas a cada dia para aprender conceitos avançados a um nível muito mais profundo do que eu jamais tinha tido que aprender antes. Só depois de alguns desastres (tirei um D em equações diferenciais—ui!) eu comecei a abordar a aprendizagem de uma forma mais estratégica.

Em cada semestre, eu obtenho uma cópia dos planos de estudos com meus professores e começo a ler os livros pelo menos duas a três semanas antes de os cursos começarem. Eu tento ficar pelo menos um capítulo à frente da classe, embora no meio do semestre isso seja frequentemente impossível. A prática na resolução de problemas—a construção de blocos—é crucial. Durante minha carreira de aprendizagem, desenvolvi gradualmente as seguintes regras que permitiram que eu completasse satisfatoriamente meus cursos. Meu objetivo é conquistar uma boa carreira que me permita sustentar a minha família—estas técnicas estão me ajudando a chegar lá."

Técnicas de Paul para tempo de estudo limitado

1. **Ler (mas ainda não resolver) os deveres e as provas simuladas.** *Com essa etapa inicial eu deixo minha mente preparada para aprender novos conceitos—formar novos blocos.*

2. **Rever as anotações de aula (assistir todas as aulas, na medida do possível).** *Uma hora de aula vale por duas horas lendo o livro. Eu aprendo de forma muito mais eficiente se eu assiduamente assisto às aulas e tomo notas detalhadas—eu não fico só olhando para meu relógio e esperando que a aula acabe. Eu reviso minhas anotações no dia seguinte, enquanto os assuntos ainda estão frescos na minha mente. Eu também descobri que trinta minutos com um professor fazendo perguntas valem mais que três horas lendo o livro.*

3. **Resolver novamente os problemas apresentados nas aulas.** *Para mim, nunca foi útil resolver os problemas dados pelo instrutor ou no livro que não tivessem soluções para eu comparar com minha resposta. Com os **exemplos de problemas**, eu já*

tinha uma solução passo a passo disponível, se necessário. Refazer os problemas ajuda a solidificar os blocos. Eu uso canetas coloridas diferentes quando eu estudo: azul, verde, vermelha—e não apenas preta. Eu descobri que isso me ajuda a me concentrar melhor na leitura de minhas anotações; as coisas se sobressaem mais, em vez de se misturarem na página em uma colagem confusa de um caos matemático inexplicável.

4. **Fazer o dever de casa e resolver as perguntas das provas simuladas.** *Isso constrói blocos de "memória muscular" que ajudam a mente a solucionar certos tipos de problemas.*

{ 5 }

evitando a procrastinação:

Alistando seus Hábitos ("Zumbis") como Ajudantes

Durante séculos, o arsênico foi uma escolha popular entre os assassinos. Uma pitada no seu cereal matinal poderia causar sua morte dolorosa em menos de um dia. Então você pode imaginar o choque na 48ª reunião da Associação Alemã de Artes e Ciências, em 1875, quando dois homens se sentaram na frente do público e alegremente beberam mais do que o dobro de uma dose letal de arsênico. No dia seguinte, os homens estavam na conferência, sorridentes e saudáveis. Testes de urina mostraram que não havia nenhum truque. Os homens haviam realmente ingerido o veneno[1].

Como é possível consumir algo tão letal e permanecer vivo—e até mesmo parecer saudável?

A resposta tem uma relação surpreendente com a procrastinação. Entender um pouco da psicologia cognitiva da procrastinação, assim como entender a química do veneno, pode nos ajudar a desenvolver remédios preventivos saudáveis.

Neste e no próximo capítulo, eu ensinarei o método da pessoa preguiçosa para combater a procrastinação. Isso significa que você aprenderá sobre seus zumbis interiores—as respostas rotineiras e habituais de seu cérebro em reação a sugestões específicas. Essas respostas zumbis muitas vezes se concentram em tornar o *aqui e agora* melhor. Como você verá, você pode enganar alguns desses zumbis e fazer com que eles o ajudem a se defender da procrastinação quando você precisar (nem toda procrastinação é ruim)[2]. Em seguida vou intercalar um capítulo no qual você aprofundará suas habilidades na formação de blocos, antes de voltarmos ao tema com um capítulo final sobre procrastinação com dicas, truques e ferramentas tecnológicas úteis.

Primeiro, o mais importante. Ao contrário da procrastinação, uma tentação em que caímos facilmente, a força de vontade exige esforço, porque ela usa muitos recursos neurais. Isto significa que a *última* coisa que você quer fazer na luta contra a procrastinação é sair borrifando força de vontade para todo lado, como se ela fosse um aromatizador de ar barato. Na verdade, você não deve desperdiçar sua força de vontade lutando contra a procrastinação, exceto quando for absolutamente necessário! E o melhor de tudo é que, como você verá, você não precisará fazer isso.

Veneno. Zumbis. Algo poderia ser melhor?

Ah, sim—há também experimentos científicos! *Muahahaha*—o que poderia ser mais divertido?

DISTRAÇÃO E PROCRASTINAÇÃO

"A procrastinação é um dos maiores problemas da nossa geração. Temos tantas distrações. Estou sempre pensando, 'Antes de começar a fazer o meu dever de casa, preciso checar o Facebook, Twitter, Tumblr e e-mail.' Antes que eu me dê conta, desperdicei pelo menos uma hora. Mesmo depois de eu finalmente começar o meu dever de casa, essas páginas ficam abertas em segundo plano, constantemente me tentando.

Eu preciso encontrar uma maneira de me concentrar no meu estudo e no dever de casa. Acho que isso depende muito do meu ambiente e do tempo que ainda tenho para terminar. Eu não deveria ficar esperando até o último minuto para fazer tudo."

– Um estudante de cálculo

Procrastinação e Desconforto

Imagine como os músculos de sua panturrilha protestariam se você deixasse para fazer sua primeira corrida de treino à meia-noite da véspera de sua primeira maratona. Da mesma maneira, *você não conseguirá competir em matemática e ciências se deixar para estudar no último dia.*

Para a maioria das pessoas, a aprendizagem em matemática e ciências depende de duas coisas: de sessões breves de estudo, nas quais os "tijolos" neurais são assentados, e do tempo entre as sessões, para a argamassa mental secar. Isto significa que a procrastinação, um problema muito comum para *muitos* estudantes[3], é particularmente importante para os estudantes de matemática e ciências.

Nós deixamos para depois as coisas que nos causam desconforto[4]. Estudos de imagens do cérebro demonstraram que as pessoas que não gostam de matemática, por exemplo, parecem evitá-la porque só é preciso pensar sobre ela para começar a sentir desconforto.

Os centros de dor do cérebro se iluminam quando elas pensam em estudar matemática[5].

Mas há uma coisa importante que deve ser observada. Era a *antecipação* que era dolorosa. Quando os estudantes realmente *estudavam* matemática, a dor desaparecia. A especialista em procrastinação Rita Emmett explica: "a apreensão antes de fazer uma tarefa usa mais tempo e energia do que fazer a tarefa em si"[6].

Evitar algo doloroso parece sensato. Mas, infelizmente, os efeitos no longo prazo da fuga habitual podem ser desagradáveis. Você deixa para estudar matemática depois, e a ideia de estudar se torna ainda *mais* dolorosa. Você demora em começar a praticar para a prova de vestibular e, quando chega o dia do exame decisivo, você congela porque ainda não construiu as bases neurais sólidas que precisa para se sentir confortável com o material. Sua oportunidade de ganhar uma bolsa de estudos evapora.

Talvez você fosse adorar uma carreira em matemática e ciências, mas desiste e escolhe um caminho diferente. Você diz aos outros que não leva jeito para a matemática, quando a realidade é que você simplesmente deixou a procrastinação vencê-lo.

A procrastinação, na verdade, é um mau hábito de importância única, monumental e fundamental[7]. Em outras palavras, um hábito que influencia muitas áreas importantes de sua vida. Controle-o e inúmeras outras mudanças positivas gradualmente começarão a ocorrer.

E há mais uma coisa—algo crucialmente importante. É fácil sentir aversão por algo em que você não é bom. Mas **quanto melhor você se torna em um determinado assunto, mais você começará a tomar gosto por ele.**

Como o Cérebro Procrastina

Bip bip bip... São 10 horas da manhã de um sábado e seu despertador o arranca do sono delicioso. Uma hora depois, você finalmente está totalmente acordado, com o café na mão, inclinado sobre seus livros e seu laptop. Você planeja ter um dia produtivo de estudos, para terminar aqueles problemas de matemática que você deve entregar na segunda. Você também quer começar o trabalho de história e dar uma olhada naquela seção confusa do livro de química.

Você olha para seu livro de matemática. Há um sutil, quase imperceptível *ai*. Os centros de dor de seu cérebro se iluminam quando você antecipa olhar para os gráficos confusos e o emaranhado de explicações difíceis de entender. Você realmente não quer começar a fazer os problemas de matemática agora. A ideia de passar as próximas horas estudando matemática, como você tinha planejado, faz com que seja ainda menos agradável pensar em abrir o livro.

Você desvia a atenção de seu livro para seu laptop. Hum, isso é mais interessante. Nenhum sentimento doloroso, apenas uma pequena dose de gratificação enquanto você abre a tela e verifica suas mensagens. Veja essa imagem engraçada que Jesse enviou...

Duas horas mais tarde, você ainda nem começou seu dever de matemática.

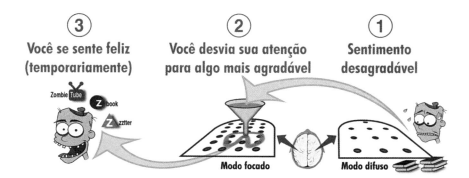

Esse é um padrão típico de procrastinação. Você pensa em algo de que você particularmente não gosta, e os centros de dor do cérebro se iluminam. E assim você desvia o foco de sua atenção para algo mais agradável[8]. Isso faz com que você se sinta melhor, pelo menos temporariamente.

A procrastinação é como um vício. Ela temporariamente proporciona uma sensação de bem-estar e alívio da entediante realidade. É fácil iludir-se que o melhor uso de seu tempo em um dado momento é navegar na internet para procurar informações em vez de ler o livro ou resolver os problemas da última aula. Você começa a contar histórias para si mesmo. Por exemplo, que química orgânica exige raciocínio espacial—seu ponto fraco—então é claro que você está obtendo maus resultados. Você inventa desculpas irracionais que soam superficialmente razoáveis: se eu estudar muito tempo antes de uma prova, eu vou me esquecer da matéria. (Você convenientemente se esquece das provas das outras matérias que você também terá de fazer durante a mesma semana, tornando impossível aprender todo o material de uma só vez.) Somente quando o semestre está terminando e você começa a estudar desesperadamente para fazer o exame final é que você percebe que a verdadeira razão pela qual você está se saindo tão mal em química orgânica é que você ficou continuamente deixando as coisas para depois.

Os investigadores descobriram que a procrastinação pode até mesmo se tornar um motivo de orgulho, e também uma desculpa para maus resultados. "Eu somente estudei para a prova de ontem à noite, depois de terminar o relatório do laboratório e a entrevista de marketing. Claro que eu poderia ter me saído melhor. Mas com tantas coisas na cabeça, o que você esperava?"[9] Mesmo quando as pessoas trabalham duro em seus estudos, elas às vezes gostam de dizer que deixaram tudo para a última hora porque isso faz com que elas pareçam ser bacanas e inteligentes: "Eu acabei estudando para o exame só ontem à noite".

A procrastinação é um hábito que, como qualquer outro, você pode adquirir sem se dar conta. Você recebe uma sugestão de procrastinação e, como resposta, relaxa e passa a fazer, sem pensar, uma atividade mais agradável. Ao longo do tempo, sua resposta irrefletida, habitual, semelhante à de um zumbi, de buscar essas pequenas doses de gratificação temporária, gradualmente podem diminuir a sua autoconfiança, deixando você com menos vontade de aprender a trabalhar de forma eficaz. Os procrastinadores têm um nível de estresse maior, saúde pior e notas mais baixas[10]. Conforme o tempo passa, o hábito pode se tornar entrincheirado. Nesse momento, corrigi-lo pode parecer impossível[11].

É POSSÍVEL MUDAR

"Eu costumava deixar as coisas para depois, mas mudei. Tive uma matéria no ensino médio que realmente me ajudou a ficar entrosada. Meu professor dava de 4 a 6 horas de dever de casa de história americana para cada noite. Aprendi a fazer uma tarefa de cada vez. Descobri que se eu sinto que consegui realizar algo é mais fácil continuar indo em frente e manter o rumo."

– *Paula Meerschaert, cursando o primeiro ano de redação criativa*

É verdade que às vezes você pode virar a noite estudando e ainda tirar uma boa nota. Você pode até sentir uma espécie de euforia quando terminar. Como ocorre com o vício do jogo, essa pequena vitória pode servir como uma recompensa que faz com que você se arrisque e deixe as coisas para a última hora novamente. Você pode até começar a dizer a si mesmo que a procrastinação é uma característica inata—uma característica que é tanto uma parte de você quanto sua altura ou a cor de seu cabelo. Afinal, se a procrastinação pudesse ser corrigida facilmente, você já a teria corrigido, certo?

Mesmo se não parecer urgente, no entanto, é muito importante ter a procrastinação sob controle. Hábitos com os quais você consegue conviver agora podem, conforme você avança em seus estudos, voltar-se contra você. O que eu vou mostrar nos próximos capítulos é como você pode se tornar senhor de seus hábitos. É você que deve tomar suas decisões, e não seus bem-intencionados, mas irracionais, zumbis—seus hábitos. Como você verá, as estratégias para lidar com a procrastinação são simples. Só que elas não são intuitivamente óbvias.

Voltemos para a história que começou este capítulo. Os homens que ingeriram o arsênico começaram com pequenas doses. Em pequenas doses, o arsênico não parece ser prejudicial. Você pode até mesmo adquirir certa imunidade a seus efeitos. Isso permite que você tome doses grandes e pareça saudável, embora o veneno esteja lentamente aumentando o risco de câncer e devastando seus órgãos.

De forma semelhante, os procrastinadores começam deixando apenas uma coisinha para depois. Eles fazem isso de novo e vão ficando cada vez mais acostumados a adiar o que deve ser feito. Podem até mesmo parecer saudáveis. Mas e quanto aos efeitos no longo prazo?

Eles não são nada bons.

UM POUCO FAZ MUITA DIFERENÇA

"Quando um aluno reclama de sua nota e me diz que estudou durante 10 horas no dia antes do exame, eu respondo 'é por isso que você não teve um bom resultado'. Quando o aluno olha para mim incrédulo, eu digo 'você deveria ter estudado um pouco a cada dia'."

– Richard Nadel, Instrutor Sênior de Matemática, Universidade Internacional da Flórida, Miami, Flórida

EM RESUMO

- Nós deixamos para depois as coisas que nos causam desconforto. Mas o que nos faz sentir bem temporariamente não é necessariamente bom para nós no longo prazo.
- A procrastinação é semelhante a consumir pequenas quantidades de veneno. Isso pode não parecer prejudicial no momento. Mas os efeitos no longo prazo são muito prejudiciais.

> **PAUSA E RECORDAÇÃO**
>
> No Capítulo 4, aprendemos que pode ser uma boa ideia recordar-se do material quando você está em um local fisicamente diferente de onde você o aprendeu originalmente. Isso ajuda você a se tornar independente das sugestões associadas ao local de estudo. Mais tarde, você será capaz de pensar mais confortavelmente sobre o material, não importa onde você esteja—isso muitas vezes é importante quando você está fazendo provas.
>
> Vamos empregar essa ideia agora. Quais foram as principais ideias deste capítulo? Você pode se lembrar delas onde está atualmente sentado, mas depois tente lembrar-se das ideias novamente em uma sala diferente ou, melhor ainda, quando você estiver fora.

PARA MELHORAR SUA APRENDIZAGEM

1. Os hábitos de procrastinação tiveram um impacto em sua vida? Em caso afirmativo, como?

2. Que tipo de histórias você já ouviu outras pessoas contarem sobre as razões pelas quais elas deixaram as coisas para a última hora? Você pode ver os problemas em algumas dessas histórias? Que problemas há em suas próprias histórias sobre procrastinação?

3. Enumere algumas ações específicas que você poderia tomar que o ajudariam a controlar o hábito da procrastinação sem contar muito com sua força de vontade.

PEDINDO ATIVAMENTE BONS CONSELHOS, OBSERVAÇÕES DE NORMAN FORTENBERRY, UM LÍDER NACIONAL NO ENSINO DA ENGENHARIA

"Quando eu era um estudante do primeiro ano da faculdade, eu já sabia que queria ser engenheiro, então eu me inscrevi no curso de Cálculo com Aplicações em vez do cálculo regular cursado pela maioria dos meus colegas de classe. Isso foi um erro. Muitos dos alunos dessa classe já haviam visto cálculo no ensino médio e estavam expandindo sua base de conhecimento. Então, eu estava em desvantagem competitiva.

Mais grave, como havia muito menos alunos no curso de cálculo que eu tinha escolhido, havia poucos potenciais parceiros de estudo. Ao contrário do ensino médio, não há nenhum prêmio (na verdade, há uma penalidade) quando você faz as coisas sozinho na faculdade. Os professores de engenharia, um campo em que o trabalho em equipe é uma importante característica profissional, muitas vezes presumem que você está trabalhando com os outros e elaboram o dever de casa usando o mesmo critério. Eu passei raspando com um B, mas sempre senti que tinha uma compreensão intuitiva e conceitual inadequada dos fundamentos do cálculo e dos cursos subsequentes que dependiam dele. Eu tive que estudar muito, por conta própria e no sufoco, quando os cursos subsequentes usavam cálculo. Isso me custou muito tempo que poderia ter sido dedicado a outras atividades.

Tenho sorte de ter conseguido me formar em engenharia mecânica e, com o incentivo e orientação de alguns colegas e do meu orientador, de ter concluído minha pós-graduação e doutorado na mesma área. Mas a lição de tudo isso é que você deve pedir a opinião de seus colegas e professores ao escolher seus cursos. A sabedoria coletiva deles é inestimável."

{ 6 }

zumbis por toda parte:

Investigando mais Fundo para Entender o Hábito da Procrastinação

No informativo livro *The Power of Habit,* o autor Charles Duhigg descreve uma alma perdida—Lisa Allen, uma mulher de meia-idade que sempre lutou com seu peso, que tinha começado a beber e a fumar com dezesseis anos, e que tinha sido deixada pelo marido por outra mulher. Lisa nunca tinha permanecido no mesmo emprego por mais de um ano e estava profundamente endividada.

Mas em um período de quatro anos, Lisa mudou sua vida completamente. Ela perdeu trinta quilos, estava a caminho de obter um mestrado, tinha parado de beber e fumar e estava tão bem que correu uma maratona.

Para entender como Lisa fez essas mudanças, precisamos entender os *hábitos.*

Hábitos podem ser bons e ruins. O hábito, afinal de contas, é simplesmente nosso cérebro entrando em um modo "zumbi" pré-programado. Você provavelmente não ficará surpreso ao saber que a formação de blocos, aqueles padrões neurais conectados automaticamente que surgem da prática frequente, está intimamente relacionada aos hábitos[1]. **Os hábitos poupam energia para nós. Eles permitem que liberemos nossa mente para outros tipos de atividades.** Um exemplo disso é sair com seu carro da garagem. A primeira vez que você fez isso, você estava hiperalerta. O dilúvio de informações que chegavam até você fazia a tarefa parecer quase impossível. Mas você aprendeu rapidamente a agrupar todas essas informações em um bloco e, antes que você se desse conta, tudo o que você tinha que fazer era pensar, *vamos*, e você estava saindo da garagem. Seu cérebro entra em uma espécie de modo zumbi, em que ele não está consciente de tudo o que está fazendo.

Você entra nesse modo zumbi com muito mais frequência do que imagina. Na verdade, é para isso que serve o hábito—para que você não tenha que pensar de uma forma concentrada sobre o que está fazendo enquanto você estiver executando o hábito. Ele poupa energia.

Ações habituais podem variar em duração—elas podem ser breves: intervalos de segundos durante os quais você sorri distraidamente para um transeunte ou olha para suas unhas para ver se elas estão limpas. Os hábitos também podem se estender por algum tempo—por exemplo, quando você sai para correr ou assiste televisão por algumas horas depois de chegar em casa do trabalho.

Os hábitos têm quatro partes:

1. **A Sugestão:** É o gatilho que faz você entrar no "modo zumbi". A sugestão pode ser algo tão simples como ver o primeiro item em sua lista de afazeres (é hora de começar o dever de casa para a próxima semana!), ou ver uma mensagem de texto de um amigo (é hora de perder tempo!). Uma sugestão por si só não é nem útil nem nociva. É a rotina—o que fazemos em reação a essa sugestão—o que importa.

2. A Rotina: É seu modo zumbi—a resposta habitual, a rotina em que seu cérebro costuma entrar quando ele recebe a sugestão. As respostas-zumbi podem ser inofensivas, úteis ou, na pior das hipóteses, tão destrutivas que desafiam o senso comum.

3. A Recompensa: Cada hábito se desenvolve e sobrevive porque ele nos recompensa—nos dá uma dose de gratificação imediata. A procrastinação é um hábito fácil de desenvolver porque a recompensa—desviar o foco de sua mente para algo mais agradável—acontece tão rápido. Mas bons hábitos também podem ser recompensados. Na verdade, encontrar formas de recompensar bons hábitos de estudo é vital para escapar da procrastinação.

4. A Crença: Os hábitos têm poder porque acreditamos neles. Por exemplo, você pode sentir que você nunca será capaz de mudar seu hábito de adiar seus estudos até tarde da noite. Para mudar um hábito, você precisará mudar a crença por trás dele.

"Muitas vezes eu noto que quando eu não consigo começar a fazer algo, depois de dar uma corrida rápida ou fazer algo ativo, quando eu volto ao trabalho, é muito mais fácil começar."

– Katherine Folk, cursando o primeiro ano de engenharia industrial e de sistemas

104   a p r e n d e n d o   a   a p r e n d e r

Fazendo seus Hábitos (seus "Zumbis") Ajudá-lo

Nesta seção, nós veremos em detalhes como você pode canalizar os poderes-zumbi de seus hábitos para ajudá-lo a evitar a procrastinação usando sua força de vontade o *menos possível*. Você não quer fazer uma mudança em grande escala de velhos hábitos. Você só quer substituir partes deles e desenvolver alguns hábitos novos. O truque para substituir um hábito é olhar para o ponto crítico—sua reação a uma sugestão. **O *único* lugar em que você precisa usar força de vontade é para mudar sua reação à sugestão.**

Para entender isso, vale a pena voltar aos quatro componentes do hábito e reanalisá-los sob a perspectiva da procrastinação.

1. **A Sugestão:** Identifique o que faz você entrar em seu modo zumbi de procrastinação. As sugestões geralmente pertencem a uma das seguintes categorias: o local, o horário, como você se sente, suas reações a outras pessoas ou algo que acabou de acontecer[2]. Você procura alguma coisa em um site e em seguida, sem se dar conta, você está navegando na internet? Uma mensagem de texto atrapalha seu raciocínio, e você leva dez minutos para retomar o ritmo, mesmo tentando se concentrar na tarefa? O problema com a procrastinação é que, como ela é um hábito automático, você muitas vezes não sabe que começou a procrastinar.

   Os estudantes muitas vezes descobrem que desenvolver novos gatilhos, como começar a fazer o dever assim que chegam em casa ou logo após as aulas do período da manhã, são úteis. Como o especialista em procrastinação Piers Steel, autor de *Procrastination Equation*, destaca, "Se você proteger sua rotina, depois de algum tempo ela começará a proteger você"[3].

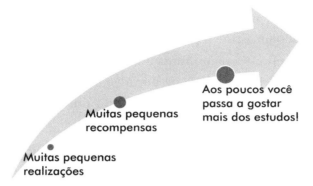

Você pode evitar as sugestões mais prejudiciais desligando seu celular ou mantendo-se longe da internet por breves períodos de tempo, por exemplo, quando você estiver trabalhando no dever de casa durante uma sessão de 25 minutos de estudo. O estudante do primeiro ano de contabilidade Yusra Hasan gosta de dar seu telefone e notebook para que sua irmã "cuide deles", o que é duplamente inteligente porque o próprio ato de remover a tentação é um compromisso público de que ele irá estudar. Os amigos e a família podem ser muito úteis se você puder recorrer a eles.

2. **A rotina:** Digamos que, ao invés de estudar, muitas vezes você desvia sua atenção para algo menos doloroso. Seu cérebro quer entrar automaticamente nessa rotina quando você recebe a sugestão, assim esse é o ponto de pressão em que você deve se concentrar ativamente para reprogramar seu velho hábito. **O segredo para a reprogramação é ter um plano. Desenvolver um novo ritual pode ser útil.** Alguns alunos se habituam a deixar seu smartphone no carro quando vão para as aulas, o que remove uma potente distração. Muitos estudantes descobrem o valor de se retirarem para um local silencioso na biblioteca, ou os efeitos produtivos de, em casa, simplesmente se sentarem em sua cadeira favorita na

106 aprendendo a aprender

hora planejada com o acesso à internet desconectado. Seu plano pode não funcionar perfeitamente no início, mas não o abandone. Ajuste o plano, se necessário, e saboreie as vitórias quando seu plano funcionar. Não tente mudar tudo de uma vez. A técnica do Pomodoro—o marcador de tempo de 25 minutos—pode ser especialmente útil para mudar sua reação a sugestões.

Além disso, é útil ter algo em seu estômago quando você começa tarefas particularmente difíceis. Isso garante que você terá energia mental para aquele esforço momentâneo de força de vontade quando você está começando[4].

3. **A Recompensa:** Isso às vezes pode exigir investigação. Por que você está procrastinando? Você pode introduzir uma recompensa emocional? Um sentimento de orgulho por ter realizado algo, mesmo se for algo pequeno? Um sentimento de satisfação? Você pode vencer uma pequena aposta consigo mesmo ou competir em algo que você transformou em um jogo pessoal? Desfrutar um café com leite ou visitar um de seus sites favoritos? Passar uma noite sem pensar assistindo televisão ou navegando na internet sem culpa? E você se premiará com uma recompensa maior para uma realização maior—ingressos de cinema, um pulôver ou uma compra totalmente frívola?

....

"Meu namorado e eu adoramos filmes e assim, como recompensa por completar tarefas específicas em determinados dias, ele me leva ao cinema. Isso não é apenas uma motivação para estudar, mas também me levou a desenvolver novos hábitos de estudo, reforçando o sistema de recompensa."

– Charlene Brisson, cursando psicologia, programa de enfermagem acelerado de segundo grau

....

Lembre-se, os hábitos são poderosos porque eles criam desejos neurológicos. É útil adicionar uma nova recompensa se você quer dominar seus hábitos. Quando seu cérebro começar a *esperar* a recompensa, ocorrerá a reprogramação que permitirá que você crie novos hábitos.

É particularmente importante perceber que mesmo um simples "muito bem" põe em movimento o processo de reprogramação de seu cérebro. Essa reprogramação, às vezes chamada de "diligência aprendida", ajuda a tornar interessantes as tarefas que antes você pensava que eram chatas e entediantes[5]. Como você descobrirá, simplesmente entrar no ritmo de seu trabalho pode se tornar sua própria recompensa, dando-lhe uma sensação de produtividade que você não poderia ter imaginado que era possível quando se sentou para começar a trabalhar. Muitas pessoas acham que definir uma recompensa em um horário específico—por exemplo, sair para almoçar com um amigo da loja de conveniências ao meio-dia, ou interromper as tarefas às 17 horas, é uma boa forma de estabelecer claramente um prazo, o que ajuda a estimular o trabalho.

Não se sinta mal se você descobrir que tem dificuldades para entrar no "ritmo" no começo. Às vezes eu preciso de alguns dias de trabalho penoso fazendo sessões curtas de estudo (Pomodoros) antes de entrar no ritmo e começar a gostar de trabalhar em um novo assunto. Lembre-se também que, quanto melhor você se torna em alguma coisa, mais agradável ela se torna.

4. **Crença:** A parte mais importante de mudar seu hábito de procrastinação é a crença de que você realmente pode fazê-lo. Quando as coisas ficam estressantes, você pode querer voltar aos hábitos antigos e mais confortáveis. **A crença de que seu novo sistema funciona é o que faz você superar as dificuldades.** Parte do que pode sustentar sua crença é desenvolver uma nova comunidade. Saia com colegas que têm a filosofia confiante que você deseja desenvolver. Desenvolver uma cultura encorajadora com amigos que pensam como

nós pode ajudar a nos lembrar dos valores que, em momentos de fraqueza, temos tendência a esquecer.

Uma poderosa abordagem é o **contraste mental**[6]. Nessa técnica, pense onde você está agora e contraste essa situação com aquela que você deseja alcançar. Se você está tentando entrar em uma faculdade de medicina, por exemplo, imagine-se como médico, ajudando os outros, mesmo enquanto você está se preparando para tirar férias incríveis que você pode pagar facilmente com seu salário. Após formar essa imagem otimista em sua mente, *contraste-a com imagens de sua vida atual*. Imagine seu carro velho, seus jantares de macarrão e queijo e sua montanha de dívidas estudantis. Mas há esperança!

Nos contrastes mentais, é a *comparação* entre onde você quer chegar e onde você está agora, ou onde você esteve, que faz a diferença. Espalhar fotos, no trabalho e em casa, que o lembram de onde você quer chegar pode ajudar a preparar seu modo difuso. Lembre-se de contrastar essas imagens com a vida real e mais mundana que atualmente o cerca, ou da qual você está emergindo. *Você pode mudar sua realidade.*

UM DIA RUIM PODE LEVAR A MUITOS DIAS MELHORES...

"O contraste mental é ótimo! Eu o uso desde criança—ele é algo que as pessoas podem aprender a usar em muitas situações diferentes.

Uma vez tive que trabalhar durante meses em Maryland em um abatedouro de frangos durante um verão quente. Eu decidi naquele momento que eu ia para a escola para conseguir meu diploma. Essa experiência é o que eu uso como meu contraste mental. Acredito que às vezes tudo que é preciso é um dia ruim para desencadear uma realização importante. Depois disso, manter o foco para encontrar a saída para sua situação atual é muito mais fácil."

– Mike Orrell, cursando o terceiro ano de engenharia elétrica

AGORA TENTE VOCÊ!

Confrontando seus zumbis

Você gosta de verificar seu e-mail ou Facebook pela manhã logo que acorda? Em vez de fazer isso, coloque um alarme para tocar em dez minutos e trabalhe durante esse tempo—*então* se recompense acessando a internet. Você se surpreenderá ao ver que esse pequeno exercício de autocontrole o ajudará a dominar seus zumbis durante o dia.

Atenção, quando você sentar para experimentar essa técnica, alguns de seus zumbis vão gritar como se eles quisessem comer seu cérebro—*ignore-os!* Parte do objetivo desse exercício é aprender a rir da histeria de seus zumbis quando eles previsivelmente dizem "*só desta vez, não há mal em verificar o Facebook agora*".

Entre no Ritmo, Concentrando-se no *Processo*, e não no *Produto*

Se você está frequentemente evitando determinadas tarefas porque elas o fazem se sentir desconfortável, esta é uma ótima maneira de reformular as coisas: aprenda a se concentrar no *processo*, e não no *produto*.

O processo significa o fluxo do tempo mais os hábitos e as ações associados a esse fluxo de tempo—como em, "Eu vou passar vinte minutos trabalhando". *O produto* é um resultado, por exemplo, uma tarefa que você precisa terminar.

Para evitar a procrastinação, evite concentrar-se no *produto*. Em vez disso, sua atenção deve estar voltada para a construção de processos—hábitos—que coincidentemente permitam que você faça as tarefas desagradáveis que precisam ser feitas.

Por exemplo, digamos que você não gosta de fazer seu dever de matemática. Então você deixa o dever de casa para depois. *São apenas cinco problemas,* você pensa. *Isso não pode ser muito difícil.*

No fundo, você sabe que resolver cinco problemas pode ser uma tarefa assustadora. É mais fácil viver em um mundo de fantasia em que os cinco problemas do dever de casa (ou o relatório de 20 páginas ou qualquer outra tarefa) podem ser feitos no último minuto.

Seu desafio aqui é evitar se concentrar no **produto**—os problemas resolvidos, o dever de casa. *O produto é o que desencadeia a dor que faz com que você deixe as coisas para depois.* Em vez disso, você deve se concentrar no *processo,* os pequenos intervalos que você deve dedicar, ao longo de dias ou semanas, à resolução dos problemas do dever de casa ou à preparação para provas. Quem se importa se você terminou o dever de casa ou entendeu os conceitos-chave em uma determinada sessão? Em vez disso, o objetivo é que você calmamente dê o melhor de si durante um período curto—o *processo.*

A ideia fundamental aqui é que a parte zumbi de seu cérebro, que está associada aos hábitos, *gosta* de processos, porque ela consegue realizá-los de modo automático. É muito mais fácil convencer um hábito-zumbi amigável a ajudá-lo com um *processo* do que com um *produto.*

O X DO MAPA

"É uma boa ideia marcar a última página de sua leitura diária com um marcador de livro (ou com uma nota adesiva). Isso mostra seu progresso imediatamente—você fica mais motivado quando pode ver a linha de chegada!"

– Forrest Newman, Professor de Astronomia e Física, Faculdade Municipal de Sacramento

Divida seu Trabalho em Partes Pequenas—Então Trabalhe de Forma Focada, mas por um Tempo Breve

O "Pomodoro" é uma técnica que foi desenvolvida para ajudá-lo a concentrar sua atenção durante um período curto de tempo. *Pomodoro* é tomate em italiano—Francesco Cirillo, que desenvolveu esse sistema de gerenciamento de tempo na década de 80, usava um marcador de tempo em forma de tomate. Na técnica Pomodoro, você ajusta o alarme para tocar em 25 minutos. (Você já viu essa ideia antes, em uma das seções Agora Tente Você! no Capítulo 1.) Assim que a contagem do tempo iniciar, você deve começar a trabalhar. Nada de navegar na internet, conversar no telefone ou enviar mensagens instantâneas para seus amigos. O que é bom quando você faz um Pomodoro é que, se você está trabalhando perto de amigos ou da família, você pode contar a eles sobre a técnica. Então, se eles por acaso o interromperem, tudo o que você precisa fazer é mencionar que você está "fazendo um Pomodoro", ou trabalhando com tempo contado, e isso dá uma razão amistosa para eles o deixarem estudar em paz.

Você pode argumentar que é *estressante* trabalhar sob a pressão do relógio. Mas os pesquisadores descobriram algo fascinante e contrário à intuição. Se você aprender sob um estresse moderado, você poderá lidar com situações de maior estresse muito mais facilmente. Por exemplo, como a pesquisadora Sian Beilock descreve em seu livro *Choke,* jogadores de golfe que praticam na frente de outros jogadores não ficam intimidados mais tarde quando têm que disputar competições na frente de uma plateia. Da mesma forma, se você se acostumar a responder questões sob um pouco de pressão, será muito menos provável que você sofra um bloqueio mais tarde, quando estiver fazendo uma prova em uma situação de alta pressão[7]. Na verdade, com frequência os profissionais de maior destaque em campos tão diferentes como a cirurgia e a programação deliberadamente procuram treinadores que os colocam sob tensão, desafiando-os e fazendo-os melhorar seu desempenho[8].

Quando você começar a usar o Pomodoro, provavelmente você ficará espantado com o número de vezes em que pensará em dar uma espiada em algo não relacionado ao trabalho. Mas, ao mesmo tempo, você também ficará satisfeito em ver como é fácil notar quando isso acontece e voltar sua atenção novamente para seu trabalho. Vinte e cinco minutos é um período curto de tempo, e quase

A ênfase no *processo*, e não no produto, é importante para evitar a procrastinação. É o **tempo** que você passa de forma consistente a cada dia entrando no ritmo de seus estudos que faz mais diferença. **Concentre-se em fazer um Pomodoro—uma sessão de trabalho de vinte e cinco minutos—e não em completar uma tarefa.** De forma similar, observe como, nesta foto, o físico e surfista Garret Lisi está concentrado no momento—e não no número de ondas que ele surfará.

qualquer jovem ou adulto consegue concentrar a atenção durante esse tempo. E quando tiver terminado, você pode reclinar-se e saborear o sentimento de realização.

É SÓ COMEÇAR

"Uma dica útil é simplesmente começar. Esse conselho parece relativamente simples, mas depois de um bom começo é muito mais fácil conseguir fazer algo. Eu gosto de ir para o andar mais tranquilo da biblioteca porque você muitas vezes encontra outras pessoas na mesma situação. Eu aprendo melhor visualizando. Se posso ver outras pessoas trabalhando no dever de casa, então fico mais inclinado a também fazer isso."

– Joseph Coyne, cursando o terceiro ano de história

O segredo é que, quando surge a distração, o que inevitavelmente acontecerá, você quer estar treinado para ignorá-la. De fato, um dos conselhos mais importantes que posso dar sobre como lidar com a procrastinação é *ignore as distrações!* Claro, minimizar as distrações também é uma boa ideia. Para muitos estudantes, um espaço tranquilo ou fones de ouvido com bloqueio de ruídos—ou ambos—são inestimáveis quando eles estão realmente tentando se concentrar.

ELIMINE AS DISTRAÇÕES

"Eu nasci sem canais auditivos e, portanto, sou surdo (eu tenho a mutação Treacher-Collins). Então, quando eu estudo, desligo o meu aparelho auditivo e REALMENTE consigo me concentrar! Eu amo a minha deficiência! Eu fiz um teste de QI no final da primeira série. Meu QI era de 90—bem abaixo da média. Minha mãe ficou desconsolada. Eu fiquei exultante, porque achei que tinha tirado uma nota A. Não faço a mínima ideia de qual é o meu QI hoje. Agora que posso ouvir, ele provavelmente caiu um pouco. Agradeço a Deus pelos botões de liga/desliga".

– Bill Zettler, Professor de biologia, codescobridor de vários vírus e vencedor do prêmio de Professor do Ano, Universidade da Flórida

Em quanto tempo você deve começar novamente depois de terminar um Pomodoro? Depende do que você está fazendo. Se você está tentando começar algo que você só precisa terminar várias semanas mais tarde, você pode se recompensar com meia hora de navegação na internet sem sentir culpa. Se você está sob tensão e tem muita coisa para fazer, talvez precise se contentar com uma pausa de dois a cinco minutos. Você pode querer alternar suas sessões de Pomodoro com sessões de trabalho que não usam um marcador de tempo. Se começar a se atrasar e não conseguir se concentrar, você pode voltar a marcar o tempo.

Em sistemas do tipo Pomodoro, o *processo*, que envolve um esforço concentrado simples, ocupa a posição central. Você deixa de estar preso a qualquer tarefa específica e consegue entrar em um estado de automatismo sem se preocupar em terminar nada[9]. Esse automatismo parece ajudar você a acessar mais facilmente seus recursos difusos. Concentrando-se no *processo*, e não no *produto*, você para de julgar a si mesmo (eu estou chegando mais perto do final?), relaxa e entra no ritmo de trabalho. Isso ajuda a evitar a procrastinação que pode ocorrer não só quando você está estudando matemática e ciências, mas quando você está escrevendo aqueles trabalhos que são tão importantes para muitos cursos universitários de diferentes áreas.

Fazer várias coisas ao mesmo tempo ("trabalhar em modo multitarefa") é como ficar removendo uma planta da terra. Esse tipo de deslocamento constante de sua atenção significa que novas ideias e conceitos não têm chance de criar raízes e florescer. Quando você faz seus trabalhos escolares e outras coisas ao mesmo tempo, você se cansa mais rapidamente. Cada mudança do foco de sua atenção absorve um pouco de energia. Embora cada mudança em si pareça pequena, o resultado cumulativo é que seu esforço leva a um resultado muito menor. Você também não consegue se lembrar tão bem do que estudou, comete mais erros e tem mais dificuldades em transferir o pouco que aprendeu para outros contextos. Pior de tudo, os estudantes que fazem outras tarefas ao mesmo tempo em que estudam ou assistem às aulas em média tiram notas consistentemente mais baixas[10].

A procrastinação muitas vezes ocorre porque você se distrai com coisas menos importantes, como apontar um lápis, em parte porque você ainda pode sentir a satisfação de concluir uma tarefa. Sua mente está enganando você. É por isso que manter um caderno para anotar suas experiências é tão importante; falaremos sobre isso em breve.

116 aprendendo a aprender

AGORA TENTE VOCÊ!

É melhor não saber

Da próxima vez que sentir vontade de verificar suas mensagens, pare e examine esse sentimento. Reconheça sua existência. Então o ignore.

Pratique *ignorar as* distrações. Essa técnica é muito mais poderosa do que tentar não sentir essas distrações em primeiro lugar.

EM RESUMO

- Um pouco de trabalho em algo que parece doloroso pode, no final, ser muito benéfico.
- Hábitos, como a procrastinação, têm quatro partes:
  - Sugestão
  - Rotina
  - Recompensa
  - Crença
- Para mudar um hábito, você precisa responder de modo diferente a uma sugestão, ou até mesmo evitar essa sugestão completamente. A recompensa e a crença fazem com que a mudança seja duradoura.
- Concentre-se no processo (a maneira como você gasta seu tempo), e não no produto (o que você deseja realizar).
- Use o Pomodoro de 25 minutos para permanecer produtivo por breves períodos. E não se esqueça de sua recompensa após cada período bem-sucedido de atenção concentrada.
- Certifique-se de reservar tempo livre para cultivar seu modo difuso.

- O contraste mental é uma técnica poderosa de motivação— pense nos piores aspectos de suas experiências presentes ou passadas e contraste-os com a visão otimista de seu futuro.
- Quando você faz várias coisas ao mesmo tempo, você não é capaz de fazer conexões mentais ricas e completas, porque a parte do cérebro que ajuda a fazer as conexões está constantemente sendo chamada para uma nova tarefa antes que as conexões neurais possam se firmar.

PAUSA E RECORDAÇÃO

Se você tiver dificuldades para se concentrar ou se sentir confuso ao tentar desviar o olhar e se lembrar de uma ideia-chave, ou notar que está voltando e relendo os mesmos parágrafos repetidamente, tente fazer alguns exercícios abdominais, flexões ou polichinelos. Um pouco de esforço físico pode ter um efeito surpreendentemente positivo em sua capacidade de compreender e relembrar. Tente fazer algo ativo agora, antes de recordar-se das ideias deste capítulo.

PARA MELHORAR SUA APRENDIZAGEM

1. Por que você acha que a parte de seu cérebro responsável por suas respostas habituais, semelhantes às de um zumbi, pode preferir *processos* a *produtos*? O que você pode fazer para ajudá-lo a continuar dando uma ênfase maior nos processos até mesmo daqui a dois anos, muito tempo depois de terminar este livro?

2. Que tipo de mudanças sutis você poderia fazer em um de seus hábitos atuais para tornar mais fácil evitar a procrastinação?

3. Que tipo de *novos* hábitos simples e fáceis você poderia formar para ajudá-lo a evitar a procrastinação?

4. Escolha uma das sugestões mais problemáticas que fazem você iniciar uma resposta de procrastinação. O que você poderia fazer para reagir de forma diferente a essa sugestão, ou para evitar recebê-la?

O PROFESSOR DE MATEMÁTICA ORALDO "BUDDY" SAUCEDO FALA SOBRE COMO FRACASSOS PODEM LEVAR AO SUCESSO

"Buddy" Saucedo é um professor de matemática altamente recomendado em *RateMyProfessor.com*; ele também é o criador de *BudKnowsMath.com*, um site útil para os estudantes. Ele é instrutor de matemática em tempo integral do Dallas County Community College District, no Texas. Um dos seus lemas de ensino é *"eu ofereço oportunidades para o sucesso"*. Aqui, Buddy fala um pouco sobre um fracasso que o ajudou a chegar ao sucesso.

"De vez em quando, um aluno me pergunta se eu sempre fui inteligente— isso me faz rir. Então começo a contar-lhes sobre minha média inicial na Universidade A&M do Texas.

Enquanto escrevo "10" no quadro-negro, eu digo que eu cheguei perto de ter média "10" em meu primeiro semestre. "Parece ótimo, não é?" Eu pergunto, fazendo uma pausa para ver a sua reação. Em seguida, eu pego meu apagador e apago o zero. A nota termina sendo esta: "1".

Sim. É verdade. Eu fracassei miseravelmente e fui expulso da universi-

zumbis por toda parte

dade. Chocante, não é? Mas eu voltei e no final obtive meu bacharelado e mestrado.

Como essa, existem muitas histórias do fracasso para o sucesso. Se você fracassou no passado, você pode não perceber como isso pode ser importante para ajudá-lo a chegar ao sucesso.

Aqui estão algumas das lições importantes que aprendi na minha escalada para o sucesso:

- *Você não é a sua nota, você é melhor do que isso. As notas são indicadores de como você administra o seu tempo e de uma taxa de sucesso.*
- *Más notas não significam que você não é uma pessoa inteligente.*
- *A procrastinação é a morte do sucesso.*
- *Concentrar-se em dar pequenos passos em frente, sem tentar fazer mais do que você consegue, e a administração de seu tempo são cruciais.*
- *A preparação é o segredo do sucesso.*
- *Todos nós temos uma taxa de fracassos. Ocasionalmente você fracassará. Então controle seus fracassos. É por isso que fazemos o dever de casa—para esgotar a nossa taxa de fracassos.*
- *A maior mentira de todas é que a prática leva à perfeição. Não é verdade—a prática leva ao aperfeiçoamento.*
- *A prática é quando você deve fracassar.*
- *Pratique em casa, na aula, a qualquer hora e em qualquer lugar—exceto na PROVA!*
- *Estudar na véspera da prova e passar não é sinônimo de sucesso.*
- *Estudar tudo de última hora antes das provas é um jogo de curto prazo, com menos satisfação e resultados apenas temporários.*
- *A aprendizagem é o jogo de longo prazo com maiores recompensas da vida.*
- *Nós devemos estar aprendendo permanentemente. Sempre e DE TODAS AS MANEIRAS.*
- *Abrace o fracasso. Comemore cada fracasso.*
- *Thomas Edison rebatizou seus fracassos: "1.000 maneiras de não criar uma lâmpada". Rebatize seus fracassos.*

- *Até mesmo zumbis se levantam e tentam de novo!*

Dizemos que a experiência é a melhor professora. Em vez disso, deveríamos dizer que o fracasso é o melhor professor. Eu descobri que os melhores alunos são aqueles que lidam melhor com o fracasso e fazem uso dele como uma ferramenta de aprendizagem."

{ 7 }

blocos e bloqueios:

Como Aumentar sua Perícia e Reduzir a Ansiedade

Novas invenções quase nunca aparecem inicialmente na glória de sua forma final. Em vez disso, elas passam por muitas iterações e estão constantemente sendo aprimoradas. Os primeiros telefones celulares não eram muito mais portáteis do que bolas de boliche. As primeiras geladeiras eram dispositivos instáveis e volumosos usados por cervejarias. Os primeiros motores eram monstruosidades que não tinham mais potência do que os karts de hoje.

Os aprimoramentos aparecem somente após uma invenção estar em uso por algum tempo e as pessoas terem tido a oportunidade de brincar com ela. Se você tem um motor em funcionamento à mão, por exemplo, é muito mais fácil melhorar alguma característica específica, ou adicionar novas características. É assim que inovações engenhosas, como a turboalimentação, surgiram. Os engenheiros perceberam que poderiam obter mais potência e eficiência colocando mais ar e combustível na câmara de combustão. Engenheiros alemães, suíços, franceses e americanos, entre muitos outros, correram para ajustar e melhorar a ideia básica.

> Você se lembrou de examinar rapidamente o capítulo e verificar as perguntas finais?

Como Construir um Bloco Poderoso

Neste capítulo aprenderemos a aperfeiçoar e melhorar nossa habilidade de formar blocos de maneira semelhante a como as invenções são aperfeiçoadas e melhoradas. Criar uma pequena biblioteca desses blocos o ajudará a melhorar seu desempenho em provas e a resolver problemas com mais criatividade. Esses processos prepararão o terreno para você se tornar um especialista na área em que estiver trabalhando, seja ela qual for[1]. (Caso você esteja se perguntando, o salto que demos neste capítulo da procrastinação para a formação de blocos é um exemplo de *intercalação*—variar sua aprendizagem, voltando após uma pausa a um tópico anterior para fortalecer uma abordagem que você aprendeu anteriormente.)

Aqui está uma ideia-chave: *aprender conceitos fundamentais de matemática e ciências pode ser muito mais fácil do que aprender assuntos que exigem muita memorização.* Não se trata de banalizar a dificuldade ou a importância da memorização. Pergunte a qualquer estudante de medicina que esteja se preparando para o exame obrigatório para o exercício da profissão!

Uma razão pela qual essa afirmação é verdadeira é que **depois de começar a trabalhar em um problema de matemática ou ciências, você observará que** *cada passo que você completa sinaliza o próximo passo a ser dado.* Internalizar as técnicas de resolução de problemas aumenta a atividade neural que permite que você ouça mais facilmente os sussurros de sua intuição. Quando você souber—realmente *souber*—como resolver um problema apenas olhando para ele, você blocos e bloqueios 123

terá criado um poderoso bloco que se propaga como uma canção neural em sua mente. Com uma biblioteca desses blocos, você chegará a uma compreensão dos conceitos fundamentais que não seria possível alcançar de outra forma.

Então, dito isso, lá vamos nós:

PASSOS PARA CONSTRUIR UM BLOCO PODEROSO

1. **Resolva um problema-chave até o fim no papel.** (Você deve ter a solução para esse problema disponível, ou porque você o solucionou anteriormente, ou porque ele é um problema resolvido de seu livro. Mas não olhe para a solução, a menos que isso seja absolutamente necessário!) Não trapaceie enquanto estiver trabalhando nesse problema, não pule etapas e não diga "Sim, entendi" antes de tê-lo solucionado totalmente. *Certifique-se de que cada passo faça sentido.*

2. **Faça outra repetição do problema prestando atenção nos procedimentos-chave.** Se você está achando um pouco estranho resolver um problema novamente, tenha em mente que você nunca aprenderia a tocar uma música na guitarra tocando-a apenas uma vez, ou desenvolveria sua musculatura fazendo uma única série de exercícios.

3. **Faça uma pausa.** Você pode estudar outros aspectos da matéria, se necessário, mas então vá fazer algo diferente. Trabalhe em seu emprego de meio período, estude uma matéria diferente[2], ou vá jogar basquete. Você precisa dar tempo para seu modo difuso internalizar o problema.

4. **Durma.** Antes de ir dormir, trabalhe no problema novamente[3]. Se você ficar empacado, *ouça o que o problema está dizendo para você.* Deixe seu subconsciente lhe dizer o que você deve fazer em seguida.

5. **Faça outra repetição.** No dia seguinte, assim que possível, trabalhe no problema novamente. Você verá que é capaz de resolver o problema mais rapidamente agora. Sua compreen-

são deve ser mais profunda. Na verdade, talvez você até se pergunte por que você já teve alguma dificuldade com ele. Nesse ponto, você pode começar a dedicar menos esforço à computação de cada passo. *Mantenha o foco nas partes do problema que você considera mais difíceis.* Esse foco contínuo nas partes difíceis se chama "prática deliberada". Embora às vezes possa ser cansativa, ela é um dos aspectos mais importantes do estudo produtivo. Uma alternativa ou complemento neste ponto é ver se você consegue resolver um problema semelhante com facilidade.

6. **Acrescente um novo problema.** Escolha outro problema-chave e comece a trabalhar da mesma forma como você fez com o primeiro problema. A solução para esse problema se tornará o segundo bloco da sua biblioteca de blocos. Repita os passos de 1 a 5 para esse novo problema. E quando se sentir à vontade com esse problema, vá para outro. Você ficará surpreso ao ver como apenas alguns blocos sólidos em sua biblioteca serão suficientes para aumentar consideravelmente seu domínio do material e sua habilidade de resolver novos problemas com eficiência.

7. **Faça repetições "ativas".** Reveja mentalmente os passos dos problemas-chave em sua mente ao fazer alguma atividade física, como andar até a biblioteca ou fazer exercícios. Você também pode usar seus minutos livres para fazer uma revisão enquanto estiver esperando um ônibus, sentado no banco de passageiro de um carro ou de braços cruzados aguardando um professor chegar à sala de aula. Esse tipo de treinamento ativo ajuda a fortalecer sua capacidade de recordar-se das ideias-chave ao resolver problemas do dever de casa ou fazer uma prova mais tarde.

É isso. Essas são as principais etapas para construir uma biblioteca de blocos. O que você está fazendo é construindo e reforçando uma teia cada vez mais interligada de neurônios—enriquecendo e fortalecendo seus blocos[4]. Isso faz uso do que é conhecido como o "efeito de geração". **Gerar (isto é, trazer à mente) o material ajuda a aprender**

blocos e bloqueios

de forma muito mais eficaz do que simplesmente relê-lo.

Isso é uma informação útil, mas já posso ouvir o que você está pensando: "Já estou passando horas a cada semana resolvendo os problemas das tarefas uma vez. Como posso resolver quatro vezes cada problema?"

Em resposta, eu perguntaria: Qual é seu real objetivo? Entregar o dever de casa? Ou obter bons resultados nas provas que demonstram seu domínio do material e formam a base da maior parte das suas notas do curso? Lembre-se, apenas resolver um problema com o livro aberto a sua frente não garante que você conseguirá resolver algo parecido novamente em uma prova e, mais importante, não significa que você tenha realmente entendido o material.

Se você estiver com o tempo apertado, use essa técnica em alguns problemas-chave, como uma forma de prática deliberada para acelerar e fortalecer sua aprendizagem e suas habilidades de resolução de problemas.

A LEI DA SERENDIPIDADE

Lembre-se, *a sorte favorece quem tenta*. Então não se sinta oprimido pela quantidade de coisas que você precisa fazer para aprender um novo assunto. Em vez disso, concentre-se em entender bem algumas ideias-chave. Você ficará surpreso ao ver como essa base simples de conhecimentos pode ajudá-lo.

A maneira usada pelos músicos para melhorar sua técnica ao tocar um instrumento também pode ser aplicada à aprendizagem da matemática neste sentido: um mestre violinista, por exemplo, não fica só tocando uma peça musical do começo ao fim, repetidas vezes. Em vez disso, ele se concentra nas partes mais difíceis da peça—as partes em que os dedos vacilam e a mente se torna confusa[5]. Você deve fazer o mesmo em sua própria prática deliberada, concentrando-se e tornando-se mais rápido nas partes mais difíceis da técnica de resolução de problemas que você está tentando aprender[6].

Lembre-se, a pesquisa mostrou que quanto mais esforço você faz para se lembrar do material de difícil recordação, mais profundamente ele se incorpora em sua memória[7]. A recordação, e não a simples releitura, é a melhor forma de prática deliberada nos estudos.

Essa estratégia também é semelhante à utilizada pelos mestres de xadrez. Essas feras mentais internalizam as configurações do tabuleiro como blocos associados às melhores próximas jogadas em sua memória de longo prazo. Essas estruturas mentais os ajudam a selecionar a melhor opção para cada movimento do jogo atual[8]. A diferença entre os jogadores de menor ranking e os grandes mestres é que os grandes mestres dedicam muito mais tempo à análise de seus pontos fracos e trabalham para reforçar essas áreas[9]. Isso não é tão fácil quanto apenas ficar sentado jogando xadrez para se divertir. Mas, no final, os resultados podem ser muito mais gratificantes.

Lembre-se, a prática da recordação é uma das formas mais poderosas de aprendizagem. Ela é muito mais produtiva do que simplesmente reler o material[10]. A construção de uma biblioteca de blocos com as maneiras de resolver problemas é eficaz precisamente porque ela se baseia nos métodos de treinamento pela recordação. Não se deixe enganar por ilusões de competência. Lembre-se, só olhar para o material que está na página a sua frente pode fazer você acreditar que já o dominou, quando, na verdade, isso não aconteceu.

Quando você começar a praticar dessa forma, isso pode parecer estranho—como se você estivesse se sentando para sua primeira aula de piano. Mas à medida que você pratica, as coisas se tornarão mais fáceis e rápidas. Seja paciente consigo mesmo—quando sua facilidade com o material começar a aumentar, você começará a criar gosto pelo processo. É trabalhoso? Claro—assim como é trabalhoso aprender a tocar piano com inspiração e estilo. Mas a recompensa faz o esforço valer a pena!

"BLOCO-COMPUTADORES" SÃO ÓTIMOS!

"Eu sou um estudante de engenharia em tempo integral e também trabalho em tempo integral como técnico em engenharia e, assim, tenho uma quantidade de trabalho acadêmico grande demais para manter tudo no primeiro plano da minha mente. Então o meu truque mental é criar grandes blocos para diferentes áreas—termodinâmica, projeto de máquinas, programação, etc. Quando eu preciso me recordar de um determinado projeto, eu deixo de lado o que estou pensando e consulto o bloco desejado, que é como um atalho na área de trabalho do meu computador. Eu posso me concentrar em uma área específica, ou, no modo difuso, posso olhar para a área de trabalho completa e encontrar conexões conceituais entre os blocos. Quando eu tenho uma área de trabalho mental limpa e organizada, posso fazer conexões mais facilmente. Isso aumenta minha agilidade mental e também permite que eu me aprofunde em qualquer tópico mais facilmente."

– Mike Orrell, cursando o terceiro ano de engenharia elétrica

Não Conseguindo Progredir—Quando, de Repente, Seu Conhecimento Parece Entrar em Colapso

A aprendizagem não progride logicamente, com cada dia colocando mais um pacote elegantemente embrulhado na sua prateleira de conhecimentos. Às vezes, ao construir sua compreensão, você encontra um obstáculo que parece ser intransponível. Coisas que faziam algum sentido antes podem de repente parecer confusas[11].

Esse tipo de "colapso de conhecimento" parece ocorrer quando sua mente está reestruturando a forma como você entende um assunto—construindo uma base mais sólida. No caso de estudantes de idiomas, eles experimentam períodos ocasionais em que o idioma estrangeiro de repente parece ser tão incompreensível quanto Klingon.

Lembre-se—assimilar novos conhecimentos leva tempo. Você passará por alguns períodos nos quais parece que você deu um exasperante passo para trás em sua compreensão. Este é um fenômeno natural, que significa que sua mente está reexaminando e reapreciando profundamente o material. Você descobrirá que, quando emergir desses períodos de frustração temporária, sua base de conhecimento terá dado um passo surpreendente para a frente.

Organize-se—Pensando na Revisão

Ao se preparar para uma prova, **organize impecavelmente** seus problemas e soluções, de forma que você possa revê-los rapidamente. Alguns alunos prendem soluções nas páginas do livro em que estão os problemas, para que tudo possa ser encontrado imediatamente. (Use fita adesiva removível ou notas autoadesivas se alguém mais for usar o livro nos próximos anos.) É uma boa ideia escrever a solução à mão porque isso aumenta as chances de você guardar na memória o que escreveu. De forma alternativa, mantenha um fichário com os problemas mais importantes e suas respostas, para que você possa revê-los novamente antes das provas.

> ### PALAVRAS DE SABEDORIA SOBRE A MEMÓRIA DE UM DOS MAIORES PSICÓLOGOS DA HISTÓRIA
>
> "Uma curiosa peculiaridade de nossa memória é que as coisas são gravadas com mais facilidade pela repetição ativa do que pela repetição passiva. Em outras palavras, quando você estiver tentando memorizar algo, por exemplo, e quase tiver conseguido, vale mais a pena esperar e se recordar, fazendo um esforço interno, do que olhar para o livro de novo. Se recuperarmos as palavras da primeira forma, nós provavelmente as saberemos da próxima vez; se só as relermos, muito provavelmente voltaremos a precisar do livro."
>
> —*William James, escrito em 1890*[12]

A Prova É uma Poderosa Experiência de Aprendizagem—Faça Miniprovas Constantemente

Aqui está mais uma razão para ter em sua mente os métodos de solução em blocos bem formados prontos para serem usados: **eles evitam que você sofra um bloqueio durante as provas.** Os bloqueios em provas—um pânico que faz você congelar—podem acontecer quando sua memória de trabalho está cheia, e você ainda não conseguiu espaço suficiente para as peças críticas adicionais que precisa para resolver um problema. A formação de blocos comprime seu conhecimento e abre espaço em sua memória de trabalho para essas peças, evitando que você sofra uma sobrecarga mental tão facilmente. Além disso, abrindo mais espaço em sua memória de trabalho, você tem uma chance melhor de lembrar-se de detalhes importantes da resolução de problemas[13].

Praticar assim é equivalente a fazer miniprovas. A pesquisa mostrou que a prova não é apenas um meio de medir o quanto você sabe. **A prova é, em si mesma, uma poderosa experiência de aprendiza-**

gem. **Ela altera e aumenta o que você sabe, e também melhora muito sua capacidade de reter o material**[14]. Essa melhoria no conhecimento que ocorre ao fazer provas é chamada de *efeito prova*. Isso parece ocorrer porque fazer provas fortalece e estabiliza os padrões neurais relacionados em seu cérebro. Isso é precisamente o que vimos no Capítulo 4, na seção "a prática torna permanente", com a imagem do fortalecimento dos padrões no cérebro que ocorre com a repetição[15].

A melhoria em razão do efeito prova ocorre mesmo quando o desempenho na prova é ruim e não é dada nenhuma informação sobre as respostas. No entanto, ao fazer provas simuladas durante seus estudos, você deve verificar suas respostas consultando o gabarito no final do livro, ou onde quer que a solução possa ser encontrada. Além disso, como discutiremos mais tarde, a interação com seus pares e também com instrutores ajuda no processo de aprendizagem[16].

Uma razão adicional que faz com que construir blocos sólidos seja tão útil é porque, enquanto você está criando esses blocos, você termina fazendo uma grande quantidade de miniprovas. Estudos mostraram que, surpreendentemente, os alunos, e até mesmo os educadores, muitas vezes desconhecem os benefícios de fazer miniprovas ao estudar[17].

Os alunos pensam que estão apenas verificando se eles sabem bem a matéria quando fazem uma miniprova. Mas, na verdade, esse teste ativo da recordação é um dos *melhores* métodos de aprendizagem—melhor do que apenas sentar-se passivamente e reler o livro! Ao construir sua biblioteca de blocos, com muita prática ativa de recordação do material de forma repetida, testando sua memória, você está usando alguns dos melhores métodos possíveis para aprender bem e profundamente.

blocos e bloqueios

AGORA TENTE VOCÊ

Construa uma Biblioteca Mental de Soluções

Para desenvolver a flexibilidade e a destreza mental, é crucial *construir sua biblioteca de blocos de padrões de solução*. Ela é seu banco de dados de acesso rápido—sempre à mão quando você precisar. Essa ideia não é apenas útil para problemas de matemática e ciências—ela se aplica a muitas áreas da vida. É por isso, por exemplo, que sempre é uma boa estratégia olhar onde ficam as saídas de emergência em relação a seu assento no avião.

EM RESUMO

- *Formar um bloco* significa integrar um conceito a um padrão neural de pensamento harmoniosamente conectado.
- A formação de blocos ajuda a aumentar a quantidade de memória de trabalho que você tem disponível.
- Construir uma biblioteca de blocos com conceitos e soluções ajuda a desenvolver a intuição na solução de problemas.
- Quando você estiver criando uma biblioteca de blocos, é importante concentrar-se deliberadamente nos conceitos e aspectos mais difíceis da resolução dos problemas.
- Ocasionalmente, apesar de você estudar com afinco, o destino pode fazer com que você obtenha um mau resultado. Mas lembre-se da Lei da Serendipidade: se você se preparar bem praticando e construindo uma boa biblioteca mental, você descobrirá que a sorte estará cada vez mais do seu lado. Em outras palavras, você garante o fracasso se não tentar; mas aqueles que consistentemente se esforçam para atingir seus objetivos têm muito mais sucessos.

> ### PAUSA E RECORDAÇÃO
>
> Quais foram as principais ideias deste capítulo? Quase ninguém consegue se lembrar de muitos detalhes, e isso não é problema. Você ficará surpreso ao ver a velocidade com que sua aprendizagem progredirá se você começar a encapsular ideias relacionadas com o que você está aprendendo em alguns blocos-chave.

PARA MELHORAR SUA APRENDIZAGEM

1. O que a formação de blocos tem a ver com a memória de trabalho?

2. Por que você precisa resolver um problema sozinho como parte do processo de formação de blocos? Por que não basta olhar para a solução no fim do livro, entendê-la e seguir em frente? O que mais você pode fazer um dia antes de uma prova para ajudar a deixar seus blocos preparados?

3. O que é o *efeito prova*?

4. Depois de ter praticado resolver um tipo de problema algumas vezes, pare por um momento e veja se você sente que está no caminho certo quando percebe qual é o próximo passo da solução.

5. O que é a Lei da Serendipidade? Pense em um exemplo em sua vida que exemplifica essa ideia.

6. Quais são as diferenças entre *bloqueio* e *colapso do conhecimento*?

7. Estudantes se enganam ao pensar que estão aprendendo melhor relendo o material em vez de testarem seu conhecimento através da recordação. Como você pode evitar cair nessa armadilha comum?

NEEL SUNDARESAN, DIRETOR SÊNIOR DOS LABORATÓRIOS DE PESQUISA DO EBAY, FALA SOBRE A INSPIRAÇÃO E O CAMINHO PARA O SUCESSO EM MATEMÁTICA E CIÊNCIAS

O Dr. Sundaresan é o criador do programa Inspire! para ajudar os estudantes a ter sucesso em ciências, engenharia, matemática e tecnologia. Alguns dos bolsistas do Inspire!—um grupo de calouros de grupos sociais menos favorecidos—recentemente apresentaram seu primeiro pedido de patente, um ativo de propriedade intelectual de comércio móvel de importância crítica para o eBay. A história do Dr. Sundaresan ajuda a entender sua trajetória de sucesso.

"Não frequentei uma escola de elite quando estava crescendo. Na verdade, a minha escola estava abaixo da média—em muitas matérias não tínhamos professores adequados. Mas eu tentava achar algo de bom em qualquer professor que eu encontrasse, fosse uma excelente memória ou simplesmente um sorriso amistoso. Esse tipo de atitude positiva me ajudou a valorizar os meus professores e a manter uma abordagem aberta quanto às minhas aulas.

Essa mesma atitude também me ajudaria mais tarde em minha carreira. Hoje, sempre busco ativamente inspiração nas pessoas com quem trabalho. Sempre que começo a ficar desanimado, descubro que é porque parei de procurar qualidades positivas nas pessoas. Isso significa que é

134   a p r e n d e n d o   a   a p r e n d e r

hora de olhar para dentro de mim mesmo e fazer mudanças.

Eu sei que isso soa como um clichê, mas minha mãe sempre foi a minha principal inspiração. Ela não pôde estudar além do ginásio, porque ela teria que deixar sua pequena cidade para completar o ensino médio. Ela cresceu em uma época emocionante mas perigosa, durante a luta da Índia pela independência. As portas que se fecharam para a minha mãe me deixaram determinado a abri-las para outras pessoas, a ajudá-las a perceber as enormes oportunidades que podem estar tão perto de seu alcance.

Uma das regras de ouro da minha mãe era que "a escrita é a base da aprendizagem". Desde a escola primária, até a conclusão do meu doutorado, descobri um poder imenso em sistematicamente compreender e escrever cada passo do que eu realmente queria aprender.

Quando eu era um estudante de pós-graduação, eu costumava ver outros alunos vigorosamente destacando com um marcador de texto as etapas em provas de teoremas ou as sentenças em um livro. Nunca entendi isso. Depois que você marcou o texto, em certo sentido, você destruiu o original, sem qualquer garantia de que o tenha colocado dentro de você, onde ele possa florescer.

Minhas próprias experiências, então, ecoam as descobertas da pesquisa a respeito das quais você está aprendendo neste livro. Você deve evitar marcar o texto porque, pelo menos na minha experiência, isso fornece apenas uma ilusão de competência. A prática da recordação é muito mais poderosa. Tente fixar em sua mente as ideias principais de cada página que você está lendo antes de ir para a próxima.

Eu geralmente gostava de trabalhar nas matérias mais difíceis, como matemática, pela manhã, quando eu estava mais descansado. Ainda pratico essa abordagem hoje. Eu tive algumas das minhas melhores ideias na banheira e no chuveiro—é quando eu tiro o assunto da minha cabeça que o modo difuso é capaz de fazer a sua mágica."

{ 8 }
ferramentas, dicas e truques

Como o respeitado especialista em administração David Allen ressalta, "nós enganamos a nós mesmos para conseguir fazer o que precisamos fazer... Em grande parte, as pessoas com maior desempenho que conheço são aquelas que empregam os melhores truques no seu dia a dia... A nossa parte inteligente organiza as coisas que precisamos fazer de forma que a parte não tão inteligente responda quase automaticamente, levando a um comportamento que produz resultados de alto desempenho"[1].

Allen está se referindo a truques como vestir roupas de ginástica para ficar mais inclinado a se exercitar, ou colocar um relatório importante perto da porta da frente para que não seja possível se esquecer dele. Um relato que ouço repetidamente dos estudantes é que ir para um novo ambiente, como a área silenciosa de uma biblioteca, com menos interrupções, faz milagres em sua luta contra a procrastinação. A pesquisa confirmou que um lugar especial dedicado apenas ao trabalho é particularmente útil[2].

Outro truque envolve o uso de meditação para ajudá-lo a aprender a ignorar os pensamentos que o distraem[3]. (A meditação não é algo apenas para adeptos da Nova Era—há muitas evidências científicas de seu valor[4].) Um guia útil e curto para quem quer começar a meditar é *Buddha in Blue Jeans,* de Tai Sheridan. Ele é gratuito no formato de livro eletrônico e é adequado para pessoas de qualquer fé. E, claro, há muitos aplicativos para meditação—procure na internet e veja o que parece mais adequado para você.

Um último truque importante é ver a situação sob um novo ângulo. Um aluno, por exemplo, é capaz de se levantar às quatro horas e meia todas as manhãs durante a semana, pensando não em como ele está cansado quando acorda, mas em como o café da manhã será bom.

Uma das mais extraordinárias histórias de mudança de enfoque é a de Roger Bannister, a primeira pessoa a correr uma milha em menos de quatro minutos. Bannister era um estudante de medicina que não podia pagar um treinador ou a dieta especial de um corredor. Ele não tinha nem tempo para correr mais de trinta minutos por dia, encaixados entre seus estudos médicos. Apesar disso Bannister não pensava em todas as razões pelas quais ele logicamente não tinha nenhuma chance de alcançar seu objetivo. Em vez disso, seu enfoque era realizar seu objetivo de sua própria maneira. Na manhã em que ele entrou para os livros de história, ele se levantou, tomou seu habitual café da manhã, fez a ronda hospitalar obrigatória e então pegou um ônibus para a pista de corrida.

É bom saber que existem truques mentais *positivos* que você pode usar em seu benefício. Eles compensam em parte os truques negativos que ou não funcionam ou tornam as coisas mais difíceis para você, como dizer a si mesmo que você pode finalizar seu dever de casa pouco antes da data de entrega.

Tenha em mente que é normal sentar-se com alguns sentimentos negativos quando você começa a estudar. O que importa é como você lida com esses sentimentos. Os investigadores descobriram, na verdade, que a diferença entre as pessoas de arranque lento e as de arranque rápido é que as pessoas de arranque rápido, que evitam com sucesso a procrastinação, deixam de lado seus pensamentos negativos, dizendo para si mesmas coisas como "Pare de perder tempo e simplesmente vá em frente. Depois de começar, você vai se sentir melhor"[5].

UMA ABORDAGEM POSITIVA PARA A PROCRASTINAÇÃO

Eu digo aos meus alunos que eles podem procrastinar contanto que sigam três regras:

1. Não use o computador durante seu tempo de procrastinação. Isso é envolvente demais.

2. Antes de procrastinar, identifique o problema mais fácil do dever de casa. (Neste momento, não é necessário resolvê-lo.)

3. Copie a equação ou as equações que você precisa para resolver o problema em um pequeno pedaço de papel e leve esse papel com você até que você esteja pronto para parar de procrastinar e voltar ao trabalho.

Essa abordagem é útil porque permite que seu modo difuso continue trabalhando no problema, mesmo enquanto você está procrastinando.

– Elizabeth Ploughman, Professora de Física, Camosun College, Victoria, British Columbia

138 aprendendo a aprender

A Autoexperimentação: O Segredo para um "Você" Melhor

O Dr. Seth Roberts é professor emérito de psicologia na Universidade da Califórnia-Berkeley. Quando estava aprendendo a realizar experimentos como estudante da pós-graduação, ele começou a fazer experimentos consigo mesmo. O primeiro autoexperimento de Roberts envolveu sua acne. Um dermatologista havia receitado tetraciclina, e assim Roberts simplesmente contou o número de espinhas que ele tinha no rosto após usar diferentes doses de tetraciclina. O resultado? A tetraciclina não fez diferença no número de espinhas que ele tinha!

Na verdade, Roberts tinha se deparado com uma descoberta que a medicina levaria mais uma década para descobrir—que a aparentemente poderosa tetraciclina, com perigosos efeitos colaterais, não sortia necessariamente efeito na acne. Por outro lado, o creme de peróxido de benzoíla *realmente* funcionava, contrariando o que Roberts tinha pensado originalmente. Como Roberts observou: "com minha pesquisa de acne, eu aprendi que a autoexperimentação pode ser usada por não especialistas para (a) ver se os especialistas estão corretos e (b) aprender algo que eles não sabem. Eu não sabia que essas coisas eram possíveis"[6]. Ao longo dos anos, Roberts usou seus esforços em autoexperimentação para estudar seu estado de espírito, controlar seu peso e para ver os efeitos do ômega-3 no funcionamento de seu cérebro.

Em geral, Roberts concluiu que a autoexperimentação é extremamente útil para testar ideias e também para gerar e desenvolver novas hipóteses. Como ele observa: "Por sua natureza, a autoexperimentação envolve fazer mudanças bruscas em sua vida: você não faz X durante várias semanas, então você faz X durante várias semanas. Isso, além do fato de nós nos monitorarmos de cem maneiras diferentes, torna mais fácil para a autoexperimentação revelar efeitos colaterais inesperados… Além disso, as medições diárias da acne, sono ou qualquer outra coisa fornecem uma linha de base que torna ainda mais fácil ver mudanças inesperadas"[7].

Sua própria autoexperimentação, pelo menos no começo, deve ser sobre a procrastinação. Mantenha notas sobre cada ocorrência em que você não completou o que pretendia fazer, quais foram as sugestões que fizeram você começar a procrastinar e qual foi sua reação-zumbi por hábito a essas sugestões. Anotando sua reação, você pode aplicar a pressão sutil que precisa para mudar sua resposta a esses gatilhos de procrastinação e gradualmente melhorar seus hábitos de trabalho. Em seu excelente livro *The Now Habit*, o autor Neil Fiore sugere manter uma programação diária detalhada de suas atividades por uma semana ou duas para diagnosticar quais são suas áreas-problema para a procrastinação[8]. Há muitas maneiras diferentes de monitorar seu comportamento. A ideia mais importante aqui é que manter uma história escrita ao longo de várias semanas parece ser crucial para ajudá-lo a fazer mudanças. Também tenha em mente que pessoas diferentes funcionam melhor em determinados ambientes—algumas precisam de uma cafeteria ocupada, enquanto outras precisam de uma biblioteca silenciosa. Você precisa descobrir o que é melhor para você.

ISOLAMENTO VERSUS TRABALHO EM GRUPO—A PROCRASTINAÇÃO E AS DIFICULDADES NOS ESTUDOS

"Uma dica para enfrentar a procrastinação é isolar-se de coisas que você sabe que irão distraí-lo, incluindo as pessoas. Vá para uma sala desocupada ou para a biblioteca, para que você não tenha nada para distraí-lo."

– Aukury Cowart, cursando o segundo ano de engenharia da eletricidade

140   a p r e n d e n d o   a   a p r e n d e r

"Quando tenho dificuldades em um assunto, acho útil estudar com outras pessoas da mesma classe. Dessa forma eu posso fazer perguntas e podemos trabalhar juntos para descobrir o que está nos deixando confusos. Há uma grande chance que eu saiba o assunto em que elas estão com dificuldades, e vice-versa."

– Michael Pariseau, cursando o terceiro ano de engenharia mecânica

A Aliança Zumbi Definitiva: a Agenda-Diário como seu Caderno de Anotações Pessoais

A melhor maneira de assumir o controle de seus hábitos é simples: uma vez por semana, escreva uma breve lista semanal com as tarefas mais importantes. Então, a cada dia, escreva uma lista das tarefas nas quais você acredita realisticamente que conseguirá trabalhar. Tente escrever essa lista de tarefas no final do dia anterior.

Por que no dia anterior? A pesquisa mostrou que isso ajuda seu subconsciente a lidar com as tarefas da lista, para que você descubra como realizá-las[9]. ***Escrever a lista antes de ir dormir convoca seus zumbis para ajudá-lo a realizar os itens da lista no dia seguinte.***

As pessoas costumam usar seu telefone ou um calendário online ou em papel para acompanhar datas importantes, como os dias de entrega dos trabalhos escolares—provavelmente você está usando esse sistema. No seu calendário de "datas de entrega", escreva uma lista de tarefas semanais com mais ou menos vinte itens-chave. Todas as noites, elabore uma lista com as tarefas diárias para o dia seguinte a partir dos itens na lista de afazeres semanais. Ela deve ter de cinco a dez itens. Tente não adicionar nada a sua lista diária depois de tê-la escrito, exceto se surgir algum item imprevisto mas importante (você não quer começar a criar listas sem fim). Não substitua itens de sua lista.

Mais uma coisa. Como a treinadora de redação Daphne Gray-

Um zumbi sem uma lista se sente sobrecarregado.

Um zumbi feliz tem uma lista de tarefas!

Se você não anotar suas tarefas em uma lista, elas ficam de prontidão ao lado dos aproximadamente quatro lugares em sua memória de trabalho, ocupando parte de seu valioso espaço mental.

Mas quando você faz uma lista, isso libera a memória de trabalho para resolver problemas. Viva! Mas lembre-se: você não deve ter nenhuma dúvida de que irá checar sua agenda. Se seu subconsciente não tiver confiança de que você fará isso, as tarefas começarão a voltar à tona, bloqueando sua memória de trabalho.

-Grant recomenda a seus clientes: "comer seus sapos é a primeira coisa que você deve fazer pela manhã". Faça os trabalhos *mais importantes* e *mais desagradáveis* em primeiro lugar, assim que você acordar. Isso é incrivelmente eficaz.

Abaixo está uma amostra de uma lista diária que eu fiz a partir da minha agenda-diário. (Você pode criar sua própria amostra.) Observe que há apenas seis itens—alguns deles são voltados para processos. Por exemplo, eu tenho que terminar um artigo para uma revista científica daqui a vários meses, então, na maioria dos dias, eu passo um pouco de tempo concentrada trabalhando para completá-lo. Alguns itens são voltados para resultados, mas apenas porque eles podem ser feitos dentro de um período de tempo limitado.

30 DE NOVEMBRO

- artigo para o *PNAS* (1 hora)
- Fazer uma caminhada
- Livro (1 seção)
- ISE 150 preparar demonstração
- EGR 260 preparar 1 pergunta para o exame final
- Finalizar a próxima palestra

Concentração, diversão!
Objetivo de horário de conclusão: 17 h

Observe meus lembretes: Eu quero manter minha concentração em cada item enquanto eu estiver trabalhando nele, e eu quero me divertir. Hoje estou bem adiantada em minha lista. Eu terminei me distraindo porque me esqueci de desligar meu e-mail. Para entrar novamente no ritmo, eu iniciei um desafio Pomodoro de 22 minutos usando um marcador de tempo na área de trabalho de meu computador. (Por que 22 minutos? Bem, por que não? Não tenho que fazer sempre a mesma coisa. E observe também que, ao entrar no modo Pomodoro, passei a me preocupar com o processo, e não com o produto.) A realidade é que nenhum dos itens da minha lista é extenso demais, porque eu tenho outras coisas acontecendo durante o dia— reuniões para participar, uma palestra para apresentar. Às vezes eu coloco algumas tarefas que envolvem movimento físico espalhadas na minha lista, como arrancar ervas daninhas ou varrer a cozinha. Elas não são geralmente meu tipo favorito de tarefas, mas, de alguma forma, como eu estou usando-as para dar um tempo e deixar meu modo difuso fazer seu trabalho, muitas vezes fico ansiosa para fazê--las. Misturar outras tarefas com sua aprendizagem parece tornar tudo mais agradável e evita que você permaneça sentado por períodos longos, prejudicando sua saúde.

Com o passar do tempo, conforme eu fui ganhando mais experiência, minhas estimativas do tempo necessário para fazer uma determinada tarefa melhoraram muito. Suas estimativas também vão melhorar rapidamente conforme você se tornar mais realista sobre o que razoavelmente consegue fazer em um dado intervalo de tempo. Algumas pessoas gostam de colocar um número de um a cinco ao lado de cada tarefa, em que um é a maior prioridade e cinco é um item que pode ser adiado até o dia seguinte sem problemas. Outras gostam de colocar uma estrela ao lado das tarefas de alta prioridade. E ainda outras gostam de colocar um quadrado na frente de cada item para que possam ir assinalando as tarefas à medida que são concluídas. Eu pessoalmente gosto de riscar cada item com uma espessa linha preta. Faça o que você preferir. Você deve escolher um sistema que funcione para você.

A LIBERDADE DE UMA AGENDA

"Para combater a procrastinação, eu faço uma programação de tudo o que devo fazer. Por exemplo, digo a mim mesmo, 'sexta-feira, eu preciso começar meu artigo e então terminá-lo no sábado. Além disso, no sábado, eu preciso fazer meu dever de matemática. No domingo, eu preciso estudar para minha prova de alemão'. Isso realmente me ajuda a ficar organizado e praticamente livre de estresse. Se eu não sigo a minha agenda, eu tenho o dobro do trabalho para fazer no dia seguinte, e isso é algo que eu realmente prefiro evitar."

– Randall Broadwell, cursando engenharia mecânica e alemão

A propósito, se você já tentou usar uma agenda ou diário antes e não teve sucesso, você pode tentar uma técnica análoga mas com uma função de lembrete mais óbvia: mantenha sua lista de tarefas em uma lousa ou quadro em sua porta. E, claro, você ainda pode sentir aquela emoção visceral de gratificação toda vez que apagar algo de sua lista!

Observe meu objetivo de terminar até as cinco horas. Isso não parece certo, não é? Mas está certo e é um dos componentes mais importantes de sua agenda-diário. Planejar a hora em que você vai parar é tão importante quanto planejar seu tempo de trabalho. Geralmente, eu saio às cinco horas, embora, quando estou aprendendo algo novo, às vezes pode ser gratificante fazer uma revisão logo antes de ir dormir. E, ocasionalmente, há um grande projeto que eu estou finalizando. Eu paro às cinco horas porque eu tenho uma família e gosto de passar algum tempo com ela e também gosto de ter tempo de sobra para uma ampla variedade de leituras à noite. Se essa programação parece ser fácil demais, tenha em mente que eu acordo cedo e faço isso seis dias por semana, o que obviamente não é algo que você precise fazer, a menos que sua carga de estudos e trabalho seja extrapesada.

Você poderia pensar, *bem, sim, mas você é uma professora que já deixou bem para trás seus dias de estudante—é claro que você pode terminar o expediente cedo!* No entanto, tenha em mente que um dos especialistas em aprendizagem que mais admiro, Cal Newport, parava de estudar às cinco horas durante a maior parte de sua carreira de estudante[10]. Ele obteve seu doutorado no MIT. Em outras palavras, esse método, embora alguns talvez duvidem dele, pode funcionar para cursos de graduação e pós-graduação em programas acadêmicos rigorosos. Repetidamente, aqueles que não abrem mão de um tempo de lazer saudável junto com seu trabalho duro superam aqueles que perseguem obstinadamente uma esteira sem fim[11].

Quando tiver terminado sua lista diária, você pode encerrar o expediente. Se você estiver trabalhando frequentemente além da hora prevista, ou não terminar os itens programados para o dia, sua agenda-diário ajudará você a perceber que isso está acontecendo, e você pode começar a fazer ajustes em sua estratégia de trabalho.

Tenha em mente que você tem um objetivo importante a cada dia: escrever algumas linhas em sua agenda-diário com seus planos para o dia seguinte e riscar os itens que tiver feito no dia.

Claro, sua vida pode não permitir que você monte uma agenda como essa, com pausas e tempo de lazer. Você pode não ter tempo nem para respirar, com dois empregos e muitas aulas. Mas não importam as circunstâncias, tente encaixar um pequeno intervalo para descansar.

Tenha em mente que **é importante transformar os prazos distantes em prazos diários.** Enfrente-os pouco a pouco. Grandes tarefas precisam ser divididas em tarefas menores, que serão incluídas em sua lista de tarefas diárias. A única maneira de chegar ao final de uma jornada de mil milhas é dar um passo de cada vez.

AGORA TENTE VOCÊ!

Planejando o Sucesso

Escolha uma pequena parte de uma tarefa que você vem evitando. Planeje onde e quando você enfrentará essa parte da tarefa. Você irá à biblioteca no período da tarde e deixará seu telefone celular no modo avião? Você irá a outro quarto em sua casa amanhã à noite, sem levar seu notebook e escreverá à mão no começo? Não importa o que você decidir, apenas planeje como você implementará o que você precisa fazer para tornar muito mais provável ter sucesso em sua tarefa[12].

Você pode estar tão acostumado com a procrastinação e a culpa como motivadores que talvez seja difícil acreditar que outro sistema possa funcionar. Mais do que isso, pode levar algum tempo para você descobrir como distribuir corretamente seu tempo porque antes você nunca teve o luxo de saber quanto tempo é realmente necessário para fazer um bom trabalho sem pressa. Procrastinadores crônicos, foi constatado, veem cada ato de procrastinação como um ato único, incomum, um fenômeno que acontece "só desta vez", que não se repetirá novamente. Embora isso não seja verdade, parece convincente—tão convincente, na verdade, que você continuará acreditando nisso, porque, sem sua agenda-diário, não há nada para desmentir essa percepção. Como Chico Marx disse uma vez, "em quem você vai acreditar, em mim ou em seus próprios olhos?"

EVITANDO A PROCRASTINAÇÃO—OBSERVAÇÕES DO ESTUDANTE DE ENGENHARIA INDUSTRIAL JONATHON MCCORMICK

1. Eu anoto os deveres na minha agenda como se eles devessem ser entregues um dia antes do prazo final. Assim, eu nunca tenho que me apressar para terminá-los no último minuto e ainda tenho um dia inteiro para pensar antes de entregá-los.

2. Eu conto aos meus amigos que estou trabalhando no meu dever de casa. Assim, sempre que um deles me pega online no Facebook, ele me cobra que eu deveria estar fazendo o dever de casa.

3. Eu tenho um pedaço de papel emoldurado com o salário inicial de um Engenheiro Industrial na minha mesa. Toda vez que tenho dificuldade em me concentrar na tarefa em que estou trabalhando, eu olho para ele e me lembro de que o esforço vale a pena no longo prazo.

Um pouco de procrastinação aqui e ali é inevitável. Mas, para aprender de forma eficaz, você deve dominar seus hábitos. Seus zumbis devem estar sob seu controle. Sua agenda-diário funciona como seus olhos, para que você saiba o que dá resultados. Quando você começa a usar uma lista de tarefas, é comum ser ambicioso demais—muitas vezes você não conseguirá fazer tudo o que está na lista. Mas, à medida que você for fazendo ajustes finos no sistema, você aprenderá rapidamente a definir objetivos razoáveis, que você pode alcançar.

Você pode pensar—Sim, mas e quanto a um sistema de administração de tempo? E como eu sei no que é mais importante trabalhar agora? É aqui que a lista semanal de tarefas entra em cena. Ela ajuda você a se distanciar, olhar para o quadro global e definir prioridades. Elaborar sua lista diária na noite do dia anterior também pode ajudar a impedir que você tome decisões de última hora que podem custar caro no longo prazo.

Você precisará às vezes fazer mudanças em seus planos por causa de acontecimentos imprevistos? É claro! Mas lembre-se da Lei da Serendipidade: a sorte favorece quem tenta. Planejar bem também é tentar. Mantenha os olhos no objetivo e tente não deixar que os obstáculos ocasionais o abalem.

USANDO LISTAS E A IMPORTÂNCIA DE COMEÇAR

"Eu me mantenho organizado durante a semana escrevendo uma lista com as coisas que precisam ser feitas a cada dia. A lista é, geralmente, uma folha pautada que eu apenas dobro e coloco no bolso. Todos os dias, uma ou duas vezes por dia, eu a tiro do bolso e verifico se eu fiz ou vou fazer tudo o que está planejado para esse dia. É bom poder riscar itens da lista, especialmente quando ela é superlonga. Eu tenho uma gaveta cheia dessas folhas de papel dobradas.

Acho que é mais fácil começar uma coisa, ou mesmo algumas coisas ao mesmo tempo, e saber que, da próxima vez que for fazê-las, elas estarão parcialmente feitas, sobrando menos para eu me preocupar."

– Michael Gashaj, cursando o segundo ano de engenharia industrial

148 aprendendo a aprender

Dicas de Tecnologia: os Melhores Aplicativos e Programas para Estudar

Um marcador de tempo, papel e caneta são muitas vezes as ferramentas mais simples para evitar a procrastinação, mas você também pode fazer uso da tecnologia. Aqui está uma lista de algumas das melhores ferramentas voltadas para o aluno.

AGORA TENTE VOCÊ

Melhores aplicativos e programas para manter a concentração (há versões gratuitas, salvo observação em contrário)

Marcadores de tempo

- A técnica Pomodoro (preços e recursos variados): http://pomodorotechnique.com/

Tarefas, planejamento e flashcards

- 30/30—combina marcadores de tempo com uma lista de tarefas. http://3030.binaryhammer.com/
- StudyBlue—combina flashcards (cartões com resposta no verso) e anotações com mensagens de texto quando é hora de voltar a estudar, com um link direto para o material. www.studyblue.com
- Evernote—um dos meus recursos favoritos—muito popular para anotar listas de tarefas e informações (substitui os bloquinhos que os escritores levavam para anotar suas ideias...) http://evernote.com/
- Anki—um dos melhores sistemas de flashcards, com um excelente algoritmo de repetição espaçada. Há muitos conjuntos excelentes de fichas prontas disponíveis para uma variedade de disciplinas. http://ankisrs.net/

- Quizlet.com—também permite que você insira seus próprios flashcards. Você pode trabalhar com colegas para dividir as tarefas. http://quizlet.com/
- Calendário e tarefas do Google. http://mail.google.com/mail/help/tasks/

Limitando seu Tempo em Sites que Desperdiçam seu Tempo

- Freedom—(para Macs e Windows) (pago, mas muitos elogiam esse programa) http://macfreedom.com/
- StayFocused—(para o Google Chrome) https://chrome.google.com/webstore/detail/stayfocusd/laankejkbhbdhmipf mgcngdelahlfoji?hl=en.
- LeechBlock—(para o Firefox) https://addons.mozilla.org/en-us/firefox/addon/leechblock/
- MeeTimer—(Firefox) rastreia e registra em que você gasta seu tempo. https://addons.mozilla.org/en-us/firefox/addon/meetimer/

Encorajando a Si Mesmo e aos Outros.

- www.stickK.com—um site para você estabelecer objetivos.
- www.43things.com—outro site para você estabelecer objetivos.
- Coffitivity—ruído de fundo reduzido, semelhante ao de uma loja de café. http://coffitivity.com/

O modo mais fácil de reduzir as interrupções

- Desabilite o som das notificações em seu computador e smartphone!

150 aprendendo a aprender

EM RESUMO

- Truques mentais podem ser ferramentas poderosas. Alguns dos mais eficazes são:
  - Estude em um lugar com poucas interrupções, como uma biblioteca, para ajudar a manter a procrastinação sob controle.
  - Pratique ignorar os pensamentos relacionados a distrações, simplesmente deixando-os passar.
  - Se sua determinação for abalada, mude seu enfoque para deslocar a atenção do negativo para o positivo.
  - Entenda que, quando você se senta para começar a trabalhar, é perfeitamente normal ter sentimentos iniciais negativos.
  - Planejar sua vida para que você tenha tempo livre é uma das coisas mais importantes que você pode fazer para evitar a procrastinação e uma das mais importantes razões para *evitar* a procrastinação.
  - A parte central da prevenção da procrastinação é uma lista diária com um número razoável de tarefas e uma revisão semanal para assegurar que você está no caminho certo, de acordo com seus objetivos.
  - Escreva a sua lista de tarefas diárias na noite anterior.
  - Coma primeiro seus sapos.

PAUSA E RECORDAÇÃO

Feche o livro e desvie o olhar. Quais foram as principais ideias deste capítulo? Lembre-se de se parabenizar por ter terminado de ler esta seção—cada realização merece um tapinha mental nas costas!

ferramentas, dicas e truques 151

PARA MELHORAR SUA APRENDIZAGEM

1. Se é normal que os estudantes sintam alguns sentimentos negativos quando começam a trabalhar, o que você pode fazer para ajudar a superar esse obstáculo?

2. Qual é a melhor maneira para você conseguir controlar os hábitos de procrastinação?

3. Por que é uma boa ideia escrever uma lista de tarefas na noite anterior ao dia em que você quer realizar as tarefas?

4. Como você poderia mudar sua percepção de algo que você vê hoje de forma negativa?

5. Explique por que é tão importante ter um horário programado para parar de trabalhar.

AGORA TENTE VOCÊ!

Estabelecendo objetivos realistas

Gostaria que o final deste capítulo fosse o início da sua própria história. Nas próximas duas semanas, escreva seus objetivos semanais no início de cada semana. Então, em cada dia, escreva uma relação realista de 5 a 10 pequenas metas diárias com base em seus objetivos semanais. Risque cada item quando você completá-lo e mentalmente saboreie cada item terminado que você riscar de sua lista. Se precisar, divida uma tarefa em uma "minilista de tarefas" com três pequenas subtarefas, para ajudá-lo a se manter motivado.

Lembre-se, parte de sua missão é terminar suas tarefas diárias em um horário razoável para que você tenha algum tempo de lazer sem se sentir culpado. Você está desenvolvendo um novo conjunto de hábitos que tornará sua vida muito mais agradável!

> Você pode usar papel ou um caderno, ou você pode colocar uma lousa ou quadro em sua porta. Seja o que for que você ache que funcionará melhor, isso é o que você precisa fazer para começar.

ENFRENTANDO OS DESAFIOS MAIS DIFÍCEIS USANDO O MÉTODO MÁGICO DA MATEMÁTICA DE MOLHO—A HISTÓRIA DE MARY CHA

"Meu pai abandonou minha família quando eu tinha três semanas de idade, e minha mãe morreu quando eu tinha nove anos. Como resultado, eu fui muito mal no ensino fundamental e médio e, quando ainda era adolescente, eu deixei a casa dos meus pais adotivos com sessenta dólares no bolso.

Eu sou atualmente uma estudante de bioquímica com média 9,75 e estou trabalhando no meu objetivo de ingressar em uma faculdade de medicina. Eu vou prestar o exame no próximo ano.

O que isso tem a ver com matemática? Que bom que perguntou!

Quando me alistei no exército, com 25 anos de idade, foi porque minha vida tinha ficado financeiramente fora de controle. Entrar para o exército foi a melhor decisão da minha vida—embora isso não queira dizer que a vida militar tenha sido fácil. O período mais difícil foi no Afeganistão. Eu estava feliz com meu trabalho, mas tinha pouco em comum com meus colegas. Isso muitas vezes fazia eu me sentir alienada e sozinha, então eu estudava matemática no meu tempo livre para manter as ideias frescas em minha mente.

Minha experiência militar me ajudou a desenvolver bons hábitos de estudo. Não do tipo dedicar horas de atenção a algo, mas do tipo eu só tenho alguns minutos aqui, preciso aprender o que puder! Um problema ou outro estava sempre surgindo, o que significava que eu tinha que fazer meu trabalho aos poucos, quando tinha algum tempo livre.

Foi então que eu descobri acidentalmente o "método mágico da matemática de molho"—o equivalente ao processamento em modo difuso. Eu ficava empacada em alguns problemas—realmente empacada, sem nenhuma pista sobre o que estava acontecendo. Então eu era chamada para responder a uma explosão ou outra ocorrência. Enquanto eu estava fora, liderando a equipe, ou mesmo apenas sentada em silêncio, esperando, o fundo da minha mente estava ao mesmo tempo refletindo sobre os problemas de matemática. Eu voltava para o meu quarto mais tarde naquela noite e tudo estava resolvido!

Outro truque que descobri é o que eu chamo de revisão ativa. Quando estou alisando o cabelo ou tomando banho, eu revejo simultaneamente em minha cabeça problemas que já resolvi. Isso me permite manter esses problemas no primeiro plano da minha mente, evitando que eu me esqueça deles.

Este é o processo que uso para estudar:

1. *Resolva todos os problemas ímpares de uma seção (ou pelo menos um número suficiente de cada "tipo" para completar sua compreensão).*

2. *Deixe os problemas de molho.*

3. *Anote todos os conceitos importantes e um exemplo de cada tipo de problema que você gostaria de adicionar à sua "caixa de ferramentas".*

4. *Antes de um exame, seja capaz de listar tudo em suas anotações: os assuntos, os tipos de problemas nas seções e as técnicas. Você ficará surpreso com o que apenas ser capaz de listar as seções e assuntos fará por você, sem contar os tipos de problemas e os truques da "caixa de ferramentas". Esse tipo de recordação verbal permite reconhecer tipos de problemas mais rapidamente e ter mais confiança antes de ir para a prova.*

Quando eu era mais jovem, eu pensava que se eu não entendesse alguma coisa imediatamente, isso significava que nunca seria capaz de entendê-la, ou que eu não era inteligente. Isso não é verdade, naturalmente. Agora eu entendo que é muito importante começar a fazer algo mais cedo, para que eu tenha tempo para digerir as informações. Isso leva à compreensão sem estresse e torna a aprendizagem muito mais agradável."

{ 9 }

palavras finais sobre os zumbis da procrastinação

Examinamos uma série de questões relacionadas com a procrastinação nesses últimos capítulos. Mas aqui estão alguns pensamentos finais que podem lança uma nova luz na procrastinação.

Os Prós e Contras de Trabalhar Incansavelmente em um Estado de Concentração Elevada

Um encontro ao acaso, em 1988, de dois técnicos da Microsoft em uma festa sexta à noite resultou em uma solução empolgante para um obstáculo ao desenvolvimento de um importante programa, que havia feito com que a Microsoft tivesse praticamente o abandonado.

palavras finais sobre a procrastinação

Os dois saíram da festa para ver se a ideia era promissora, ligaram um computador e analisaram o código problemático linha por linha. Mais tarde naquela noite, ficou claro que eles haviam encontrado algo. Esse *algo,* como Frans Johansson descreve em seu fascinante livro *The Click Moment,* transformou o projeto de software quase abandonado no Windows 3.0, que ajudou a tornar a Microsoft a gigante global de tecnologia que é hoje[1]. Existem ocasiões em que a inspiração surge aparentemente do nada.

Esses tipos de inovações criativas raras—uma descoberta seguida por trabalho mentalmente extenuante, intenso, até tarde da noite—são muito diferentes de um dia típico estudando matemática e ciências. É um pouco como nos esportes: de vez em quando, você tem um dia de competição em que você precisa dar tudo o que tem sob condições de tensão extraordinária. Mas você certamente não treina todos os dias sob esse tipo de condição.

Nos dias em que você está superprodutivo e continua a trabalhar muito tempo, noite adentro, você pode obter grandes resultados, mas nos dias subsequentes, se você der uma olhada em sua agenda-diário, você pode notar que você é *menos* produtivo. Na verdade, as pessoas que têm o hábito de virar a noite trabalhando são no total muito menos produtivas do que aquelas que geralmente fazem seu trabalho em intervalos de tempo razoáveis, não muito extensos[2]. O esforço concentrado por tempo demais pode levá-lo ao esgotamento[3].

É verdade que um prazo final próximo pode aumentar os níveis de estresse, colocando você em um estado em que os hormônios do estresse podem entrar em ação e ajudar a pensar. Mas depender da adrenalina pode ser um jogo perigoso, porque, quando o estresse é muito alto, a capacidade de pensar claramente pode desaparecer. Em particular, a aprendizagem de matemática e ciências para um exame que se aproxima é muito diferente de terminar um relatório escrito em uma determinada data. Isso ocorre porque a matemática e as ciências exigem o desenvolvimento de novas estruturas neurais que são diferentes das estruturas sociais, visuais e voltadas para a linguagem, áreas em que a evolução conferiu a nossos cérebros habilidades extraordinárias. Para muitas pessoas, as estruturas relacionadas à matemática e às ciências se desenvolvem lentamente, com a alternância entre os modos de pensamento concentrado e difuso conforme o material é absorvido. Especialmente quando se trata de aprender matemática e ciências, a desculpa para virar a noite, "eu trabalho melhor sob a pressão de prazos finais", simplesmente não é verdadeira[4].

Você se lembra dos comedores de arsênico no início do primeiro capítulo sobre a procrastinação? No século XIX, quando o hábito de comer arsênico se espalhou em uma pequena população austríaca, as pessoas ignoraram como isso era prejudicial no longo prazo, mesmo sendo possível desenvolver tolerância ao veneno. É um pouco como não reconhecer os perigos da procrastinação.

Controlar os hábitos de procrastinação significa reconhecer que algo que é doloroso no momento pode, na verdade, ser saudável. Superar seu desejo de procrastinar tem muito em comum com lidar com outros agentes menores causadores de estresse que são, em última análise, benéficos.

"Quando não estou trabalhando, eu devo relaxar—e não trabalhar em outra coisa!"

> – o psicólogo B. F. Skinner, refletindo sobre uma percepção crucial que se tornou um divisor de águas em sua carreira[5]

Sábia Espera

Já vimos que atributos aparentemente bons podem ter consequências ruins. O *Einstellung* no xadrez—não conseguir ver um movimento melhor por causa de noções concebidas anteriormente—é um bom exemplo. Sua atenção concentrada, normalmente desejável, mantém sua mente ocupada e em razão disso ela não vê soluções melhores.

Da mesma forma que a atenção concentrada não é *sempre* boa, hábitos aparentemente prejudiciais de procrastinação nem sempre são ruins. Sempre que você estiver elaborando uma "lista de tarefas", por exemplo, alguém poderia acusá-lo de estar procrastinando tudo que não está no topo de sua lista. Uma forma saudável de procrastinação envolve aprender a *fazer uma pausa e refletir* antes de mergulhar de cabeça e começar a fazer algo. Você está aprendendo a esperar com sabedoria. Há *sempre* algo a ser feito. Priorizar permite que você entenda o contexto global antes de tomar uma decisão. Às vezes, enquanto você espera, uma situação se resolve sozinha.

Parar por um momento e refletir é crucial, não apenas para impedir a procrastinação, mas também para resolver problemas em matemática e ciências em geral. Você pode ficar surpreso ao ouvir que a diferença entre como especialistas em matemática (professores e alunos de pós-graduação) e iniciantes em matemática (alunos de graduação) resolvem problemas de física é que os especialistas *demoram mais* para começar a resolver um problema. Em um experimento, os especialistas levaram em média 45 segundos para categorizar um problema de acordo com os princípios de física subjacentes. Os alunos de graduação, por outro lado, simplesmente começam a trabalhar, decidindo o que iriam fazer em apenas 30 segundos[6].

Como não deve causar surpresa, as conclusões dos estudantes muitas vezes estavam erradas, porque suas escolhas foram baseadas em aparências superficiais e não nos princípios por trás dos problemas. É como se os especialistas levassem o tempo necessário para concluir que os brócolis são vegetais e que os limões são frutas, enquanto os iniciantes saíssem dizendo que os brócolis são pequenas árvores e que os limões são claramente ovos. Parar por um momento lhe dá tempo para acessar sua biblioteca de blocos e permite que seu cérebro faça conexões entre um determinado problema e seus conhecimentos gerais sobre o assunto.

Esperar também é importante em um contexto mais amplo. Quando você tiver dificuldades para decifrar um determinado conceito em matemática ou ciências, é importante não deixar ser vencido pela frustração e descartar esse conceito como difícil ou abstrato demais. Em seu livro apropriadamente intitulado *Stalling for Time*, o negociador de reféns do FBI Gary Noesner observa que todos podemos aprender com os sucessos e fracassos da negociação de reféns[7]. No início dessas situações, os ânimos estão muito exaltados. Esforços para acelerar o andamento das negociações muitas vezes levam ao desastre. Manter sob controle os desejos naturais de reagir agressivamente às provocações emocionais dá tempo para que as moléculas de emoção gradualmente se dissipem. O resultado são cabeças mais frias que salvam vidas.

As emoções que o incitam, dizendo *faça isso, você vai gostar*, podem induzi-lo ao erro de outras maneiras. Na escolha de sua carreira, por exemplo, "seguir sua paixão" pode ser como decidir se casar com sua estrela de cinema favorita. Parece uma ótima ideia até a realidade se intrometer. A prova está no resultado: nas últimas décadas, os alunos que seguiram cegamente sua paixão, sem analisar racionalmente se sua escolha de carreira era verdadeiramente sensata, ficaram *menos* felizes com suas escolhas de trabalho do que aqueles que combinaram a paixão com a racionalidade[8].

Tudo isso diz respeito a minha própria vida. Eu originalmente não gostava de matemática, e também não tinha nenhum talento ou habilidade em ciências exatas. Mas, como resultado de considerações racionais, eu me *dispus* a me tornar boa nisso. Eu trabalhei *duro* para me tornar boa nisso. E eu sabia que o trabalho duro não era suficiente—*eu também tinha que evitar enganar a mim mesma.*

Consegui me tornar boa em matemática. Isso abriu as portas para as ciências. E eu gradualmente me tornei boa nisso, também. Conforme eu me tornava melhor, a paixão também surgiu.

Nós adquirimos paixão por aquilo em que somos bons. O erro é pensar que, se não somos bons em alguma coisa, nós não temos e nunca adquiriremos paixão por ela.

Perguntas Frequentes Sobre a Procrastinação

Estou tão apavorado com tudo que eu tenho que fazer que evito até pensar no assunto, embora isso apenas piore uma situação ruim. O que posso fazer quando me sinto paralisado pela imensa quantidade de trabalho a minha frente?

Anote três "microtarefas" que você pode fazer em poucos minutos. Lembre-se de que a sorte favorece aqueles que tentam—apenas faça um esforço para se concentrar em algo que valha a pena.

Neste ponto, feche os olhos e diga a sua mente que você não tem nada mais com que se preocupar, nenhuma outra obrigação, apenas sua primeira microtarefa. (Não estou brincando quanto a "fechar os olhos"—lembre-se, isso permite que você se desprenda de seus padrões anteriores de pensamento[9].) Você pode querer fazer uma sessão de estudos com um Pomodoro. Você consegue ler as primeiras páginas do capítulo em vinte e cinco minutos?

Realizar muitas tarefas difíceis é como comer um salame. Você faz isso fatia por fatia—pouco a pouco. Comemore cada realização, mesmo as menores. Você está fazendo progresso!

Quanto tempo será necessário para mudar meus hábitos de procrastinação?

Você provavelmente verá alguns resultados imediatamente, mas pode levar cerca de três meses de adaptação para adquirir um novo conjunto de hábitos de trabalho de que você goste e com o qual se sinta confortável. Seja paciente e use seu bom senso—não tente fazer mudanças drásticas imediatamente porque elas podem não ser sustentáveis e isso terminaria deixando você ainda mais desanimado.

Minha atenção costuma saltar de uma coisa para a outra, por isso é difícil para mim ficar concentrado na tarefa a minha frente. Estou condenado a ser um procrastinador?

Claro que não! Muitos de meus alunos mais criativos e bem-sucedidos superaram o transtorno de déficit de atenção com hiperatividade (TDAH) e dificuldades relacionadas usando os tipos de ferramentas de que falei neste livro. Você também pode.

Se sua atenção se dispersa facilmente, as ferramentas que ajudam você a se manter concentrado em uma tarefa específica, por um curto período de tempo, antes de transferi-la para algo novo, serão especialmente úteis. Essas ferramentas incluem: uma agenda-diário, uma pequena lousa ou quadro em sua porta, um marcador de tempo e aplicativos e programas de calendário e de alarme em seu computador ou smartphone. Todas essas ferramentas podem ajudá-lo a transformar seus hábitos zumbis de procrastinação em hábitos zumbis de "assumir o controle".

OBSERVAÇÕES DE UMA ESTUDANTE COM TRANSTORNO DE DÉFICIT DE ATENÇÃO

"Como um estudante com transtorno de déficit de atenção, eu luto com a procrastinação diariamente, e ser metódico é a única maneira infalível de evitar a procrastinação. Para mim, isso significa escrever tudo na minha agenda ou caderno de notas—coisas como as datas de entrega de deveres, horas de estudo e o tempo que tenho para sair com os amigos. Isso significa, também, estudar no mesmo lugar todos os dias e remover todas as distrações— por exemplo, desligar o meu celular.

Eu agora também faço as coisas mais ou menos no mesmo horário toda semana—meu corpo gosta de estrutura e rotina; é por isso que foi tão difícil no início superar meus hábitos de procrastinação, mas também é por isso que tem sido tão fácil manter os novos hábitos após um mês de esforço para adquiri-los."

– Weston Jeshurun, cursando o segundo ano de faculdade, sem área de graduação escolhida

Você me disse para usar o mínimo possível minha força de vontade para lidar com a procrastinação. Mas, para fortalecer minha força de vontade, eu não deveria usá-la constantemente?

A força de vontade é como um músculo. Você tem que usar seus músculos para fortalecê-los e desenvolvê-los ao longo do tempo. Mas, em um momento qualquer, seus músculos somente tem uma determinada

quantidade de energia disponível. Desenvolver e utilizar a força de vontade é em parte como um ato de malabarismo[10]. É por isso que muitas vezes é importante escolher apenas uma coisa difícil que requer autodisciplina por vez, se você está tentando fazer mudanças.

É fácil conseguir me sentar e começar o meu dever de casa. Mas, assim que começo, eu me pego dando uma olhada rápida no Facebook ou no meu e-mail. Antes que me dê conta, eu demorei oito horas para fazer uma tarefa de três horas.

O marcador de tempo Pomodoro é sua arma de uso geral contra zumbis. Ninguém nunca disse que você tem que ser perfeito para vencer os hábitos de procrastinação. Tudo o que você precisa fazer é continuar trabalhando para melhorar seu processo.

palavras finais sobre a procrastinação   163

O que você diz ao aluno que procrastina, mas se recusa a aceitar sua própria responsabilidade e, em vez disso, culpa tudo e todos, exceto a si mesmo? Ou o aluno que é reprovado em todas as provas, mas acha que sabe a matéria melhor do que suas notas indicam?

Se você constantemente se vê em situações nas quais você pensa, "não é minha culpa", algo está errado. Em última análise, você é o capitão de seu destino. Se você não está obtendo as notas que gostaria, você precisa começar a fazer mudanças para navegar para melhores paragens, ao invés de culpar os outros.

Vários alunos me disseram ao longo dos anos que "realmente sabiam o material". Eles foram reprovados apenas porque não eram bons em fazer provas. Muitas vezes, os colegas de um desses alunos me contam a verdadeira história: o aluno não estuda nada ou estuda muito pouco. É triste dizer que a autoconfiança injustificada na própria capacidade às vezes pode atingir níveis quase delirantes. Tenho certeza de que é em parte por isso que os empregadores gostam de contratar pessoas que são bem-sucedidas em matemática e ciências. Boas notas nessas disciplinas geralmente são baseadas em dados objetivos sobre a capacidade do aluno em lidar com material difícil.

Vale a pena repetir que especialistas de classe mundial em uma variedade de disciplinas revelam que seu caminho até a perícia não foi fácil. Eles trabalharam duro durante períodos tediosos e difíceis até chegar a seu nível atual de conhecimentos, que permite que façam tudo parecer fácil[11].

164 a p r e n d e n d o   a   a p r e n d e r

AGORA TENTE VOCÊ!

Confrontando seus zumbis

Pense em um desafio que você vem adiando. Que tipo de pensamentos o ajudaria a executá-lo? Por exemplo, você pode pensar: "Isso não é realmente tão difícil e ficará mais fácil depois que eu começar; às vezes é bom fazer coisas de que não gosto; as recompensas valem a pena"[12].

EM RESUMO

A procrastinação é um tema tão importante que este resumo inclui os pontos principais de todos os capítulos deste livro sobre como vencer a procrastinação:

- Mantenha uma agenda-diário para que você possa acompanhar facilmente o progresso em direção a seus objetivos e observar o que funciona e o que não funciona.
- Comprometa-se com determinadas rotinas e tarefas a cada dia.
- Escreva as tarefas de sua lista na noite anterior para que seu cérebro tenha tempo para pensar sobre seus objetivos e ajude a garantir seu sucesso.
- Organize seu trabalho como uma série de pequenos desafios. Certifique-se sempre de que você (e seus zumbis!) recebam muitas recompensas. Use alguns minutos para saborear os sentimentos de felicidade e triunfo.
- Atrase deliberadamente as recompensas até terminar uma tarefa.

palavras finais sobre a procrastinação

- Tome cuidado com as sugestões que fazem você começar a procrastinar.
- Vá para um novo ambiente com poucas sugestões de procrastinação, como a seção silenciosa de uma biblioteca.
- Os obstáculos são inevitáveis, mas não se acostume a culpar fatores externos por todos seus problemas. Se tudo é sempre culpa dos outros, é hora de começar a olhar para o espelho.
- Ganhe confiança em seu novo sistema. Você quer trabalhar arduamente durante os períodos de concentração focada—e também confiar em seu sistema o suficiente que, quando chegar a hora de relaxar, você consiga realmente relaxar sem sentimentos de culpa.
- Tenha planos de contingência para quando você ainda procrastinar. Ninguém é perfeito, afinal.
- Coma primeiro seus sapos.

Bons experimentos!

PAUSA E RECORDAÇÃO

Feche o livro e desvie o olhar. Quais foram as principais ideias deste capítulo? Ao ir dormir hoje à noite, tente se lembrar das principais ideias novamente—os minutos logo antes do sono parecem ser um período particularmente poderoso para fixar ideias na mente.

PARA MELHORAR SUA APRENDIZAGEM

1. Se você se distrai facilmente, quais são algumas abordagens que podem lhe ajudar a evitar a procrastinação?

2. Como você decidiria quando a procrastinação é útil e quando é prejudicial?

3. Em que ocasiões você notou que parar um momento e refletir antes de sair fazendo as coisas foi benéfico em sua vida?

4. Se você se sentar para trabalhar, mas se ver desperdiçando seu tempo, quais são algumas ações que você pode tomar para voltar rapidamente ao trabalho?

5. Reflita sobre a maneira como você reage aos reveses. Você reconhece sua responsabilidade ativa por seu papel nesses contratempos? Ou você se vê como vítima? Qual maneira de responder é, em última análise, a mais útil? Por quê?

6. Por que aqueles que seguiram sua paixão na escolha de suas carreiras, sem contrabalançar sua decisão com uma análise racional dessa escolha, têm menos probabilidade de serem felizes nessas carreiras?

{ 10 }

melhorando sua memória

Joshua Foer era um sujeito normal. Mas as pessoas normais às vezes podem fazer coisas extraordinárias.

Recém-formado da faculdade, Foer (pronuncia-se "fór") vivia com seus pais enquanto tentava a sorte como jornalista. Ele não tinha uma grande memória: ele repetidamente se esquecia de datas importantes como o aniversário de sua namorada, não se lembrava de onde tinha colocado as chaves do carro e se esquecia de que tinha comida no forno. E em seu trabalho, por mais que tentasse evitar, ele ainda escrevia "seção" onde o certo seria "sessão".

Mas Foer ficou impressionado ao descobrir que algumas pessoas pareciam ser muito diferentes. Elas conseguiam memorizar a ordem de um baralho de cartas em apenas trinta segundos, ou memorizar casualmente dezenas de números de telefone, nomes, rostos, eventos ou datas. Você poderia lhes dar qualquer poema ao acaso e, em minutos, elas eram capazes de recitá-lo de memória.

Foer estava com inveja. Os cérebros desses brilhantes mestres da memória, ele pensou, deveriam estar conectados de alguma forma incomum, que os ajudava a se lembrar facilmente de quantidades prodigiosas de dados.

Mas cada um dos mestres da memória com que Foer conversava insistia que, antes de começar a treinar, sua capacidade de recordação era perfeitamente comum. Embora parecesse improvável, essas pessoas diziam que antigas técnicas de visualização eram o que lhes permitiam se lembrar tão rápida e facilmente. Qualquer um pode

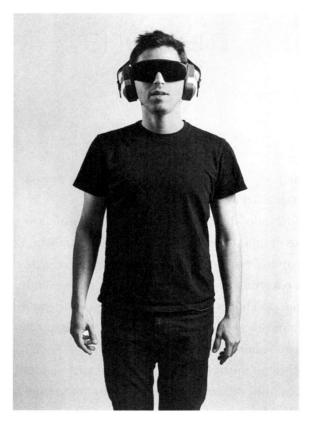

O jornalista Josh Foer se preparando para o Campeonato Americano de Memória. Os protetores de ouvido e a máscara com pequenos furos o ajudam a evitar distrações, que são as maiores inimigas dos participantes de competições de memória. Isso é um importante lembrete de que é melhor estudar longe das distrações, se você realmente quer guardar alguma coisa na memória.

fazer isso, Foer ouviu várias vezes. *Até mesmo você poderia fazê-lo[1].*

E esse desafio tácito fez com que, em um dos cenários mais improváveis que Foer poderia ter imaginado, ele se encontrasse olhando para um baralho de cartas como finalista no campeonato americano de memória.

> "Como educadores, em nosso zelo para incentivar os estudantes a formar blocos, ao invés de simplesmente memorizar fatos isolados, nós às vezes damos a impressão de que a memorização não tem importância. ('Por que eu deveria memorizar uma equação se posso consultá-la em um livro?') Mas a memorização dos principais fatos é essencial, já que são esses fatos que formam as sementes para o processo criativo de formação de blocos! A lição importante é que devemos continuar brincando mentalmente com as coisas que memorizamos para formar blocos."
>
> *– Forrest Newman, Professor de Astronomia e Física, Faculdade Municipal de Sacramento*

Você se Lembra de Onde Fica a Mesa de sua Cozinha? Sua Memória Visuoespacial Superdimensionada

Você pode ficar surpreso ao ouvir que temos *excelentes* sistemas de memória visual e espacial. Quando você usa técnicas que dependem desses sistemas, você não está confiando apenas na repetição bruta para ajudá-lo a se lembrar de algo. Em vez disso, você está usando abordagens divertidas, memoráveis e criativas que tornam mais fácil ver, sentir ou ouvir o que você quer guardar no cérebro. Melhor ainda, essas técnicas liberam sua memória de trabalho. Agrupando as coisas de uma forma às vezes excêntrica, mas que permite que sejam recordadas logicamente, você reforça facilmente sua memória de longo prazo. Isso realmente pode ajudar a diminuir o estresse durante as provas.

Aqui está o que quero dizer sobre sua boa memória visual e espacial. Se lhe pedissem para percorrer uma casa que você nunca tinha visitado antes, em breve você teria uma boa noção da localização dos móveis, da distribuição dos quartos, do esquema de cores, dos produtos farmacêuticos no armário do banheiro (opa!). Em poucos minutos, sua mente iria adquirir e reter milhares de novos itens de informação. Mesmo semanas mais tarde, você ainda conservaria muito mais em sua mente do que se tivesse passado o mesmo tempo olhando para uma parede. Sua mente é estruturada para reter esse tipo de informação geral sobre um lugar.

Os truques de memória usados por especialistas antigos e modernos exploram essas habilidades de memorização visuoespacial naturalmente superdimensionadas. Nossos ancestrais nunca precisaram de uma vasta memória para nomes ou números. Mas eles precisavam de uma memória que lhes dissesse como voltar para casa depois de passar três dias caçando gazelas, ou como chegar até as suculentas frutas silvestres nas encostas rochosas ao sul do local onde estavam acampados. Essas necessidades evolutivas produziram excepcionais sistemas de memória do tipo "onde as coisas estão e qual é sua aparência".

O Poder das Imagens Visuais Memoráveis

Para começar a utilizar seu sistema de memória visual, tente formar uma imagem visual *muito* memorável representando um item-chave que você quer memorizar[2]. Por exemplo, aqui está uma ilustração que você poderia usar para se lembrar da segunda lei de

Newton: $f = ma$. (Esta é uma relação fundamental entre *força, massa* e *aceleração*, que os seres humanos só levaram uns cem mil anos para descobrir.) O *F* na fórmula pode ser de fabulosa (veja estes óculos), o *M* de mula, e o *A* de aérea.

Parte da razão que faz com que uma *imagem* seja tão importante para a memória é que as imagens se conectam diretamente aos centros visuoespaciais no lado direito de seu cérebro[3]. A imagem ajuda a encapsular um conceito aparentemente monótono e de difícil lembrança explorando as áreas com capacidade de memória visual aprimorada.

Quanto mais ganchos neurais você puder construir evocando os sentidos, mais fácil será se recordar do conceito e do que ele significa. Além de meramente *ver* a mula, você pode *cheirar* a mula e *sentir*

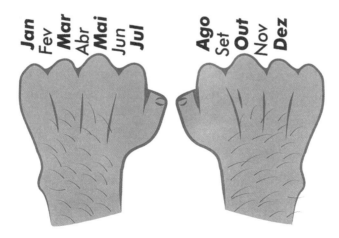

Um truque criativo de memória—os meses nas elevações das articulações dos dedos têm trinta e um dias. Como um estudante universitário de cálculo observou: "Surpreendentemente, com essa simples ferramenta de memória eu duvido que alguma vez me esqueça de quais meses têm trinta e um dias —o que me deixa impressionado. Em dez segundos eu aprendi algo que tinha passado vinte anos evitando aprender porque eu achava que seria tedioso demais memorizar por repetição."

172   a p r e n d e n d o   a   a p r e n d e r

a mesma pressão do vento que a mula está sentindo. Você pode até mesmo *ouvir* o vento assobiando ao passar por ela. Quanto mais engraçadas e mais evocativas forem as imagens, melhor.

A Técnica do Palácio da Memória

Na técnica do palácio da memória, você traz à mente um lugar familiar—sua casa, por exemplo—e o usa como uma espécie de bloco de notas visual em que você pode depositar os conceitos-imagens que você quer memorizar. Tudo o que você tem que fazer é trazer à mente um lugar que você conheça bem, como sua casa, ou o caminho para a escola, ou seu restaurante favorito. E pronto, em um piscar de olhos imaginativos, isso se torna o palácio da memória que você usará como seu bloco de notas.

A técnica do palácio da memória é útil para se lembrar de itens que não são relacionados entre si, como uma lista de supermercado (leite, pão, ovos). Para usar a técnica, você pode imaginar uma garrafa gigante de leite logo em frente a sua porta de entrada, o pão jogado no sofá e um ovo rachado na borda da mesa de café, gotejando. Em outras palavras, você se imaginaria andando por um lugar que você conhece bem, combinado com imagens chocantemente memoráveis do que você quer aprender.

Digamos que você está tentando memorizar a escala de dureza mineral, que varia de 1 a 10—Talco 1, Gipsita 2, Calcita 3, Fluorita 4, Apatita 5, Feldspato/Ortoclásio 6, Quartzo 7, Topázio 8, Corindon 9 e Diamante 10. Você pode inventar uma sentença mnemônica: O *Terrível Gigante Come Frango Assado com Farofa (ou Ovo) e Quatro Tabletes de Chocolate Derretidos*. O problema é que ainda pode ser difícil se lembrar da sentença. Mas as coisas se tornam mais fáceis se você usar também o palácio da memória. Na sua porta, há um terrível gigante, levando à boca um frango assado com farofa. Depois de entrar, você encontra quatro tabletes de chocolate derretidos com o calor, um em cada canto de sua mesa... Mas você já entendeu como isso funciona. Se você estivesse estudando finanças, economia, química ou qualquer outra coisa, você usaria a mesma abordagem.

A primeira vez que você fizer isso, o processo será lento. Demora um pouco para formar uma imagem mental sólida. Mas quanto mais você praticar, mais rápido ele se tornará. Um estudo mostrou que uma pessoa usando a técnica do palácio da memória se lembrava de mais de 95% de uma lista de 40 a 50 itens após somente uma ou duas "caminhadas" mentais com os itens colocados nas dependências da universidade local[4]. Usando a mente dessa forma, a memorização pode se tornar um excelente exercício em criatividade que simultaneamente constrói ganchos neurais que ajudam você a se tornar ainda *mais* criativo. Poderia haver algo melhor? (Bem, talvez pudesse

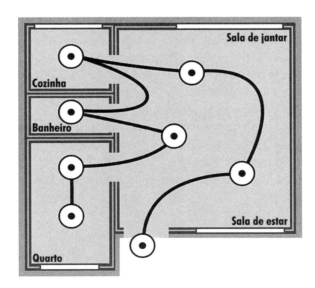

Ande por seu palácio da memória e deposite suas imagens memoráveis. É uma maneira útil de se lembrar de listas como os cinco elementos de uma história ou os sete passos do método científico.

174   aprendendo a aprender

haver algo melhor: como esse método usa seu sistema visuoespacial, você não deve usar a técnica do palácio de memória quando estiver fazendo outras tarefas espaciais, como dirigir[5]. A distração pode ser perigosa.)

AGORA TENTE VOCÊ!

Use o Palácio da Memória

A destacada professora de anatomia Tracey Magrann aplica a técnica do palácio da memória à aprendizagem das cinco camadas da epiderme:

"A epiderme tem cinco camadas. Da mais profunda para a mais superficial, elas são o *estrato germinativo*, o *estrato espinhoso*, o *estrato granuloso*, o *estrato lúcido* e o *estrato córneo*. Para se lembrar de qual é a camada mais profunda, visualize seu jardim, com a grama germinando. Esse é o *estrato germinativo*. Para ir do seu jardim (a camada mais profunda) para o telhado (a camada superficial), entre em casa... mas tenha cuidado! O jardim é cercado por cactos com espinhos (*estrato espinhoso*). Isso leva você para a cozinha, onde alguém derramou açúcar granulado no chão (*estrato granuloso*). Então você vai para o andar de cima, mas, antes de ir para o telhado, pare e coloque protetor solar. O *estrato lúcido* é como uma camada de loção protetora solar, porque ele protege contra os raios UV, mas está presente apenas nas palmas e solas dos pés, por isso você deve se imaginar aplicando a loção nesses locais. Agora você está pronto para ir tocar corneta no telhado (*estrato córneo*)."

Você pode pensar em uma maneira de usar o palácio da memória em seus estudos?

As músicas que ajudam a cimentar ideias em sua mente estão relacionadas com a técnica do palácio da memória porque elas também fazem uso preferencial do hemisfério direito do cérebro. Existem músicas para ajudar a memorizar a fórmula quadrática, as fórmulas dos volumes das figuras geométricas e muitas outras equações. Procure exemplos na internet, ou crie sua própria canção. Lembre-se, também, de que muitas canções infantis usam ações junto com a música para ajudar a assimilar a letra (pense em "Escravos de Jó"). Usando movimentos expressivos, como uma sacudida ou um pequeno salto, nós estamos aumentando o número de ganchos neurais que nos ajudam a reter as ideias na memória, porque o movimento produz sensações que se tornam parte da memória.

Esses tipos de técnicas podem ser úteis para muitas outras coisas além de equações, conceitos e listas de compras. Mesmo discursos e apresentações—aquelas experiências ocasionalmente petrificantes—podem se tornar muito mais fáceis quando você percebe que imagens potencialmente memoráveis podem ajudá-lo a não se esquecer dos conceitos-chave sobre os quais você quer falar. Tudo o que você precisa fazer é associar as ideias essenciais de sua exposição a imagens memoráveis. Veja a magistral apresentação no TED de Joshua Foer, em que ele demonstra a técnica do palácio da memória para memorizar discursos[6]. Se você gostaria de ver como aplicar essas ideias diretamente à memorização de fórmulas, visite o site skillstoolbox.com, no qual você encontra uma lista de elementos visuais de fácil lembrança para representar os símbolos matemáticos[7]. (Por exemplo, o símbolo de divisão, "/", é um escorregador infantil.)

Truques de memória—sejam imagens memoráveis, canções que não saem de sua cabeça ou "palácios" facilmente imaginados—são úteis porque eles ajudam você a se concentrar e prestar atenção quando a tendência de sua mente é deixar de prestar atenção e fazer outra coisa. Eles nos lembram de que o *significado* é importante para se recordar de algo, mesmo se o significado inicial for maluco. Em resumo, as técnicas de memorização nos lembram de que devemos fazer com que tudo o que aprendemos seja significativo, memorável e divertido.

MÚSICAS PARA AJUDAR A LEMBRAR

"No curso de química no segundo ano do nível médio, o professor explicou o que era o número de Avogadro—6,02214 × 10^{23}— e nenhum de nós conseguia se lembrar desse valor. Então um dos meus amigos inventou uma música sobre ele, com uma melodia emprestada de um comercial de biscoitos. Agora, trinta anos mais tarde, eu ainda me lembro do número de Avogadro por causa dessa música."

– Malcolm Whitehouse, cursando o último ano de engenharia da computação

DICAS DE MEMÓRIA DA PROFESSORA TRACEY

"Andar de um lado para outro, e mesmo comer alguma coisa antes de começar, pode ser útil quando você está memorizando porque o cérebro usa muita energia durante a atividade mental. Também é importante usar várias áreas do cérebro quando você está aprendendo. Nós usamos o córtex visual do cérebro para nos lembrarmos do que vemos, o córtex auditivo para as coisas que ouvimos, o córtex sensorial para as coisas que sentimos e o córtex motor para coisas que seguramos e movemos. Usando mais áreas do cérebro durante a aprendizagem, nós construímos padrões de memória mais fortes, tecendo uma rede mais firme, e reduzimos as chances de nos esquecermos de algo durante o estresse de uma prova. Por exemplo, no laboratório de anatomia, os alunos devem pegar os modelos de anatomia, fechar os olhos, sentir cada estrutura e dizer o nome de cada parte em voz alta. Você não precisa usar os sentidos do olfato e paladar... temos que colocar um limite em algum lugar!"

–Tracey Magrann, Professora de Ciências Biológicas da Faculdade de Saddleback, Mission Viejo, Califórnia (um dos professores mais bem classificados, de todas as matérias, em RateMyProfessor).

EM RESUMO

- A técnica do palácio da memória—colocar lembretes memoráveis em uma cena que é familiar para você—permite que você use a força de seu sistema de memória visual.
- Aprender a usar a memória de uma forma disciplinada, mas criativa, ajuda você a aprender a concentrar sua atenção, mesmo quando você estiver criando conexões difusas extravagantes, que constroem memórias mais fortes.
- Memorizando o material que você *entende*, você consegue internalizá-lo de uma maneira profunda. E você está reforçando a biblioteca mental de que você precisa para se tornar um verdadeiro mestre no assunto.

> ## PAUSA E RECORDAÇÃO
>
> Feche o livro e desvie o olhar. Quais foram as principais ideias deste capítulo? Amanhã de manhã, quando você estiver se levantando e começando sua rotina diária de "sair da cama", veja de quantas dessas ideias-chaves você consegue se lembrar.

PARA MELHORAR SUA APRENDIZAGEM

1. Descreva uma imagem que você pode usar para ajudá-lo a se lembrar de uma equação importante.

2. Escolha qualquer lista de quatro ou mais ideias-chave ou conceitos de qualquer um de seus cursos. Descreva como você codificaria essas ideias como imagens memoráveis e

diga onde você as depositaria em seu palácio da memória. (Em respeito a seu professor, talvez você queira censurar algumas de suas imagens mais memoráveis. Como uma espirituosa atriz britânica disse uma vez, "não me interessa o que eles fazem, contanto que eles não o façam na rua e não assustem os cavalos".)

3. Explique a técnica do palácio da memória de uma forma que sua avó poderia entender.

HABILIDADES ESPACIAIS PODEM SER APRENDIDAS—A VISIONÁRIA PROFESSORA DE ENGENHARIA SHERYL SORBY

Sheryl Sorby é uma premiada engenheira cujos interesses de pesquisa incluem criar gráficos de computador 3D para a visualização de comportamentos complexos. Aqui, ela conta sua história extraordinária[8].

"Muitas pessoas erroneamente acreditam que a inteligência espacial é uma qualidade inata—algo que ou você tem ou não tem. Estou aqui para dizer enfaticamente que esse não é o caso. Na verdade, eu sou a prova viva que habilidades espaciais podem ser aprendidas. Quase abandonei a engenharia devido a habilidades espaciais pouco desenvolvidas, mas trabalhei nisso, desenvolvi as habilidades e concluí o curso com êxito. Porque tive grandes dificuldades com minhas habilidades espaciais como estudante, eu dediquei minha carreira a ajudar os alunos a desenvolver as deles. Praticamente todos os alunos com quem trabalhei foram capazes de melhorar através da prática.

A inteligência humana assume muitas formas, desde a musical até a matemática, passando pela forma verbal e por outras. Uma forma importante é o raciocínio espacial. Pessoas com alta inteligência espacial podem imaginar como um objeto é visto de um ponto de vista diferente, ou depois de ter sido girado ou cortado ao meio. Em alguns casos, a inteligência espacial pode ser a capacidade de descobrir o caminho que leva você de um lugar para outro, usando apenas um mapa.

Foi demonstrado que a capacidade de pensar em termos espaciais é importante para o sucesso em carreiras como a engenharia, a arquitetura, a ciência da computação e muitas outras. Pense no trabalho dos controladores de tráfego aéreo, que devem imaginar as trajetórias de vários aviões e garantir que seus caminhos não se cruzem. Imagine também as habilidades espaciais que um mecânico de automóveis precisa ter para encaixar as peças de volta em um motor. Em estudos recentes, a inteligência espacial tem sido associada à criatividade e à inovação. Em outras palavras, quanto melhor for seu raciocínio espacial, mais criativo e inovador você será!

Descobrimos que a razão pela qual alguns alunos têm fracas habilidades espaciais é que provavelmente não tiveram muitas experiências na infância para ajudar a desenvolver essas habilidades. Crianças que passaram muito tempo desmontando coisas e construindo-as novamente normalmente têm boa habilidade espacial. Algumas crianças que jogaram certos tipos de esportes têm boa habilidade espacial. Pense no basquete. Os jogadores têm que imaginar o arco necessário para a bola entrar na cesta a partir de qualquer lugar no campo.

No entanto, mesmo se alguém não fez essas coisas quando criança, não é tarde demais. Habilidades espaciais podem ser desenvolvidas também na idade adulta—isso só requer prática e paciência.

O que você pode fazer? Tente esboçar com precisão um objeto e depois tente esboçá-lo de um ponto de vista diferente. Jogue jogos de computador 3D. Monte quebra-cabeças tridimensionais (você pode ter que começar com quebra-cabeças em 2D!). Guarde seu GPS e tente usar um mapa em seu lugar. Acima de tudo, não desista—em vez disso, apenas continue trabalhando em suas habilidades! "

{ 11 }
mais dicas de memória

Crie uma Metáfora ou Analogia Visual Cheia de Vida

Uma das melhores coisas que você pode fazer para não só lembrar, mas para *entender* um conceito em matemática ou ciências é **criar uma metáfora** ou analogia para ele—frequentemente, quanto mais visual, melhor[1]. Uma metáfora é apenas uma maneira de perceber que uma coisa é semelhante a outra de alguma forma. Ideias simples, como descrever a forma da Síria como uma tigela de cereais e a da Jordânia como um tênis Nike Air Jordan, podem ser lembradas por um aluno décadas depois.

Se você está tentando entender a corrente elétrica, visualizá-la como água pode ajudar. Da mesma forma, a tensão elétrica é "parecida" com a pressão. A tensão ajuda a empurrar a corrente elétrica para onde você quer que ela vá, da mesma forma que uma bomba mecânica usa a pressão física para empurrar a água. À medida que

mais dicas de memória

seu entendimento sobre a eletricidade, ou qualquer que seja o tópico que você estiver estudando, for se tornando mais sofisticado, você pode rever suas metáforas, ou descartá-las e criar metáforas mais expressivas.

Se você está tentando entender o conceito de limites em cálculo, você pode visualizar um corredor se aproximando da linha de chegada. Quanto mais perto o corredor chega, mais devagar ele avança. É uma daquelas tomadas em câmera lenta em que o corredor nunca consegue alcançar a faixa de chegada, assim como nós podemos não ser capazes de chegar ao verdadeiro limite. Aliás, o pequeno livro *Cálculo Simplificado,* de Silvanus Thompson, ajudou gerações de alunos a dominar o assunto. Às vezes os livros podem ficar tão concentrados em todos os detalhes que você perde de vista os conceitos mais importantes, a visão global. Pequenos livros como *Cálculo Simplificado* são importantes porque eles nos ajudam a focar de forma simples as questões mais importantes.

Muitas vezes é útil fingir que *você* é o conceito que você está tentando entender. Coloque-se no lugar de um elétron enquanto ele atravessa uma placa de cobre, ou infiltre-se dentro do x de uma equação algébrica e sinta como é colocar sua cabeça fora do buraco do coelho (apenas não a deixe explodir com uma "divisão por zero" acidental).

RAIOS DE LUAR E SONHOS ESCOLARES

"Eu sempre estudo antes de ir para a cama. Por alguma razão, eu geralmente sonho com o material que acabei de estudar. Na maioria das vezes esses "sonhos escolares" são bastante estranhos, mas úteis. Por exemplo, quando eu estava fazendo um curso de pesquisa operacional, sonhava que eu estava correndo para lá e para cá de um vértice para outro, executando fisicamente o algoritmo do caminho mais curto. As pessoas pensam que sou louco, mas eu acho que isso é ótimo; isso significa que não tenho que estudar tanto quanto as outras pessoas. Eu acho que nesses sonhos meu subconsciente está criando metáforas."

– Anthony Sciuto, cursando o último ano de engenharia industrial
e de sistemas

As metáforas nunca são perfeitas. Mas, por outro lado, *todos os* modelos científicos são apenas metáforas, o que significa que eles também deixam de ser válidos em algum ponto[2]. Mas isso não importa—as metáforas (e modelos!) são de importância vital para expressar de forma concreta a ideia central por trás do processo matemático ou científico ou do conceito que você está tentando entender. Curiosamente, as metáforas e analogias são úteis para as pessoas escaparem do Einstellung—o bloqueio que faz com que você, ao tentar resolver um problema, só veja a abordagem errada que você pensou inicialmente. Por exemplo, contar uma história simples de soldados atacando uma fortaleza a partir de várias direções ao mesmo tempo pode abrir caminhos criativos para estudantes desenvolverem uma intuição sobre como muitos raios de baixa intensidade podem ser usados de forma efetiva para destruir um tumor de câncer[3].

As metáforas também ajudam a fixar uma ideia em sua mente, porque elas fazem uma conexão com as estruturas neurais que já estão presentes. É como ser capaz de traçar um padrão usando papel vegetal—as metáforas pelo menos ajudam você a ter uma noção do que está acontecendo. Se você não conseguir pensar em uma metáfora, simplesmente pegue uma caneta ou um lápis e coloque uma folha de papel a sua frente. Seja usando palavras ou imagens, muitas vezes você ficará espantado com o que apenas rabiscar por um minuto ou dois trará à superfície de sua mente.

METÁFORAS E VISUALIZAÇÃO EM CIÊNCIA

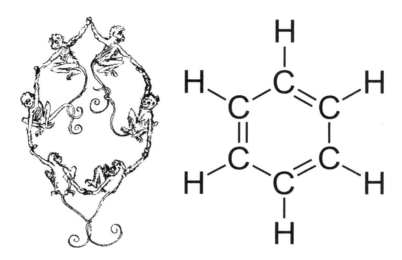

A metáfora e a visualização—ser capaz de ver algo em sua mente—sempre desempenharam um papel excepcionalmente poderoso no progresso do mundo científico e da engenharia[4]. No século XIX, por exemplo, quando os químicos começaram a imaginar e visualizar o mundo em miniatura das moléculas, começaram a ocorrer progressos substanciais. Aqui está uma ilustração deliciosa de macacos formando um anel de benzeno, de um artigo humorístico sobre a vida acadêmica alemã no campo da química, impresso em 1886[5]. Observe as ligações simples com as mãos dos macacos e as ligações duplas com suas pequenas caudas.

Fixando Ideias na Memória com a Repetição Espaçada

Concentrar sua atenção traz algo para sua memória temporária de trabalho. Mas para mover esse "algo" da memória de trabalho para a memória de longo prazo, duas coisas devem acontecer: a ideia deve ser **memorável** (*há uma mula gigante voadora zurrando f = ma no meu sofá!*), e ela deve ser **repetida**. Caso contrário, seus processos metabólicos naturais, como pequenos vampiros, simplesmente sugam os padrões de conexões fracos e recém-formados. Essa remoção vampírica de padrões fracos é na verdade uma coisa boa. Muito do que acontece ao seu redor basicamente não têm importância—se você se lembrasse de tudo, você acabaria como uma pessoa que não consegue jogar nada fora, aprisionado em uma imensa coleção de memórias inúteis.

A repetição é importante; mesmo quando você produz uma imagem memorável, a repetição ajuda a deixar a ideia firmemente alojada na memória de longo prazo. Mas quantas vezes você deve repetir algo? Quanto tempo você deve esperar entre as repetições[6]? E há alguma coisa que você pode fazer para tornar o processo de repetição mais eficaz?

A pesquisa descobriu algumas informações valiosas. Vamos dar

Se você não insistir em repetir o que você quer guardar na memória, seus "vampiros metabólicos" podem sugar os padrões neurais relacionados com a memória antes que eles possam se fortalecer e solidificar.

um exemplo prático. Digamos que você quer se lembrar de informações relacionadas com o conceito de *densidade*—especificamente, que a densidade é representada por um símbolo estranho, ρ, pronunciado "rô", e que é medida em unidades padrão de "quilogramas por metro cúbico".

Como você pode cimentar essas informações na memória de forma conveniente e efetiva? (Você já sabe que colocar pequenos blocos de informações como esse em sua memória de longo prazo ajuda a desenvolver gradualmente sua compreensão global sobre um assunto).

Você pode pegar um cartão de índice e escrever "ρ" de um lado e as informações restantes do outro. **Parece que escrever ajuda a codificar (isso é, a converter em estruturas neurais de memória) mais profundamente o que você está tentando memorizar.** Enquanto você estiver escrevendo "quilogramas por metro cúbico", você pode imaginar um quilograma misterioso (apenas sinta essa massa!) à espreita em uma enorme mala que mede um metro de cada lado. Quanto mais você for capaz de transformar o que você está tentando aprender em algo memorável, mais fácil será se lembrar do material. É uma boa ideia dizer a palavra e seu significado em voz alta, para começar a criar ganchos auditivos para as informações.

Em seguida, simplesmente olhe para o lado do cartão com o símbolo "ρ" e veja se você consegue se lembrar do que está do outro lado. Se não conseguir, vire o cartão e volte a ver o que você deveria saber. Se conseguir se lembrar, guarde o cartão.

Agora, faça outra coisa—por exemplo, prepare outro cartão e use-o para se testar. Quando você tiver vários cartões, tente examiná-los um a um para ver se você consegue se lembrar deles. (Isso ajuda a intercalar sua aprendizagem.) Não se surpreenda se você tiver um pouco de dificuldade. Depois de tentar se lembrar das informações nos cartões, coloque-os de lado. Espere e use os cartões novamente antes de ir dormir. Lembre-se de que o sono é quando sua mente

186   a p r e n d e n d o   a   a p r e n d e r

repete padrões e reconstitui soluções.

Repita o que você quer guardar na memória durante vários dias, talvez por alguns minutos todas as manhãs ou noites. Aumente gradualmente o tempo entre as repetições conforme o material for se fixando em sua mente. Para fixar o material mais firmemente na memória, aumente o tempo entre as repetições à medida que você for dominando melhor o material[7]. (Bons sistemas de cartões de perguntas e respostas, como o Anki, usam algoritmos que repetem os cartões em intervalos que variam de dias a meses.)

Curiosamente, uma das melhores maneiras para se lembrar de nomes de pessoas, após aprendê-los inicialmente, é simplesmente tentar se recordar deles em intervalos de tempo crescentes[8]. O material que você não revê é mais facilmente esquecido. Seus vampiros metabólicos sugam as conexões que levam até as memórias. É por isso que **você deve ter cuidado com o que você decide ignorar ao fazer a revisão para uma prova. O enfraquecimento dessas conexões pode fazer com que você se esqueça de outros assuntos relacionados e que também não fizeram parte da revisão[9].**

REPETIÇÃO ESPAÇADA—ÚTIL PARA ALUNOS E PROFESSORES

"Eu aconselho meus alunos a fazer repetições espaçadas durante dias e semanas, não só em meus cursos analíticos, mas também em meu curso de história da engenharia antiga. Para decorar termos e nomes estranhos, é sempre melhor praticar durante vários dias. Na verdade, isso é precisamente o que eu faço quando estou me preparando para as aulas—eu repito os termos em voz alta ao longo de um período de vários dias, para me lembrar facilmente deles quando estiver dando a aula."

– Fabian Hadipriono Tan, Dr. Eng., P.E., Professor de Engenharia Civil, Universidade Estadual de Ohio

mais dicas de memória

AGORA TENTE VOCÊ!

Crie uma metáfora para ajudá-lo a aprender

Pense em um conceito que você está aprendendo agora. Existe outro processo ou ideia em um campo completamente diferente que de alguma forma parece similar ao que você está estudando? Veja se você pode criar uma metáfora útil. (Você ganha pontos extras se usar uma pitada de absurdo!)

Crie Grupos Expressivos

Outro segredo da memorização é criar grupos expressivos que simplifiquem o material. Digamos que você queira memorizar as quatro plantas que ajudam a afastar os vampiros—alho, rosa, mostarda e espinheiro. As primeiras letras podem ser rearranjadas para formar a palavra MARÉ, então tudo o que você precisa fazer é lembrar-se da imagem de uma maré subindo. (Imagine-se em cima de uma cadeira na cozinha de seu palácio da memória, cercado por águas revoltas subindo rapidamente, e pronto.)

É muito mais fácil se lembrar de números se você associá-los a eventos memoráveis. O seu tio pode ter nascido em 65, por exemplo. Ou você pode associar os números a um sistema numérico com o qual você esteja familiarizado. Por exemplo, "11,0" é um bom tempo de corrida para os 100 metros rasos. Ou "75" pode ser o número de pontos que devem ser montados em uma agulha para tricotar um daqueles chapéus de esqui que você gosta de fazer. Pessoalmente, gosto de associar números com os sentimentos de quando eu tinha ou terei uma determinada idade. O número "18" é fácil—foi quando eu deixei a casa de meus pais. Quando tiver "104" anos, eu serei uma bisavó velha, mas feliz!

Muitas disciplinas usam **frases memoráveis** para ajudar os alunos a memorizar conceitos; a primeira letra de cada palavra da frase é também a primeira letra de cada palavra em uma lista que deve ser memorizada. A química, por exemplo, é repleta de mnemônicos memoráveis. Entre os mais populares, estão "Foi Cláudio Branco que Invadiu Atenas" (para memorizar os halogênios: Flúor, Cloro, Bromo, Iodo e Astato) e "Bem, Alguém Gastou Inteiro o Talão" (para a colune 3A: Boro, Alumínio, Gálio, Índio e Tálio).

Outro exemplo é para a Taxonomia de Lineu, a ordem de classificação de todos os seres vivos: Raios Fortes Caíram Ontem Fazendo Grandes Estragos. Isso se traduz em Reino, Filo, Classe, Ordem, Família, Gênero e Espécie.

Esses tipos de truques de memória já demonstraram inúmeras vezes sua utilidade. Se você está decorando algo muito usado, veja se você consegue encontrar na internet um truque de memória particularmente memorável. Caso contrário, tente inventar seu próprio truque.

CUIDADO PARA NÃO CONFUNDIR TRUQUES DE MEMÓRIA COM O VERDADEIRO CONHECIMENTO

"Em química, temos a frase 'skit ti vicer man feconi kuzin', que tem o ritmo de uma música de rap. Ela representa a primeira linha dos metais de transição na tabela periódica (Sc, Ti, V, Cr, Mn, Fe, Co, Ni, Cu e Zn). Em seguida, os outros metais de transição podem ser colocado em uma tabela periódica em branco usando outros truques de memória. Por exemplo, os alunos se lembram de colocar Ag (prata) e Au (ouro) no mesmo grupo vertical com Cu (cobre), já que o cobre, prata e ouro são usados para fazer moedas.

Infelizmente, alguns alunos terminam pensando que essa é a *razão* pela qual esses metais estão na mesma coluna vertical— porque eles são usados para fazer moedas. A verdadeira razão tem a ver com as semelhanças nas propriedades químicas e valências.

Esse é um exemplo de como os alunos às vezes confundem um truque de memória com o conhecimento real. Sempre tome cuidado para não confundir *o que verdadeiramente está acontecendo* com a *metáfora* que você estiver usando para ajudar a sua memória."

— *William Pietro, Professor de Química, Universidade de York, Toronto, Ontário*

Crie Histórias

Observe que os grupos mencionados acima frequentemente adquirem sentido através de histórias, embora a história possa ser curta. Quem usou a última folha do talão de cheques não avisou que ele tinha terminado—alguém vai levar uma bronca! Contar histórias em geral sempre foi uma forma extremamente importante de compreender e reter informações. A Professora Vera Pavri, uma historiadora da ciência e tecnologia da Universidade de York, diz a seus alunos que não vejam as aulas como aulas, mas como histórias em que há um enredo, personagens e um objetivo geral para a discussão. As melhores aulas de matemática e ciências são frequentemente estruturadas como histórias de suspense, começando com um problema fascinante e fazendo com que você simplesmente *tenha* que descobrir a solução. Se seu instrutor ou livro não apresentar o material com uma pergunta que deixe você querendo encontrar a resposta, veja se você pode encontrar essa pergunta—em seguida, comece a resolvê-la[10]. E não se esqueça do valor das histórias quando você estiver criando truques de memória.

> ### ESCREVA
>
> "A primeira coisa que saliento quando os alunos vêm me procurar é que há uma conexão direta entre sua mão e seu cérebro, e o ato de reescrever e organizar suas anotações é essencial para dividir grandes quantidades de informações em pequenos pedaços digeríveis. Muitos estudantes preferem digitar suas anotações em um documento do Word ou em slides do Powerpoint, e quando esses estudantes estão tendo dificuldades, a primeira coisa que eu recomendo é abandonar a digitação e começar a escrever à mão. Em todos os casos, seu desempenho melhora na próxima seção do material."
>
> – *Jason Dechant, Ph.D., Diretor do Curso,*
> *Promoção da Saúde e Desenvolvimento,*
> *Escola de Enfermagem, Universidade de Pittsburgh*

Memória Muscular

Nós já mencionamos que parece que escrever à mão ajuda a firmar as ideias na mente. Embora haja pouca investigação nessa área[11], muitos educadores têm observado que parece haver uma memória muscular associada à escrita à mão. Por exemplo, quando você olha pela primeira vez para uma equação, ela pode parecer não fazer nenhum sentido. Mas se você escrever a equação várias vezes em uma folha de papel, prestando atenção no que está fazendo, a forma como a equação começará a ganhar vida e significado em sua mente o deixará surpreso. A propósito, alguns alunos acham que ler problemas ou fórmulas em voz alta os ajuda a entender melhor. Apenas tome cuidado com exercícios do tipo escrever à mão uma equação cem vezes. No começo isso pode valer a pena, mas, depois de algum tempo, simplesmente se torna um exercício mecânico—seu tempo poderia ser mais bem gasto de outra maneira.

> ### FALANDO SOZINHO
>
> "Eu digo muitas vezes aos meus alunos para falarem consigo mesmos em vez de apenas sublinhar e reler o texto. Eles olham para mim desconfiados, como se eu fosse louco (o que pode ser verdade). Mas, mais tarde, muitos alunos dizem que isso realmente funciona e que é agora uma das suas ferramentas de estudo."
>
> *– Dina Miyoshi, Professora Assistente de Psicologia, Faculdade San Diego Mesa, Califórnia*

A *Verdadeira* Memória Muscular

Se você quer *realmente* melhorar sua memória e também sua capacidade geral de aprender, parece que uma das melhores maneiras de fazer isso é praticar exercícios físicos. Vários experimentos recentes com animais e humanos constataram que a prática regular de exercícios físicos pode melhorar de forma substantiva sua memória e capacidade de aprender. Os exercícios físicos, aparentemente, ajudam a criar novos neurônios nas áreas relacionadas com a memória e também novas rotas de sinalização[12]. Parece que diferentes tipos de exercício—correr ou caminhar, por exemplo, quando comparados com o levantamento de pesos—podem ter efeitos moleculares sutilmente diferentes. Mas ambos os exercícios aeróbicos e de resistência provocam resultados igualmente poderosos sobre o aprendizado e a memória.

Truques de Memória Ajudam Você a se Tornar um Especialista mais Rapidamente

Aqui está a moral da história: usando imagens mentais, em vez de palavras, para se lembrar das coisas, você pode chegar mais facilmente ao status de especialista. Em outras palavras, *aprender a processar ideias visualmente em matemática e ciências é uma forma poderosa de dominar o material*[13]. E usar outros truques de memorização pode aumentar consideravelmente sua capacidade de aprender e reter o material.

Os puristas podem torcer o nariz e dizer que usar truques de memorização não é realmente aprender. Mas a pesquisa mostrou que os alunos que usam esses tipos de truques têm desempenho melhor do que aqueles que não usam[14]. Além disso, as pesquisas de imagem do cérebro sobre como as pessoas se tornam especialistas mostram que essas ferramentas de memória aceleram a formação de blocos e também a compreensão geral do assunto, e ajudam a transformar iniciantes em semiespecialistas muito mais rapidamente—mesmo em questão de semanas[15]. Truques de memória permitem que as pessoas expandam sua memória de trabalho através do acesso fácil à memória de longo prazo.

Além do mais, o processo de memorização se torna um exercício em criatividade. Quanto mais você memorizar usando essas técnicas inovadoras, mais criativo você se tornará. Isso acontece porque você está construindo possibilidades para futuras conexões inesperadas e extravagantes desde o início, mesmo quando você estiver começando a internalizar as ideias. Quanto mais você exercitar esse tipo de "músculo da memória", mais fácil se tornará o processo. Enquanto no início pode levar 15 minutos para você construir uma imagem evocativa que o lembre de uma equação e incorporá-la, digamos, na pia da cozinha de seu palácio da memória, mais tarde você pode levar apenas minutos ou segundos para executar uma tarefa semelhante.

Você também perceberá que, quando começar a internalizar os aspectos-chave do material, dedicando algum tempo para guardar os pontos mais importantes na memória, você passará a entendê-lo muito mais profundamente. As fórmulas vão significar muito mais para você do que significariam se você simplesmente as consultasse em um livro. E você será capaz de empregar essas fórmulas com muito mais habilidade em provas e em aplicações do mundo real.

Um estudo de como os atores memorizam seus roteiros mostrou que eles evitam memorizá-los palavra por palavra. Em vez disso, eles fazem uso de uma compreensão das necessidades e motivações dos personagens para se lembrarem de suas falas[16]. Da mesma forma, a parte mais importante quando você estiver memorizando algo é *entender* o que as fórmulas e as etapas da solução realmente significam. A compreensão também ajuda muito no processo de memorização.

Você pode responder que você não é criativo—que uma equação ou teoria dificilmente poderiam ter suas próprias motivações grandiosas ou necessidades emocionais temperamentais para ajudá-lo a entendê-las e a memorizá-las. Mas lembre-se da criança de dois anos de idade dentro de você. *A criatividade que você tinha com dois anos de idade ainda está lá—você só precisa conseguir chegar até ela.*

TRUQUES DE MEMÓRIA QUE *FUNCIONAM*

"Além de estar cursando engenharia, estou concluindo o curso de paramédico (faltam apenas dois meses!) e tenho que memorizar uma grande seleção de drogas e dosagens para adultos e crianças. No começo, isso parecia assustador, especialmente porque haverá vidas em jogo. Mas rapidamente encontrei pequenos truques que facilitaram a aprendizagem. Considere, por exemplo, o medicamento Furosemida, também chamado Lasix, um diurético. A dose que eu precisava memorizar era 40mg. Isso para mim foi uma dádiva de Deus, porque os números 4-0 em inglês aparecem

194 aprendendo a aprender

na palavra (4-0 semide = four-0 semide = furosemida). São coisas como essa que verdadeiramente podem cimentar ideias e conhecimentos em nossas cabeças. Agora não preciso pensar duas vezes para me lembrar da dose. Verdadeiramente notável."

— *William Koehler, cursando o segundo ano de engenharia mecânica*

AGORA TENTE VOCÊ!

Músicas para ajudá-lo a aprender

Componha uma canção para memorizar uma definição ou fórmula que você precisa para um de seus cursos. Memorizar conceitos importantes, independentemente de quais sejam os truques que você use para fazer isso, torna mais fácil e rápido resolver problemas mais complicados.

EM RESUMO

- Metáforas podem ajudá-lo a aprender ideias difíceis mais rapidamente.
- A repetição é crucial para que você consolide o que você quer memorizar antes que as ideias se desvaneçam.
- Abreviaturas e frases podem permitir que você simplifique o que você está tentando aprender e forme blocos, possibilitando que você armazene as informações mais facilmente na memória.
- Histórias—mesmo se elas forem usadas apenas como truques bobos de memória—ajudam você a reter mais facilmente o que você está tentando aprender.
- Escrever e dizer em voz alta o que você está tentando aprender parece aumentar a retenção.

mais dicas de memória

> **PAUSA E RECORDAÇÃO**
>
> Lembre-se de como pode ser importante, às vezes, pensar sobre o que você está aprendendo em um lugar diferente daquele em que você normalmente estuda. Tente usar essa técnica novamente ao se lembrar das principais ideias deste capítulo. As pessoas às vezes se lembram da *sensação* do local onde elas estavam estudando—até mesmo da sensação acolchoada da poltrona, ou da música ou do quadro na parede da cafeteria onde estudaram—para ajudar a trazer à mente uma memória.

PARA MELHORAR SUA APRENDIZAGEM

1. Pegue um pedaço de papel e crie uma metáfora visual ou verbal para um conceito que você está tentando entender em matemática ou ciências—rabiscar pode ajudá-lo a encontrar a metáfora.

2. Escolha um capítulo de um livro de um de seus cursos. Crie uma pergunta sobre esse material que faria você querer aprender mais sobre o assunto.

3. Antes de ir dormir, faça uma revisão mental de algo que você está tentando aprender. Para estimular esse processo, faça uma nova revisão quando acordar.

{ 12 }

aprendendo a apreciar seu talento

Buscando uma Compreensão Intuitiva

Podemos aprender muito sobre como estudar matemática e ciências com os esportes. No beisebol, por exemplo, você não aprende a rebater em um dia. Em vez disso, seu corpo aperfeiçoa o movimento a partir de incontáveis repetições ao longo de um período de anos. A repetição regular cria a memória muscular, para que seu corpo saiba o que fazer a partir de um único pensamento—um bloco—em vez de ter que se lembrar de todas as etapas complexas necessárias para rebater uma bola[1].

Da mesma forma, depois que você entende *por que* você faz alguma coisa em matemática e ciências, você não precisa ficar reexplicando-a para si mesmo sempre que voltar a fazê-la. Não é necessário sair por aí com 100 feijões em seu bolso e formar dez fileiras de dez feijões repetidamente para que você *saiba* que $10 \times 10 = 100$. A determinada altura, você simplesmente sabe isso, de memória. Por exemplo, você memoriza a ideia que você simplesmente adiciona os expoentes—esses números sobrescritos—ao multiplicar números que tenham a mesma base ($10^4 \times 10^5 = 10^9$). Se você usar muito esse procedimento, fazendo vários tipos diferentes de problemas, você descobrirá que entende ambos o *porquê* e o *como* por trás do procedimento muito melhor do que depois de vê-lo em uma explicação convencional de um professor ou de um livro. A maior compreensão resulta do fato de que foi *sua* mente que construiu os padrões de significado, ao invés de simplesmente aceitar o que outra pessoa lhe disse. *Lembre-se—as pessoas aprendem tentando compreender as informações que elas recebem. Elas raramente aprendem algo complexo simplesmente ouvindo uma explicação.*

Os mestres de xadrez, os médicos de sala de emergência, os pilotos de caça e muitos outros especialistas muitas vezes têm que tomar decisões extremamente complexas rapidamente. Eles desligam seu sistema consciente e, em lugar dele, confiam em sua intuição bem treinada, recorrendo a seu repertório profundamente arraigado de blocos[2]. Em algum momento, "entender" conscientemente por que você faz o que você faz só desacelera e interrompe o ritmo, resultando em decisões piores.

Os professores também podem inadvertidamente prestar atenção demais nas regras. Em um estudo fascinante que ilustra isso, seis pessoas foram filmadas fazendo reanimação cardiorrespiratória, sendo apenas uma delas um profissional paramédico[3]. Profissionais paramédicos foram então convidados a adivinhar quem era o paramédico entre os seis. Noventa por cento desses peritos paramédicos escolheram corretamente, observando coisas como "ele parecia saber o que estava fazendo"[4]. Os instrutores de reanimação cardiorrespiratória, por outro lado, escolheram o verdadeiro paramédico em apenas cerca de 30% das vezes. Esses teóricos excessivamente meticulosos criticaram o verdadeiro especialista no filme em razão, por exemplo, de ele não parar e medir onde deveria colocar as mãos. Seguir as

Depois de entender *por que* você faz algo em matemática ou ciências, você não deve ficar reexplicando o *como*. Pensar demais pode causar bloqueios.

regras metodicamente era mais importante para os instrutores do que os aspectos práticos.

Não Há Necessidade de Ter Inveja dos Gênios

Assim como os atletas olímpicos não desenvolvem suas habilidades atléticas simplesmente correndo algumas horas nos finais de semana ou levantando alguns pesos em seu tempo livre, grandes mestres de xadrez não desenvolvem suas estruturas neurais treinando na última hora. Pelo contrário, eles desenvolvem sua base de conhecimento gradualmente ao longo do tempo e com muito treino, fortalecendo seu entendimento geral sobre o assunto. Praticar dessa forma coloca os traços de memória em destaque no armazém de memórias de longo prazo, onde o padrão neural pode ser rápida e facilmente acessado quando necessário[5].

Voltemos ao mestre de xadrez Magnus Carlsen—esse gênio de pensamento rápido do xadrez de velocidade e também do xadrez clássico. Carlsen tem um extraordinário domínio dos padrões de milhares de jogos de xadrez jogados anteriormente—ele pode olhar para o arranjo das peças de um final de jogo em um tabuleiro de xadrez e instantaneamente dizer de qual, de mais de dez mil jogos de séculos passados, ele foi retirado. Em outras palavras, Carlsen criou uma vasta biblioteca de blocos de potenciais padrões de solução. Ele pode rapidamente examinar os blocos para ver o que outros jogadores fizeram quando encontraram situações semelhantes à que ele está enfrentando[6].

O que Carlsen consegue fazer não é incomum, embora ele seja melhor nisso do que quase todos os outros jogadores de xadrez, do presente e do passado. Os grandes mestres tipicamente passam pelo menos uma década treinando e estudando para aprender milhares de padrões de jogos[7]. Com esses padrões prontamente disponíveis, eles são capazes de reconhecer os principais elementos em qualquer arranjo do jogo muito mais rapidamente do que os amadores; eles desenvolvem um olhar profissional que permite que saibam intuitivamente qual é a melhor linha de ação em qualquer situação[8].

Mas espere. Os mestres do xadrez e as pessoas que podem multiplicar números de seis dígitos em suas cabeças não são simplesmente excepcionalmente talentosos? Não necessariamente. Eu vou ser franca—sim, a inteligência importa. Ser mais inteligente muitas vezes equivale a ter uma memória de trabalho maior. Sua memória privilegiada pode permitir que você trabalhe com nove coisas ao mesmo tempo, em vez de quatro, e agarre-se a elas como um buldogue, o que torna mais fácil aprender matemática e ciências.

Mas adivinhe? Isso também torna mais difícil para você ser criativo.

Por que isso ocorre?

200   a p r e n d e n d o   a   a p r e n d e r

É o nosso velho amigo e inimigo—o *Einstellung*. A ideia que já está em sua mente bloqueia o surgimento de novos pensamentos. Uma memória de trabalho soberba pode reter seus pensamentos tão firmemente que novos pensamentos são mantidos afastados. Uma atenção tão rigidamente controlada poderia usar um ocasional sopro de ar fresco da falta de atenção—a capacidade, em outras palavras, de sua atenção se desviar, mesmo quando você não quer que ela se desvie. Sua habilidade para resolver problemas complexos pode fazer você complicar problemas simples, partindo para uma resposta mais trabalhosa e ignorando uma solução simples, mais óbvia. A pesquisa mostrou que pessoas inteligentes podem ter uma tendência maior de se perder nos detalhes, enquanto as pessoas com menos potência intelectual podem chegar ao ponto mais facilmente com soluções mais simples[9].

NÃO É O QUE VOCÊ SABE; É COMO VOCÊ PENSA

"A experiência me mostrou uma correlação quase inversa entre notas altas em provas padronizadas e o sucesso profissional. Efetivamente, muitos dos estudantes com as piores notas tornam-se altamente bem-sucedidos, enquanto um surpreendente número de 'gênios' fica pelo caminho por um motivo ou outro."[10]

– Bill Zettler, Ph.D., Professor de Biologia, conselheiro acadêmico de longa data e vencedor do Prêmio de Professor do Ano, Universidade da Flórida, Gainesville, Flórida

---

Se você é uma daquelas pessoas que não conseguem manter muita coisa em sua mente ao mesmo tempo—você perde o foco e começa a sonhar acordado durante as aulas e tem que encontrar algum lugar tranquilo para se concentrar para que possa usar sua memória de trabalho ao máximo—bem-vindo à tribo das pessoas criativas. Ter uma memória de trabalho um pouco menor significa que você pode generalizar mais facilmente o que aprende, produzindo combinações novas e mais criativas. Como sua memória de trabalho, que deriva da capacidade de concentração do córtex pré-frontal, não retém tudo tão firmemente, você pode receber contribuições de outras partes do seu cérebro mais facilmente. Essas outras áreas, que incluem o córtex sensorial, não estão apenas mais em sintonia com o que está acontecendo no ambiente a seu redor, mas também são a fonte dos sonhos, para não mencionar das ideias criativas[11]. Você pode ter que trabalhar mais duro às vezes (ou até mesmo na maior parte do tempo) para entender o que está acontecendo, mas assim que você tiver transformado algo em blocos, você pode pegar esses blocos e virá-los ao avesso—usando ritmos criativos que vão surpreender até você mesmo!

Aqui está mais uma coisa que você deve ter em mente: o xadrez, aquele bastião dos intelectuais, tem alguns *jogadores de elite com QI normal*. Esses intelectos aparentemente medianos são capazes de se sair melhor do que alguns jogadores mais inteligentes porque eles praticam mais[12]. Essa é a ideia-chave. Cada jogador de xadrez, seja mediano ou de elite, aumenta seu talento praticando. **É a *prática*— particularmente a prática deliberada dos aspectos mais difíceis do material—que pode ajudar a elevar o cérebro médio para o reino daqueles com dons "de nascença".** Da mesma forma que você pode praticar o levantamento de pesos e desenvolver músculos maiores com o passar do tempo, você também pode praticar certos padrões mentais que se aprofundam e se fortalecem em sua mente. Curiosamente, parece que a prática pode ajudá-lo a expandir sua memória de trabalho. Os pesquisadores na área da memória descobriram que treinar repetindo sequências cada vez mais longas de dígitos de trás para a frente parece melhorar a memória de trabalho[13].

Pessoas talentosas têm seu próprio conjunto de dificuldades. Às vezes crianças altamente dotadas são vítimas de bullying e aprendem a esconder ou reprimir seus dons. Pode ser difícil se recuperar dessas experiências[14]. As pessoas mais inteligentes também às vezes enfrentam dificuldades porque elas conseguem imaginar facilmente toda complexidade, boa e ruim. As pessoas extremamente inteligentes são mais propensas do que as pessoas de inteligência normal a deixar as coisas para depois porque isso sempre funcionou quando estavam na escola, o que significa que elas, com mais frequência, não aprendem desde o início certas habilidades cruciais para o sucesso na vida adulta.

Não importa se você é naturalmente talentoso ou se tem que se esforçar para obter uma compreensão sólida dos fundamentos, você deve perceber que não está sozinho, se você pensa que é um impostor—que é um golpe de sorte quando você se sai bem em uma prova e que, na próxima prova, *com certeza* eles (e sua família e amigos) finalmente descobrirão que na verdade você é incompetente. Esse sentimento é tão extraordinariamente comum que ele até tem um nome—"a síndrome do impostor"[15]. Se você é vítima desses tipos de sentimentos de inadequação, apenas saiba que muitas outras pessoas os compartilham secretamente.

Todo mundo tem dons diferentes. Como diz o velho ditado, "quando uma porta se fecha, outra se abre". Fique de olho na porta aberta.

TENTANDO ALCANÇAR O INFINITO

Algumas pessoas sentem que as formas difusas intuitivas de pensar estão mais em sintonia com nossa espiritualidade. A criatividade que o pensamento difuso promove às vezes parece estar além da compreensão humana.

Como Einstein observou, "há apenas duas maneiras de viver a sua vida. Uma é como se nada fosse um milagre. A outra é como se tudo fosse..."

NÃO SE SUBESTIME

"Eu treino os alunos da nossa escola para a Olimpíada de Ciências. Nós ganhamos o campeonato estadual em oito dos últimos nove anos. Por um ponto não ganhamos o campeonato estadual este ano e, frequentemente, terminamos entre os dez primeiros do país. Descobrimos que muitos dos aparentemente melhores estudantes (que tiram A+ em todas as matérias) não têm, sob a pressão de um evento como a Olimpíada de Ciências, um desempenho tão bom quanto aqueles que conseguem manipular mentalmente o conhecimento que têm. Curiosamente, os alunos nesse segundo nível (por assim dizer) às vezes parecem pensar que são menos inteligentes do que os alunos com notas melhores. Eu prefiro selecionar os estudantes que aparentemente têm desempenho inferior, mas que conseguem pensar criativa e rapidamente, como é necessário na Olimpíada, e não os estudantes com notas mais altas mas que ficam nervosos se as perguntas não coincidirem exatamente com os blocos memorizados em seus cérebros."

– *Mark Porter, Professor de Biologia, Mira Loma High School,*
Sacramento Califórnia

EM RESUMO

- Em algum momento, *depois que o material estiver bem dominado,* você começa a deixar de pensar em cada pequeno detalhe e passa a fazer as coisas automaticamente.
- Trabalhar ao lado de outros estudantes que assimilam o material mais rapidamente do que você pode parecer assustador. Mas os alunos "médios" às vezes podem ter vantagens quando se trata de criatividade, iniciativa e determinação.
- Parte do segredo da criatividade é ser capaz de alternar entre a concentração completamente focada e os devaneios do descontraído modo difuso.
- Concentrar-se atentamente demais pode *impedir que você encontre* a solução que você está procurando—como se você estivesse tentando martelar um parafuso porque você acha que ele é um prego. Quando você estiver empacado, às vezes é melhor se afastar do problema por um tempo e ir fazer outra coisa, ou simplesmente só voltar a trabalhar nele após uma noite de sono.

> **PAUSA E RECORDAÇÃO**
>
> Feche o livro e desvie o olhar. Quais foram as principais ideias deste capítulo? Tente também se lembrar das principais ideias do livro até agora.

PARA MELHORAR SUA APRENDIZAGEM

1. Pense em uma área em que valeu a pena ser persistente em sua vida. Existe uma nova área em que você gostaria de começar a desenvolver sua persistência? Que plano de contingência você pode desenvolver para os momentos de desânimo, quando você pode sentir vontade de desistir?

2. As pessoas muitas vezes tentam evitar ficar sonhando acordadas, porque isso interrompe as atividades em que elas realmente querem se concentrar, como prestar atenção em uma aula importante. O que funciona melhor para você— fazer um esforço para manter o foco, ou simplesmente trazer sua atenção de volta para o assunto a sua frente quando você nota que está começando a sonhar acordado?

DE ESTUDANTE LENTO A ESTRELA DA ENGENHARIA: A HISTÓRIA DE NICK APPLEYARD

Nick Appleyard lidera a unidade de negócios das Américas como vice-presidente de uma empresa de alta tecnologia que desenvolve e oferece suporte a ferramentas de simulação de física avançada usadas nas indústrias aeroespacial, automotiva, de energia, biomédica e em muitos outros setores da economia. Ele se diplomou em Engenharia Mecânica pela Universidade de Sheffield, na Inglaterra.

"Na escola, fui estigmatizado como um aluno lento e, em razão disso, uma criança problemática. Esses rótulos me *afetaram profundamente. Senti que meus professores me tratavam como se tivessem abandonado qualquer esperança de que eu pudesse ter sucesso. Para piorar a situação, meus pais também ficaram frustrados comigo e com meu progresso educacional. Eu sentia que meu pai, um médico graduado em um grande hospital de ensino, tinha ficado especialmente decepcionado. (Eu descobri mais tarde que ele tinha tido dificuldades semelhantes na sua infância.) Era um círculo vicioso que afetava minha confiança em todos os aspectos da vida.*

Qual era o problema? A matemática e tudo associado a ela—frações, tabuadas de multiplicação, divisão, álgebra, você pode escolher. Tudo era chato e completamente inútil.

Um dia, algo começou a mudar, embora eu não tenha percebido na hora. Meu pai trouxe para casa um computador. Eu tinha ouvido sobre adolescentes que haviam escrito em casa jogos de computador que todos queriam jogar e se tornado milionários da noite para o dia. Eu queria ser um desses adolescentes.

Eu li, pratiquei e escrevi programas cada vez mais difíceis, e todos eles usavam algum tipo de matemática. Eventualmente, uma revista popular de informática do Reino Unido aceitou um dos meus programas para publicação—o que foi uma grande emoção para mim.

Agora eu vejo todos os dias como a matemática é aplicada para projetar a próxima geração de automóveis, para ajudar a enviar foguetes para o espaço e para analisar como funciona o corpo humano.

A matemática não é mais inútil. Em vez disso ela é uma fonte de conhecimentos extraordinários—e de uma grande carreira!"

{ 13 }

esculpindo seu cérebro

Desta vez, o crime de Santiago Ramón y Cajal, então com onze anos, tinha sido construir um pequeno canhão e explodir o novo e grande portão do vizinho, reduzindo-o a lascas de madeira. Na Espanha rural da década de 1860, não havia muitas opções para delinquentes juvenis excêntricos. E foi assim que o jovem Cajal terminou trancado em uma prisão cheia de pulgas.

Cajal era teimoso e rebelde. Ele tinha uma única paixão avassaladora: a arte. Mas o que ele poderia fazer com a pintura e o desenho? Especialmente porque Cajal havia ignorado o resto de seus estudos—particularmente a matemática e as ciências, que ele pensava que eram inúteis.

O pai de Cajal, Don Justo, era um homem severo, que tinha conquistado tudo que tinha saindo praticamente do nada. A família de Cajal definitivamente não sabia o que era a vida fácil da aristocracia. Para tentar dar a seu filho a disciplina e a estabilidade que ele tanto precisava, Don Justo o colocou para trabalhar como aprendiz de bar-

208   aprendendo a aprender

Santiago Ramón y Cajal ganhou o prêmio Nobel por suas muitas e importantes contribuições para nosso entendimento da estrutura e funcionamento do sistema nervoso[1]. Nesta foto, Cajal parece mais um artista do que um cientista. Em seus olhos há uma sugestão das mesmas travessuras que lhe causaram tantos problemas quando criança.

    Cajal conheceu e trabalhou com muitos cientistas brilhantes durante sua vida, pessoas que frequentemente eram muito mais inteligentes do que ele. Na reveladora autobiografia de Cajal, entretanto, ele destacou que, embora pessoas brilhantes possam fazer trabalhos excepcionais, elas, como todas as pessoas, também podem ser descuidadas e tendenciosas. Cajal sentia que o segredo de seu sucesso era sua perseverança (a "virtude dos menos brilhantes"[2]) combinada com sua habilidade flexível de mudar de opinião e admitir erros. Por trás de tudo estava o apoio de sua dedicada esposa, Doña Silvería Fañanás García (o casal teve sete filhos). Qualquer um, Cajal observou, mesmo pessoas com inteligência média, pode esculpir seu próprio cérebro, e, ao fazer isso, mesmo o menos talentoso pode produzir uma colheita abundante[3].

beiro. Isso foi um desastre, fazendo com que Cajal apenas negligenciasse ainda mais seus estudos. Para tentar fazer com que ele se comportasse, seus professores o espancavam e o deixavam sem comer, mas Cajal continuava sendo um pesadelo disciplinar com seu comportamento zombeteiro e chocante.

Quem poderia imaginar que Santiago Ramón y Cajal iria um dia não só ganhar o prêmio Nobel, mas eventualmente se tornar conhecido como o pai da neurociência moderna?

Mude seus Pensamentos, Mude sua Vida

Santiago Ramón y Cajal já tinha mais de vinte anos quando começou sua transformação da delinquência rebelde para o estudo tradicional da medicina. Cajal se perguntava se talvez sua cabeça teria simplesmente "se cansado da frivolidade e do comportamento irregular e começado a se aquietar"[4].

Há evidências que as bainhas de mielina, um isolamento gorduroso que ajuda os sinais a se moverem mais rapidamente através dos neurônios, frequentemente não terminam de se desenvolver até que as pessoas estejam na faixa dos vinte anos. Isso pode explicar por que adolescentes, muitas vezes, têm dificuldades em controlar seu comportamento impulsivo—as conexões entre as áreas de intenção e controle ainda não estão completamente formadas[5].

> "Deficiências de capacidade inata podem ser compensadas através do trabalho duro persistente e da concentração. Pode-se dizer que o trabalho substitui o talento, ou, melhor ainda, que *cria o talento*[6]."
>
> – *Santiago Ramón y Cajal*

No entanto, quando você *usa* circuitos neurais, isso parece ajudar a construir a bainha de mielina que os envolve—sem mencionar muitas outras alterações microscópicas[7]. Parece que a prática fortalece e reforça as conexões entre as diferentes regiões do cérebro, criando vias expressas entre os centros de controle do cérebro e os centros que armazenam o conhecimento. No caso de Cajal, parece que o processo natural de amadurecimento permitiu, em conjunto com seus próprios esforços para desenvolver seu raciocínio, que ele assumisse o controle de seu comportamento de forma geral[8].

Parece que as pessoas podem *melhorar* o desenvolvimento de seus circuitos neuronais praticando pensamentos que *usam* esses neurônios[9]. Estamos apenas começando a compreender o desenvolvimento neural, mas uma coisa está se tornando clara—nós podemos fazer mudanças significativas em nosso cérebro, alterando a forma como pensamos.

O que é particularmente interessante sobre Cajal é que ele alcançou sua grandeza embora *não fosse* um gênio—pelo menos, não no sentido convencional do termo. Cajal lamentava profundamente nunca ter tido "rapidez, segurança e clareza no uso das palavras"[10]. O pior é que, quando Cajal se emocionava, ele perdia quase inteiramente a capacidade de usar as palavras. Ele não conseguia decorar nada, o que fazia com que a escola, em que repetir informações era valorizado, fosse uma agonia. O máximo que Cajal conseguia fazer era compreender e se lembrar das ideias-chave; ele frequentemente perdia a esperança em seus poderes modestos de entendimento[11]. Entretanto, algumas das áreas mais excitantes da pesquisa neurocientífica hoje têm raízes nas conclusões iniciais de Cajal[12].

Os professores de Cajal, como ele se lembraria mais tarde, davam valor às capacidades dos alunos de uma forma tristemente equivocada. Rapidez era confundida com inteligência; memória, com capacidade; e obediência, com sabedoria[13]. O sucesso de Cajal, apesar de seus "defeitos", mostra como, ainda hoje, os professores facilmente podem subestimar seus alunos—e os alunos podem subestimar a si mesmos.

Formando Blocos Profundos

A muito custo, Cajal conseguiu se formar em medicina. Depois de aventuras em Cuba como médico do exército e várias tentativas fracassadas em concursos para professor, ele finalmente obteve uma posição como professor de histologia, começando a estudar a anatomia microscópica das células.

Todas as manhãs em seu trabalho estudando as células do cérebro e do sistema nervoso, Cajal preparava cuidadosamente as lâminas de vidro que seriam colocadas no microscópio. Em seguida ele passava horas examinando cuidadosamente as células que os corantes tinham destacado. À tarde, Cajal examinava a representação abstrata em sua mente—o que ele conseguisse se lembrar das observações feitas pela manhã—e começava a desenhar as células. Depois de terminar, Cajal comparava seu desenho com a imagem que ele havia visto no microscópio. Então Cajal voltava à prancheta de desenho e começava de novo, redesenhando, verificando e redesenhando. Somente quando seu desenho capturasse a essência sintetizada, não apenas de uma única lâmina, mas de toda a coleção de lâminas de um determinado tipo de célula, Cajal descansava[14].

Cajal era um mestre fotógrafo—ele mesmo foi o autor do primeiro livro em espanhol sobre a fotografia colorida. Mas ele nunca sentiu que as fotografias poderiam capturar a verdadeira *essência* do que ele estava vendo. Cajal só conseguia fazer isso através da sua arte, que o ajudava a abstrair—*transformar em blocos*—a realidade de uma maneira mais útil para ajudar os outros a ver a essência dos blocos.

Uma síntese—uma abstração, bloco ou ideia central—é um padrão neural. **Bons blocos formam padrões neurais que ressoam, não só com o assunto em que estamos trabalhando, mas com outros temas e áreas de nossas vidas. A abstração ajuda você a transferir ideias de uma área para outra**[15]. É por isso que a grande arte, poesia,

Aqui você pode ver que o bloco—a tira neural ondulada à esquerda—é muito parecido com a tira à direita. Isso simboliza a ideia de que, depois que você assimilou um aspecto de um assunto, formando um bloco, é muito mais fácil criar um bloco similar para outro assunto. A mesma matemática subjacente, por exemplo, ecoa por toda a física, química e engenharia e às vezes pode ser vista também na economia, nos negócios e nos modelos de comportamento humano. É por isso que pode ser mais fácil para um físico ou engenheiro tornar-se um mestre em administração de empresas (MBA) do que para alguém com formação em inglês ou história[16].

As metáforas e analogias físicas também formam blocos que podem permitir que ideias, mesmo de áreas muito diferentes, possam se influenciar reciprocamente[17]. É por isso que, surpreendentemente, muitas vezes atividades ou conhecimentos sobre esportes, música, linguagem, arte ou literatura auxiliam as pessoas que gostam de matemática, ciências e tecnologia. Meu próprio conhecimento sobre como aprender uma língua me ajudou a aprender como aprender matemática e ciências.

música e literatura podem ser tão fascinantes. Quando nós compreendemos um bloco, ele passa a ter vida própria em nossas mentes—formamos ideias que aprimoram e tornam mais claros os padrões neurais que já possuímos e que nos permitem ver e desenvolver mais facilmente outros padrões relacionados.

Depois que criamos um bloco como um padrão neural, nós podemos transferir esse padrão mais facilmente para outras pessoas, como Cajal e outros grandes artistas, poetas, cientistas e escritores têm feito há milênios. Depois que alguém compreende esse bloco, ele pode não apenas usá-lo, mas também podem criar blocos similares que se aplicam a outras áreas de sua vida mais facilmente—uma parte importante do processo criativo.

Um componente essencial para aprender rapidamente matemática e ciências é perceber que *virtualmente todo conceito que você aprende tem uma analogia—uma comparação—com algo que você já sabe*[18]. Às vezes a analogia ou metáfora é aproximada—como a ideia de que os vasos sanguíneos são como estradas, ou que uma reação nuclear é como dominós caindo. Mas essas analogias e metáforas simples podem ser poderosas ferramentas para ajudá-lo a usar uma estrutura neural existente como um andaime para construir mais rapidamente uma nova e mais complexa estrutura neural. À medida que você começar a usar essa nova estrutura, você descobrirá que ela tem características que a tornam muito mais útil do que sua primeira estrutura simplista. Essas novas estruturas, por sua vez, podem tornar-se fontes de metáforas e analogias para ainda outras ideias em áreas muito diferentes. (Na verdade, é por isso que os físicos e engenheiros são tão procurados no mundo das finanças.) O físico Emanuel Derman, por exemplo, que fez pesquisas brilhantes em física de partículas, foi contratado pela empresa Goldman Sachs e, com o tempo, ajudou a desenvolver o modelo Black–Derman–Toy de taxa de juros. Derman eventualmente assumiu o comando do grupo de Estratégias Quantitativas de Risco da empresa.

EM RESUMO

- Os cérebros amadurecem com velocidades diferentes. Muitas pessoas não atingem a maturidade até estarem na faixa dos vinte anos.
- Alguns dos mais formidáveis pesos pesados da ciência eram inicialmente delinquentes juvenis aparentemente sem esperança.

214 aprendendo a aprender

- Algo que os profissionais bem-sucedidos em ciências, matemática e tecnologia gradualmente aprendem é como formar blocos—como abstrair ideias-chave.
- As metáforas e analogias físicas formam blocos que permitem que ideias de áreas muito diferentes se influenciem reciprocamente.
- Independentemente da trajetória de sua carreira atual ou planejada, mantenha a mente aberta e inclua a matemática e as ciências em seu repertório de aprendizagem. Fazendo isso, você terá uma ampla reserva de blocos para ajudá-lo a usar abordagens mais inteligentes ao enfrentar os mais diversos desafios em sua vida e carreira.

PAUSA E RECORDAÇÃO

Feche o livro e desvie o olhar. Quais foram as principais ideias deste capítulo? Você descobrirá que consegue se lembrar delas mais facilmente se as relacionar com seus objetivos pessoais e profissionais.

PARA MELHORAR SUA APRENDIZAGEM

1. Em sua carreira, Santiago Ramón y Cajal encontrou uma maneira de combinar sua paixão pela arte com uma paixão pela ciência. Você conhece outras pessoas, personalidades famosas ou amigos da família ou conhecidos, que fizeram algo semelhante? Uma confluência como essa é possível em sua vida?

esculpindo seu cérebro

2. Como você pode evitar cair na armadilha de pensar que as pessoas mais rápidas são automaticamente as mais inteligentes?

3. Fazer o que dizem para você fazer pode ter vantagens e desvantagens. Compare a vida de Cajal com sua própria vida. Quando foi benéfico fazer o que disseram para você fazer? Quando isso criou problemas de forma não intencional?

4. Em relação às desvantagens de Cajal, como suas próprias limitações se comparam às dele? Você pode encontrar maneiras de transformar suas desvantagens em vantagens?

{ 14 }

desenvolvendo a imaginação através de equações poemas

Aprenda a Escrever uma Equação Poema—Linhas de Texto que Dão uma Ideia do Que Está por Trás de uma Equação Convencional

A poetisa Sylvia Plath escreveu uma vez: "O dia de minha primeira aula de física foi a morte"[1]. Ela continuou:

"Um homem moreno baixo com uma voz aguda e sibilante, chamado Sr. Manzi, estava à frente dos alunos em um terno azul justo segurando uma pequena bola de madeira. Ele colocou a bola em uma rampa sulcada íngreme e deixou que ela rolasse para baixo. Então ele começou a falar sobre a ser igual à aceleração e t ser igual ao tempo e de repente ele estava rabiscando letras, números e sinais de igual sobre todo o quadro-negro, e minha mente ficou entorpecida."

desenvolvendo a imaginação   217

O Sr. Manzi tinha, pelo menos nesse relato semiautobiográfico da vida de Plath, escrito um livro de 400 páginas, sem ilustrações ou fotografias, apenas com fórmulas e diagramas. Algo equivalente seria tentar apreciar a poesia de Plath *ouvindo* alguém explicá-la, ao invés de ser capaz de lê-la. Plath foi, em sua versão da história, a única aluna com nota A, mas ela ficou com pavor de física.

"O que, afinal, é a matemática, se não a poesia da mente, e o que é a poesia, se não a matemática do coração?"

– *David Eugene Smith, Matemático e educador americano*

As aulas de introdução à física do físico Richard Feynman eram totalmente diferentes. Feynman, que mais tarde recebeu um Prêmio Nobel, era um sujeito exuberante, que falava e pensava mais como um simples taxista do que como um intelectual pretensioso.

Quando Feynman tinha cerca de 11 anos de idade, um comentário casual teve um impacto transformador sobre ele. Ele disse para um amigo que pensar não era nada mais do que falar consigo mesmo.

"Ah, sim?" disse o amigo de Feynman. "Você sabe a forma estranha de um virabrequim de um carro?"

"Sim, por quê?"

"Bom. Agora me diga: como você descreveu essa peça quando estava falando consigo mesmo?"

Foi então que Feynman percebeu que os pensamentos podem ser visuais, e não somente verbais[2].

Ele mais tarde escreveu sobre como, quando era um estudante, tinha dificuldades em imaginar e visualizar os conceitos de ondas eletromagnéticas, esses fluxos invisíveis de energia que conduzem tudo, desde a luz solar até sinais de telefone celular. Ele tinha dificuldades em descrever o que ele via em sua mente[3]. Se mesmo um dos maiores físicos do mundo tinha problemas imaginando como ver al-

218 aprendendo a aprender

guns (reconhecidamente difíceis de imaginar) conceitos físicos, como ficamos nós pessoas normais?

Podemos encontrar encorajamento e inspiração no reino da poesia[4]. Vejamos algumas linhas poéticas de uma canção do cantor e compositor americano Jonathan Coulton, chamada "Conjunto de Mandelbrot"[5], sobre um famoso matemático, Benoit Mandelbrot.

> *No céu de Mandelbrot*
>
> *Ele nos deu ordem onde havia o caos, esperança onde não havia nenhuma*
>
> *Sua geometria prospera onde outras fracassam*
>
> *E assim, se você se perder, uma borboleta baterá as asas*
>
> *De um milhão de milhas, um pequeno milagre virá e o levará para casa*

A essência da matemática extraordinária do Mandelbrot é capturada nas frases emocionalmente ressonantes de Coulton, que formam imagens que podemos ver em nossa própria mente—o suave bater de asas de uma borboleta que se espalha e tem efeitos até a um milhão de milhas de distância.

O trabalho do Mandelbrot na criação de uma nova geometria permitiu que compreendêssemos que, às vezes, coisas que parecem irregulares e acidentais—como nuvens e costas marítimas—têm um grau de ordem por trás delas. A complexidade visual pode ser criada a partir de regras simples, como evidenciado pela mágica dos modernos filmes de animação digital. A poesia de Coulton também faz alusão à ideia, incorporada no trabalho de Mandelbrot, que mudanças minúsculas e sutis em uma parte do universo terminam afetando todo o resto.

Quanto mais você examinar as palavras de Coulton, mais maneiras você encontrará de aplicá-las a vários aspectos da vida—esses significados se tornam mais claros quanto mais você conhece e compreende o trabalho de Mandelbrot.

Existem significados ocultos nas equações, assim como na poe-

desenvolvendo a imaginação

sia. Se você é um principiante olhando para uma equação da física, e ninguém tiver explicado como ver a vida por trás dos símbolos, as linhas vão parecer mortas para você. É quando você começa a aprender e entende o texto oculto que o significado desperta, estremece e finalmente salta para a vida.

Em um estudo clássico, o físico Jeffrey Prentis compara como um novo estudante de física e um físico experiente encaram as equações[6]. O novato vê a equação apenas como mais uma coisa a ser memorizada de uma vasta coleção de equações independentes. Os físicos e estudantes mais avançados, no entanto, veem em sua mente o *significado* por trás da equação, incluindo como ela se encaixa no contexto global e até mesmo *sentem* as partes da equação.

....

"Um matemático que não é também em parte um poeta nunca será um matemático completo."

– Karl Weierstrass, matemático alemão

....

Quando você vê "*a*" representando a aceleração, você pode sentir a sensação de pressionar o acelerador em um carro. Caramba! *Sinta* a aceleração do carro pressionando você contra o assento.

Você precisa trazer esses sentimentos à mente toda vez que olha para "*a*"? Claro que não; você não quer enlouquecer tentando se lembrar de todos os detalhes por trás de tudo que você aprendeu. Mas a sensação de pressão da aceleração deve pairar como um bloco no fundo de sua mente, pronto para ser trazido para a memória de trabalho se você estiver tentando analisar o significado de "*a*" quando você encontrá-lo em uma equação.

Da mesma forma, quando você vê m, representando a *massa*, você pode sentir a resistência inercial de um pedregulho de 25 kg—não é fácil colocá-lo em movimento. Quando você vê a letra f, representando a *força*, você pode ver em sua mente o que está por trás da *força*—que depende da *massa* e também da *aceleração*: "$m \cdot a$", como na equação $f = m \cdot a$. Talvez você também possa sentir o que está por trás de *f*. A força traz em si a ideia de mover com esforço (*força!*), de acelerar a *massa* do pedregulho, vencendo sua resistência.

Vamos continuar nesse caminho só mais um pouco. O termo *trabalho* em física significa energia. Fazemos *trabalho* (ou seja, nós fornecemos energia) quando nós empurramos (usando *força*) algo por uma determinada *distância*. Nós podemos sintetizar isso em linguagem matemática com simplicidade poética: $t = f \cdot d$. Após vermos *t* como trabalho, em seguida podemos imaginar com os olhos de nossa mente, e até mesmo com nossos sentidos, o que está por trás dessa letra. Em última análise, nós podemos destilar uma linha de equação poema com esta forma:

$$t$$
$$t = f \cdot d$$
$$t = (ma) \cdot d$$

Os símbolos e equações, em outras palavras, têm um texto oculto por trás deles—um significado que se torna claro depois que você está mais familiarizado com as ideias. Embora eles talvez não usem esta expressão, os cientistas veem frequentemente as equações como uma forma de poesia, uma forma abreviada de simbolizar o que eles estão tentando ver e compreender. Pessoas observadoras reconhecem a profundidade de um trecho de poesia—ele pode ter muitos possíveis significados. Da mesma maneira, os estudantes gradualmente aprendem a ver o significado oculto de uma equação em sua mente. Não deve causar nenhuma surpresa saber que gráficos, tabelas e outros recursos visuais também contêm um significado oculto—o que significa que podem ser ainda mais bem representados em sua mente do que na página.

desenvolvendo a imaginação

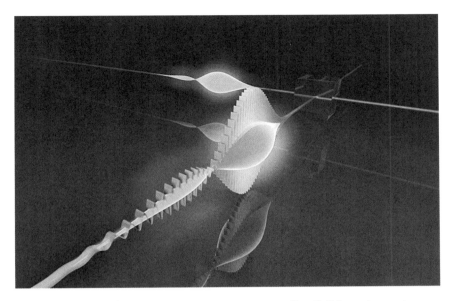

Einstein era capaz de imaginar a si mesmo como um fóton[7]. Nós podemos ter uma noção do que Einstein viu ao olhar para esta bela visão, pelo físico italiano Marco Bellini, de um intenso pulso de laser (na frente) sendo usado para medir a forma de um único fóton (na parte de trás).

Simplifique e Personalize Tudo o Que Você Estiver Estudando

Nós já falamos disso antes, mas vale a pena voltar ao assunto agora que entendemos melhor como imaginar as ideias que são a base das equações. **Uma das coisas mais importantes que podemos fazer quando estamos tentando aprender matemática e ciências é dar vida às ideias abstratas em nossas mentes.** Santiago Ramón y Cajal, por exemplo, tratava as cenas microscópicas a sua frente como se elas fossem habitadas por criaturas vivas que tinham esperanças e sonhos, como se fossem pessoas[8]. O colega e amigo de Cajal, Charles Sherrington, que cunhou a palavra "sinapse", dizia que ele nunca tinha conhecido outro cientista com essa intensa capacidade de dar

A pioneira geneticista Barbara McClintock imaginou versões gigantescas dos elementos moleculares com que ela estava trabalhando. De forma semelhante a outros ganhadores do Prêmio Nobel, ela personificou os elementos que estava estudando—e até mesmo se tornou amiga deles.

vida a seu trabalho. Sherrington se perguntava se isso poderia ter sido um fator determinante para o nível de sucesso de Cajal.

As teorias da relatividade de Einstein surgiram não de suas habilidades matemáticas (ele muitas vezes precisava da colaboração de matemáticos para fazer progresso), mas de sua capacidade de fazer de conta. Ele imaginava que era um fóton se movendo na velocidade da luz, então imaginava como um segundo fóton poderia percebê-lo. O que esse segundo fóton veria e sentiria?

Barbara McClintock, que ganhou o prêmio Nobel pela sua descoberta da transposição genética ("genes saltadores" que podem mudar de lugar na cadeia do DNA), escreveu sobre como ela imaginava as plantas de milho que ela estudava: "Eu era até capaz de ver as partes internas dos cromossomos—na verdade tudo estava lá. Isso me surpreendia porque eu realmente sentia que eu estava lá e que elas eram minhas amigas"[9].

Montar uma peça de teatro em sua mente e imaginar os elementos e mecanismos que você está estudando como seres vivos, com seus próprios sentimentos e pensamentos, pode parecer bobagem. Mas esse método funciona—ele dá vida ao que você está aprendendo e ajuda você a compreender fenômenos que estariam além de sua intuição se você pensasse apenas em números e fórmulas.

Simplificar também é importante. Richard Feynman, o físico que tocava bongô que encontramos no início deste capítulo, era conhecido por pedir que cientistas e matemáticos explicassem suas ideias de forma simples, para que ele pudesse entendê-las. Surpreendentemente, é possível encontrar explicações simples para quase *qualquer* conceito, não importa qual seja sua complexidade. Quando você valoriza explicações simples e divide o material mais complicado em seus elementos básicos, o resultado é que você tem uma compreensão mais profunda do material[10]. O especialista em aprendizagem Scott Young desenvolveu essa ideia no que ele chama de "a técnica de Feynman", que pede às pessoas para encontrar uma metáfora ou analogia simples para ajudá-las a captar a essência de uma ideia[11].

O lendário Charles Darwin fazia a mesma coisa. Ao tentar explicar um conceito, ele imaginava que alguém tinha acabado de entrar em seu escritório. Ele largava a caneta e tentava explicar a ideia em termos simples. Isso o ajudava a descobrir a melhor maneira de descrever o conceito por escrito. Seguindo esse espírito, o site Reddit tem uma seção chamada "Explique como se eu tivesse 5 anos", em que qualquer um pode fazer uma postagem pedindo uma explicação simples sobre um tema complexo[12].

Você pode pensar que realmente precisa entender alguma coisa para ser capaz de explicá-la. Mas observe o que acontece quando você está falando com outras pessoas sobre o que você está estudando. Você ficará surpreso ao ver quantas vezes você entende alguma coisa como *consequência* de tentar explicá-la para outras pessoas e para si mesmo, e não da explicação decorrente de seu entendimento anterior. É por isso que os professores muitas vezes dizem que a primeira vez que realmente compreenderam um assunto foi quando tiveram que ensiná-lo.

PRAZER EM CONHECÊ-LO

"Aprender química orgânica não é mais desafiador do que conhecer alguns novos personagens. Cada um dos elementos tem sua personalidade única. Quanto mais você entender essas personalidades, mais você será capaz de entender as situações em que se encontram e prever os resultados das reações."

– Kathleen Nolta, Ph.D., Professora Sênior em Química e ganhadora do "Prêmio Maçã Dourada", que reconhece a excelência no ensino na Universidade de Michigan

---

AGORA TENTE VOCÊ

Encene uma peça mental

Imagine-se dentro do reino de algo que você está estudando—olhando para o mundo do ponto de vista da célula ou do elétron ou até mesmo de um conceito matemático. Tente encenar uma peça mental com seus novos amigos, imaginando como eles se sentem e como reagem.

Transferência—Aplicando o Que Você Aprendeu em Novos Contextos

A *transferência* é a capacidade de aplicar o que você aprendeu em um contexto diferente. Por exemplo, você pode aprender um idioma estrangeiro e em seguida descobrir que você consegue aprender um segundo idioma mais facilmente. Isso acontece porque, quando você aprendeu o primeiro idioma, também adquiriu habilidades gerais úteis para a aprendizagem de idiomas e, potencialmente, novas palavras e estruturas gramaticais semelhantes, que foram *transferidas* para a aprendizagem do segundo idioma[13].

Aprender matemática aplicando-a apenas a problemas dentro dos limites de uma disciplina específica, como a contabilidade, a engenharia ou a economia, pode ser semelhante a decidir que você não vai realmente aprender um idioma estrangeiro, afinal de contas— você vai continuar falando apenas um idioma e apenas aprender algumas novas palavras. Na verdade, para muitos matemáticos, aprender matemática usando apenas abordagens específicas para uma disciplina faz com que seja mais difícil usar a matemática de forma flexível e criativa.

Os matemáticos acreditam que, aprendendo matemática como eles ensinam a matéria, que gira em torno de sua essência abstrata, sem se preocupar com aplicações específicas, você adquire habilidades que podem ser transferidas facilmente para uma variedade de aplicações. Em outras palavras, você adquirirá o equivalente a habilidades gerais para a aprendizagem de idiomas. Você pode ser um estudante de física, por exemplo, mas você poderia usar seu conhecimento de matemática abstrata para entender rapidamente como os mesmos princípios e métodos matemáticos são aplicados a muito outros processos biológicos, financeiros ou até mesmo psicológicos.

226 a p r e n d e n d o   a   a p r e n d e r

Essa é uma das razões que fazem com que os matemáticos gostem de ensinar matemática de uma forma abstrata, sem necessariamente tratar de aplicações práticas. Eles querem que você assimile a essência das ideias porque eles acreditam que isso torna mais fácil aplicar essas ideias em diversas outras áreas[14]. É como se eles não quisessem que você aprendesse a dizer uma frase específica em albanês, lituano ou islandês significando *eu corro,* mas, em lugar disso, entendesse a ideia mais geral de que existe esta categoria de palavras chamada *verbos,* que você *conjuga.*

O desafio é que muitas vezes é mais fácil entender uma ideia matemática quando ela é aplicada diretamente a um problema concreto—embora isso possa tornar mais difícil transferir a ideia matemática para novas áreas mais tarde. Como seria de se esperar, acaba havendo uma luta constante entre as abordagens concretas e abstratas para a aprendizagem de matemática. Os matemáticos argumentam que as abordagens abstratas são fundamentais para o processo de aprendizagem. Em contraste, na engenharia, na administração e em muitas outras profissões, tudo gravita naturalmente para que a matemática se concentre em suas áreas específicas para ajudar a aumentar o interesse dos alunos e evitar queixas do tipo *quando é que eu vou usar isso na vida real?* A matemática aplicada concretamente também não sofre de um problema comum em livros didáticos de matemática, em que muitos problemas supostamente do "mundo real" são simplesmente exercícios mal disfarçados. No final, as abordagens concretas e abstratas têm suas vantagens e desvantagens.

A transferência também é benéfica porque muitas vezes facilita a aprendizagem à medida que os alunos avançam em seus estudos de uma disciplina. Como o Professor Jason Dechant, da Universidade de Pittsburgh, diz: "eu sempre digo aos meus alunos que eles vão estudar menos conforme avancem em seus programas de enfermagem, e eles não acreditam em mim. Apesar de eles realmente fazerem cada vez mais à medida que os semestres se seguem, eles simplesmente se tornam melhores em realizar suas tarefas com mais eficiência".

Um dos aspectos mais problemáticos da procrastinação—a interrupção constante de sua concentração para verificar suas mensagens de telefone, e-mails ou outras atualizações—é que ela interfere na transferência. Os estudantes que interrompem seu trabalho constantemente não só não aprendem tão profundamente, mas também não são capazes de transferir o pouco que aprendem tão facilmente para outras matérias[15]. Você pode pensar que está aprendendo entre as interrupções para verificar suas mensagens de telefone, mas, na realidade, seu cérebro não está se concentrando durante tempo suficiente para formar os blocos neurais sólidos que são tão centrais para a transferência de ideias de uma área para outra.

A TRANSFERÊNCIA DE IDEIAS *FUNCIONA!*

"No ano passado, experimentei usar em Florida Keys técnicas de pesca da região dos Grandes Lagos. Peixes completamente diferentes, iscas diferentes e uma técnica que nunca tinha sido usada, mas tudo funcionou muito bem. As pessoas pensavam que eu era louco e foi divertido lhes mostrar que na verdade eu estava apanhando peixes."

– Patrick Scoggin, cursando o último ano de história

EM RESUMO

- Equações são apenas formas de abstrair e simplificar conceitos. Isso significa que as equações contêm um significado mais profundo, como acontece com a poesia.

228   aprendendo a aprender

- Sua imaginação é importante porque ela pode ajudá-lo a encenar peças de teatro mentais e personificar o que você está aprendendo.
- A *transferência* é a capacidade de aplicar o que você aprendeu em um contexto diferente.
- É importante captar a essência de um conceito matemático, porque então é mais fácil transferir e aplicar essa ideia de maneiras novas e diferentes.
- Fazer várias coisas ao mesmo tempo (estar em "modo multitarefa") enquanto estuda significa que você não aprende tão profundamente—o que pode inibir sua capacidade de transferir o que está aprendendo.

> ## PAUSA E RECORDAÇÃO
>
> Feche o livro e desvie o olhar. Quais foram as principais ideias deste capítulo? Você consegue visualizar mentalmente algumas dessas ideias usando símbolos?

PARA MELHORAR SUA APRENDIZAGEM

1. Escreva uma equação poema—linhas de texto que dão uma ideia do que está por trás de uma equação convencional.

2. Escreva um parágrafo descrevendo como alguns dos conceitos que você está estudando podem ser visualizados em uma peça de teatro. Como você acha que os atores em sua peça poderiam realisticamente sentir e interagir com os outros?

3. Escolha um conceito matemático que você aprendeu e examine um exemplo concreto de como esse conceito é aplicado. Então se afaste e veja se você consegue perceber o bloco abstrato de uma ideia por trás da aplicação. Você pode pensar em como esse conceito poderia ser usado de uma maneira completamente diferente?

{ 15 }
aprendizagem renascentista

As Vantagens de Aprender por Conta Própria

Pessoas como Charles Darwin, que se tornou uma das mais influentes figuras da história da humanidade com a teoria da evolução, são muitas vezes vistas como gênios naturais. Você pode se surpreender ao saber que, assim como Cajal, Darwin foi um estudante medíocre. Ele não conseguiu terminar a faculdade de medicina e acabou, para horror de seu pai, embarcando em uma viagem de volta ao mundo como o naturalista da expedição. Trabalhando sozinho, Darwin foi capaz de olhar com outros olhos para os dados que ele estava coletando.

A verdade é que a *persistência* é frequentemente mais importante do que a inteligência[1]. Abordar um assunto com o objetivo de aprendê-lo por conta própria lhe dá um caminho único para dominá-

aprendizagem renascentista 231

O neurocirurgião Ben Carson, vencedor da Medalha Presidencial da Liberdade por suas pioneiras inovações cirúrgicas, inicialmente estava sendo reprovado e gentilmente convidado a deixar a faculdade de medicina. Carson sabia que ele aprendia melhor através de livros, e não de aulas. Ele tomou uma medida contrária à intuição e parou de frequentar as aulas para dar a si mesmo tempo para se concentrar em aprender através de livros. Suas notas subiram e o resto é história. (Note que essa técnica não funciona para todos, e, se você usar esta história como uma desculpa para simplesmente parar de frequentar as aulas, você está cortejando o desastre!)

-lo. Muitas vezes, por melhor que seja o professor ou o livro didático, é somente quando você examina outros livros ou vídeos que você começa a ver que, quando você se restringe a um único professor ou livro, você aprende apenas uma versão parcial da realidade tridimen-

232   aprendendo a aprender

sional e completa sobre o assunto, que tem conexões com *outros* tópicos fascinantes, que você também pode querer *explorar*.

Nos campos das ciências, matemática e tecnologia, há muitos indivíduos que tiveram que abrir seu próprio caminho na aprendizagem, ou porque eles não tiveram nenhuma alternativa, ou porque, por alguma razão, deixaram de aproveitar as oportunidades que tiveram. A pesquisa mostrou que os alunos aprendem melhor quando eles próprios estão ativamente envolvidos com a matéria, em vez de simplesmente ouvir alguém falar[2]. Lidar pessoalmente com o material, às vezes participando de discussões com seus colegas, é crucial.

Santiago Ramón y Cajal ficou assustado quando teve que aprender cálculo já adulto, depois que decidiu se tornar médico. Ele nunca tinha dado atenção à matemática em sua juventude e não tinha sequer um entendimento rudimentar da matéria. Ele teve que ir virando as páginas de livros antigos, coçando a cabeça enquanto tentava entender os conceitos básicos. Cajal aprendeu mais profundamente, no entanto, porque foi guiado por seus objetivos pessoais.

> "Que estimulante e maravilhoso seria para o iniciante se seu instrutor, em vez de impressioná-lo e desanimá-lo com a perfeição das grandes realizações do passado, revelasse a origem de cada descoberta científica, a série de erros e equívocos que a precedeu—informações que, de uma perspectiva humana, são essenciais para explicar a descoberta de forma acurada."[3]
>
> – *Santiago Ramón y Cajal*

O inventor e autor William Kamkwamba, nascido em 1987 na África, não pôde frequentar a escola por falta de recursos. Então ele começou a estudar sozinho, indo para a biblioteca de sua aldeia, onde encontrou um livro intitulado *Usando energia*. Mas Kamkwamba não terminou de ler o livro. Quando ele tinha apenas quinze anos de

aprendizagem renascentista   233

idade, ele usou o livro para guiá-lo na aprendizagem ativa: ele construiu seu próprio moinho de vento. Seus vizinhos o chamavam de *misala*—louco, mas sua criação ajudou a levar a eletricidade e a água corrente para sua aldeia e a desencadear e propulsionar o crescimento do movimento de inovação tecnológica de base na África[4].

A neurocientista e farmacologista americana Candace Pert teve uma excelente educação, ganhando um doutorado em farmacologia pela Universidade Johns Hopkins. Mas parte de sua inspiração e sucesso subsequentes tiveram uma fonte incomum. Pouco antes de começar sua pós-graduação em medicina, ela machucou as costas em um acidente de equitação e passou um verão encasulada sob os efeitos de medicamentos potentes para a dor[5]. Suas experiências pessoais com a dor e com analgésicos motivaram sua pesquisa científica. Ignorando as tentativas de seu conselheiro de dissuadi-la, ela fez algumas das primeiras descobertas cruciais sobre receptores de opioides—um grande passo em frente na compreensão dos mecanismos do vício.

A faculdade não é a única maneira de aprender. Algumas das pessoas mais poderosas e renomadas de nosso tempo, incluindo Bill Gates, Larry Ellison, Michael Dell, Mark Zuckerberg, James Cameron, Steve Jobs e Steve Wozniak, abandonaram a faculdade. Continuaremos a ver inovações fascinantes concebidas por pessoas que são capazes de combinar os melhores aspectos tradicionais e não tradicionais da aprendizagem com suas próprias abordagens autodidatas.

Assumir a responsabilidade por sua própria aprendizagem é uma das coisas mais importantes que você pode fazer. Abordagens centradas no professor, nas quais o professor é considerado a fonte das respostas, às vezes podem, de forma não intencional, promover entre os alunos um sentimento de impotência quanto à aprendizagem[6]. Surpreendentemente, os sistemas em que os alunos avaliam os professores podem promover a mesma impotência—esses sistemas permitem que você culpe a incapacidade de seu professor de motivar ou

234   a p r e n d e n d o   a   a p r e n d e r

instruir os alunos por seus fracassos[7]. A aprendizagem centrada no aluno, na qual os alunos são desafiados a aprender uns com os outros e a impulsionar a si mesmos em direção ao domínio do material, é extraordinariamente poderosa.

O Valor dos Grandes Mestres

Às vezes, você terá uma chance de interagir com mentores ou professores verdadeiramente especiais. Quando surgir uma feliz oportunidade desse tipo, agarre-a. Prepare-se para superar o estágio da *hesitação* e obrigue-se a aproximar-se e fazer perguntas—reais e que vão direto ao ponto, e não perguntas para ostentar o quanto você sabe. Com o tempo, isso se tornará mais fácil e será útil de maneiras que você não é capaz de antecipar—uma frase simples, mas que reflita a vasta experiência de um especialista, pode mudar o curso de seu futuro. Mas não deixe que suas interações desperdicem o tempo precioso de seus potenciais mentores, ou abusem de sua boa vontade. E também não se esqueça de mostrar reconhecimento pela pessoa que está o orientando—é essencial que ela saiba que a ajuda é importante para você.

Tome cuidado, entretanto, para não ser vítima da síndrome do "estudante carente". Professores atenciosos, em particular, podem se tornar ímãs que atraem alunos cujas verdadeiras necessidades, muito mais do que respostas para suas questões propriamente ditas, envolvem o desejo de usar a atenção do instrutor para satisfazer seus egos. Os professores bem-intencionados podem ficar esgotados tentando atender necessidades sem fim.

Evite também a armadilha de ter *certeza* de que sua resposta está correta e tentar forçar seu professor a seguir os passos tortuosos de sua lógica, quando sua resposta estiver obviamente errada. Pode ser que, raramente, você esteja correto no final das contas, mas, para muitos professores, particularmente em níveis mais avançados de matemática e ciências, tentar seguir raciocínios retorcidos e errôneos é como ouvir música desafinada—uma tarefa ingrata e dolorosa. Geralmente é melhor retomar o problema do início e ouvir as sugestões de seu professor. Quando finalmente entender a resposta, você pode voltar se quiser analisar seu erro. (Muitas vezes você vai perceber, de imediato, que é difícil até mesmo colocar em palavras o quão errada sua abordagem anterior estava.) Bons professores e mentores são frequentemente pessoas muito ocupadas, e você precisa usar seu tempo com sabedoria.

Os verdadeiros grandes mestres fazem o material parecer simples e profundo, criam mecanismos para que os alunos aprendam uns com os outros e inspiram os alunos a aprender por conta própria. Por exemplo, Celso Batalha, um renomado professor de física em Evergreen Valley College, criou um popular grupo de leitura para seus alunos sobre como aprender a aprender. E muitos professores usam técnicas "ativas" e de "ensino colaborativo" na sala de aula que dão aos alunos a chance de se engajarem ativamente com o material e uns com os outros.[8]

Tive algumas surpresas ao longo dos anos. Alguns dos maiores professores que já conheci me disseram que, quando eram jovens, eles eram muito tímidos, tinham dificuldades em falar na frente do público e se sentiam intelectualmente incapazes até de sonhar em se tornarem professores. Eles, no final, ficaram surpresos ao descobrir que as qualidades que eles viam como desvantagens os ajudaram a se tornarem instrutores e professores interessados, atentos e criativos. A introversão parece ter feito com que fossem mais atenciosos e preocupados com os outros, e a humilde consciência de seus antigos fracassos lhes dava paciência e evitava que se comportassem como sabichões indiferentes.

Há *Outra* Razão para Aprender por Conta Própria—as Perguntas Estranhas das Provas

Voltemos ao mundo da aprendizagem tradicional no ensino médio e superior, em que algumas informações privilegiadas o ajudarão a ter sucesso. Um segredo dos professores de matemática e ciências é que muitas vezes eles buscam as perguntas das provas em livros que não são usados no curso. Afinal, é difícil inventar novas perguntas para as provas a cada semestre. Isso significa que muitas vezes há pequenas diferenças na terminologia ou abordagem nas perguntas da prova, o que pode prejudicar seu desempenho, mesmo se você souber bem o material apresentado em seu livro e nas aulas. Você pode acabar pensando que não tem talento para a matemática e as ciências, quando tudo o que você precisava ter feito era olhar para a matéria através de lentes diferentes enquanto estava estudando durante o semestre.

Cuidado com os Franco-Atiradores Intelectuais

Santiago Ramón y Cajal tinha uma profunda compreensão não só de como fazer ciência, mas também de como as pessoas interagem umas com as outras. Ele alertava seus colegas estudantes que *sempre haverá aqueles que criticam ou tentam minar seus esforços ou realizações*. Isso acontece com todo mundo, não só com os vencedores do prêmio Nobel. Se você se sai bem em seus estudos, as pessoas a seu redor podem se sentir ameaçadas. Quanto maiores forem suas realizações, maiores serão as chances de que outras pessoas ataquem e desvalorizem seus esforços. Por outro lado, se você for reprovado em uma prova, você também pode encontrar críticos que aproveitam para lançar farpas, dizendo que você não tem o que é preciso.

A verdade é que esse insucesso não é tão terrível. Analise o que você fez de errado e use isso para se sair melhor no futuro. Os fracassos são professores melhores do que os sucessos, porque eles nos fazem repensar a forma como fazemos as coisas.

Como você descobrirá quando começar a trabalhar (se é que ainda não começou), muitos indivíduos estão muito mais interessados em defender suas próprias ideias e promover a si mesmos do que em ouvir a opinião dos outros e fazer o que for melhor, dadas as circunstâncias. Nesse tipo de situação, pode ser difícil manter-se aberto a críticas construtivas e, ao mesmo tempo, não dar ouvidos à crítica que é expressa como se fosse construtiva, mas que é na verdade simplesmente destrutiva. Qualquer que seja a crítica, se você sente uma forte emoção ou certeza (*mas eu estou certo!*), isso é uma indicação de que você não está ouvindo os argumentos que estão sendo apresentados ou que precisa voltar e reexaminar sua reação inicial sob uma perspectiva mais objetiva.

Sempre ouvimos dizer que a empatia é universalmente benéfica, mas, na verdade, ela não é[9]. É importante ignorar as pessoas quando você descobre que elas querem prejudicá-lo. Isso ocorre frequentemente, já que muitas vezes as pessoas são competitivas, e não cooperativas. Quando você é jovem, pode ser difícil fazer isso. Nós naturalmente gostamos de acreditar que podemos nos entender com todo mundo e que quase todos têm um bom coração e querem nos ajudar.

Como Cajal, você pode se orgulhar de ter por meta o sucesso *por causa* das mesmas coisas que fazem as outras pessoas dizerem que você não vai conseguir chegar lá. **Orgulhe-se de quem você é, especialmente das qualidades que o tornam "diferente", e use-as como seu talismã secreto para chegar ao sucesso.** Use sua teimosia natural para desafiar os preconceitos sempre presentes dos outros sobre o que você pode fazer.

238　aprendendo a aprender

AGORA TENTE VOCÊ!

"Ruim" Pode Ser Bom

Escolha uma característica aparentemente ruim e descreva como ela pode ajudá-lo a aprender ou a pensar criativa ou independentemente. Você consegue imaginar uma maneira de diminuir os aspectos negativos dessa característica, ao mesmo tempo em que você acentua os aspectos positivos?

EM RESUMO

- Aprender por conta própria é uma das maneiras mais profundas e eficazes de aprender. Ela pode ajudá-lo a:
  - Pensar de forma independente e
  - Responder as perguntas estranhas que, às vezes, surpreendem os alunos nas provas.
- Na aprendizagem, a persistência é com frequência muito mais importante do que a inteligência.
- Crie o hábito de ocasionalmente aproximar-se das pessoas que você admira. Você pode ganhar novos mentores com valiosos conhecimentos que, com uma simples frase, podem mudar o curso de seu futuro.
- Se você não é muito rápido em captar o essencial de tudo o que está estudando, não se desespere. Muitas vezes, os alunos "mais lentos" estão confrontando questões de importância fundamental que os alunos mais rápidos deixam passar despercebidas. Quando você finalmente entender o assunto, você o dominará em um nível mais profundo.
- As pessoas são cooperativas, mas são também competitivas. Sempre haverá aqueles que criticam ou tentam desvalorizar seus esforços ou realizações. Aprenda a lidar de forma desapaixonada com essas situações.

aprendizagem renascentista 239

> **PAUSA E RECORDAÇÃO**
>
> Feche o livro e desvie o olhar. Quais foram as principais ideias deste capítulo? Qual ideia é mais importante—ou há várias ideias igualmente importantes?

PARA MELHORAR SUA APRENDIZAGEM

1. Quais são as vantagens e desvantagens de aprender por conta própria, sem um programa formal de estudos?

2. Procure a frase "Lista de autodidatas" na Wikipédia. Quais autodidatas poderiam ser exemplos para você? Por quê?

3. Entre seus próprios conhecidos (ou seja, pessoas que não sejam celebridades), há alguém que você admira, mas com quem nunca conversou? Formule um plano para dizer olá e apresentar-se—então o execute.

NICHOLAS WADE, QUE ESCREVE SOBRE CIÊNCIAS PARA O *NEW YORK TIMES*, FALA SOBRE UMA MENTE INDEPENDENTE

Nicholas Wade escreve para a seção Science Times do *New York Times*. Sempre um pensador independente, Wade deve sua própria existência ao raciocínio também independente de seu avô—um dos poucos homens entre os sobreviventes do naufrágio do Titanic. Quando os homens, em sua maioria, seguiram um boato e se dirigiram para o bombordo do navio, o avô de Wade seguiu sua intuição e deliberadamente se dirigiu para o outro lado, a estibordo.

240   a p r e n d e n d o   a   a p r e n d e r

Aqui, Nicholas nos diz quais são, em sua opinião, os livros mais interessantes sobre cientistas e matemáticos.

"O Homem que Conhecia o Infinito: A Vida do Gênio Ramanujan, *por Robert Kanigel. Este livro conta a inacreditável história do gênio matemático indiano Srinivasa Ramanujan, que saiu da pobreza e chegou à riqueza intelectual, e de seu amigo, o matemático britânico G. H. Hardy. Meu episódio favorito é o seguinte:*

"Uma vez, Hardy observou o número do táxi que o levava de Londres para o hospital em que Ramanujan estava internado, 1729. Ele deve ter pensado sobre isso um pouco porque ele entrou no quarto de Ramanujan e, com apenas um olá, deixou escapar sua decepção com o número. Era, ele declarou, 'um número bastante desinteressante', acrescentando que ele esperava que isso não fosse um mau presságio.

"'Não, Hardy', disse Ramanujan. 'É um número muito interessante. É o menor número que pode ser representado como a soma de dois cubos de maneiras diferentes.'

"Nobres Selvagens, *por Napoleon Chagnon. Esta história de aventuras maravilhosamente bem escrita dá uma noção de como é aprender a sobreviver e prosperar em uma cultura totalmente estranha. Chagnon originalmente era um engenheiro. Sua pesquisa científica mudou nossa compreensão de como as culturas se desenvolvem.*

"Homens da Matemática, *por E. T. Bell. Esse velho clássico é uma leitura deslumbrante para quem está interessado em como pessoas fascinantes pensam. Quem poderia se esquecer do brilhante Évariste Galois, que passou a noite antes do dia em que sabia que iria morrer em um duelo "febrilmente escrevendo seu testamento matemático, em uma corrida contra o tempo para registrar algumas das grandes ideias em sua mente fervilhante antes que a morte que ele antevia pudesse alcançá-lo. Ele parava repetidamente e rabiscava na margem 'Eu não tenho tempo; Eu não tenho tempo', antes de passar para o próximo esboço de prova rabiscado freneticamente." A verdade seja dita, essa é uma das poucas histórias emocionantes que o Professor Bell talvez tenha exagerado, embora Galois tenha inquestionavelmente passado aquela última noite finalizando o trabalho de sua vida. Mas esse brilhante livro inspirou gerações de homens e mulheres."*

{ 16 }

evitando o excesso de confiança:

O Poder do Trabalho em Equipe

Fred tinha um problema. Ele não conseguia mexer a mão esquerda. Isso não era surpreendente. Um mês antes, enquanto cantava no chuveiro, Fred sofreu um derrame isquêmico quase letal no hemisfério direito do cérebro. O hemisfério direito do cérebro controla o lado esquerdo do corpo, e era por isso que a mão esquerda de Fred estava sem vida.

O verdadeiro problema de Fred, porém, era pior. Embora ele não pudesse mover sua mão esquerda, Fred insistia—*e realmente acreditava*—que podia. Às vezes ele explicava a falta de movimento dizendo que estava cansado demais para levantar um dedo. Ou ele insistia que a mão esquerda *tinha* se movido. As pessoas apenas não tinham percebido. Fred até mesmo movia sua mão esquerda disfarçadamente com a mão direita e então dizia que sua mão havia se movido sozinha.

Felizmente, à medida que os meses passaram, a mão esquerda de

Fred gradualmente recuperou os movimentos. Fred riu com seu médico da maneira como ele havia se enganado que podia mover sua mão nas semanas imediatamente após o derrame; e ele falava com empolgação sobre seu retorno ao trabalho como contador.

Mas havia sinais de que Fred não era exatamente o mesmo homem de antes. Ele costumava ser uma pessoa carinhosa e atenciosa, mas o novo Fred era dogmático e se julgava moralmente superior aos outros.

Havia outras mudanças. Fred costumava ser um grande brincalhão, mas agora ele apenas acenava com a cabeça sem entender as piadas que outras pessoas contavam. A habilidade de Fred em investir também tinha evaporado e sua cautela tinha sido substituída por um excesso de confiança em si mesmo e um otimismo ingênuo.

Pior ainda, Fred parecia ter se tornado emocionalmente surdo. Ele tentou vender o carro de sua esposa sem pedir permissão e ficou surpreso quando ela se aborreceu. Quando o adorado cachorro da família morreu, Fred se sentou calmamente, comendo pipoca, e observou sua mulher e filhos chorarem, como se fosse uma cena de um filme.

O que fazia com que essas alterações fossem mais difíceis de entender era que Fred parecia ter conservado sua inteligência—até sua habilidade formidável com os números. Ele ainda conseguia elaborar rapidamente o demonstrativo de resultados de uma empresa e resolver problemas complexos de álgebra. Uma anormalidade interessante, no entanto, era que, se Fred cometesse um erro em seus cálculos, concluindo algo absurdo, por exemplo, que um carrinho de cachorro-quente teve um prejuízo de quase 1 bilhão de dólares, isso não o incomodava. Quando ele via os resultados como um todo, não havia nenhum estalo que o fizesse pensar *Espere um minuto, essa resposta não faz sentido.*

No fim das contas, Fred era uma vítima típica do "transtorno perceptual de perspectiva ampla do hemisfério direito"[1]. O derrame

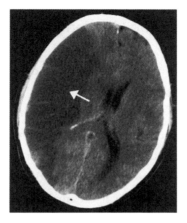

A seta nesta tomografia aponta para a sombra que indica o dano causado no cérebro por um derrame isquêmico no hemisfério direito.

de Fred tinha incapacitado vastas áreas do hemisfério direito de seu cérebro. Ele ainda conseguia funcionar, mas apenas parcialmente.

Embora nós precisemos ter cuidado sobre suposições errôneas e superficiais sobre o "lado esquerdo—lado direito do cérebro", nós também não queremos jogar fora o bebê com a água do banho e ignorar as pesquisas de mérito que dão pistas intrigantes sobre as diferenças entre os hemisférios do cérebro[2]. Fred nos lembra dos perigos de não usarmos plenamente nossas habilidades cognitivas, que envolvem muitas áreas de nosso cérebro. Não usar algumas de nossas habilidades não é tão devastador para nós como é para Fred. Mas se deixarmos, mesmo em pequena parte, de usar algumas delas, isso pode ter um impacto surpreendentemente negativo em nosso trabalho.

Evitando o Excesso de Confiança

A pesquisa produziu uma grande quantidade de evidências de que o hemisfério direito nos ajuda a ver nosso trabalho sob uma perspectiva global[3]. Pessoas com danos no hemisfério direito são muitas vezes incapazes de ter momentos de inspiração em que a solução de um problema se torna subitamente clara. É por isso que Fred não era capaz de entender piadas. O hemisfério direito, constatou-se, é de vital importância para encontrar o caminho certo e verificar se nossas conclusões fazem sentido[4].

De certa forma, quando você faz correndo um problema do dever de casa ou de uma prova e não volta e verifica seu trabalho, você está agindo um pouco como uma pessoa que se recusa a usar partes de seu cérebro. Você não está parando para tomar fôlego mentalmente e então rever o que você fez de um ponto de vista mais global, para ver se tudo faz sentido[5]. Como o destacado neurocientista V.S. Ramachandran observou, o hemisfério direito serve como uma espécie de "advogado do diabo, questionando o status quo e procurando inconsistências globais", enquanto "o hemisfério esquerdo sempre tenta se agarrar tenazmente à maneira como as coisas eram"[6]. Isso ecoa o trabalho pioneiro do psicólogo Michael Gazzaniga, que postulava que o hemisfério esquerdo interpreta o mundo para nós—e fará um grande esforço para evitar que suas interpretações mudem[7].

Quando você trabalha no modo focado, é fácil cometer pequenos erros em suas suposições ou cálculos. Se você se afastar do caminho certo logo no início, não importa se o resto de seu trabalho está correto ou não—sua resposta ainda estará errada. Às vezes ela será até mesmo absurda—o equivalente a calcular que a circunferência da terra é de apenas 1,0 metro. Esses resultados absurdos, entretanto, não o incomodarão, porque o modo focado, mais centralizado no hemisfério esquerdo, está associado ao desejo de se agarrar ao que você fez.

Esse é o problema com a análise de modo focado, associada ao hemisfério esquerdo do cérebro. Ela oferece uma abordagem analítica e otimista. Mas evidências abundantes da pesquisa sugerem que existe um potencial para a rigidez, o dogmatismo e o egocentrismo.

Quando você está absolutamente certo do que fez em um dever de casa ou prova, tenha consciência de que esse sentimento pode estar baseado em um excesso de confiança, com origem em parte no hemisfério esquerdo. Quando você volta e verifica novamente seu trabalho, você está permitindo que haja uma maior interação entre os hemisférios—tirando proveito das perspectivas especiais e habilidades de cada um.

As pessoas que não se sentem confortáveis com a matemática muitas vezes tentam desesperadamente encontrar um padrão nos exemplos do professor ou do livro e ajustar suas equações de acordo com esse padrão. Bons alunos examinam cuidadosamente seu trabalho para ter certeza de que seus resultados fazem sentido. Eles se perguntam o que as equações significam e de onde elas vêm.

> "O primeiro princípio é que você não deve se enganar—e você é a pessoa mais fácil de enganar."[8]
>
> – O físico Richard Feynman, falando sobre como evitar a pseudociência que se disfarça como ciência

O Valor do Debate Livre de Ideias

Niels Bohr estava muito envolvido com o projeto Manhattan—a corrida dos EUA durante a segunda guerra mundial para construir a bomba atômica antes dos nazistas. Ele também foi um dos maiores físicos da história—o que em última instância criou dificuldades em seu trabalho na física.

Bohr era tão respeitado como o gênio cuja intuição tinha dado origem à teoria quântica que o que pensava era considerado acima da crítica. Isso significava que ele não conseguia mais discutir suas ideias com os outros. Por mais absurda que fosse uma ideia proposta por Bohr, os outros físicos que trabalhavam na bomba atômica ex-

Niels Bohr relaxando com Albert Einstein em 1925.

pressavam admiração e espanto como se ela fosse algo sagrado.

Bohr lidava com esse desafio de uma forma peculiar.

Richard Feynman havia se tornado conhecido como alguém que não era intimidado por outras pessoas—ele estava interessado simplesmente em fazer sua pesquisa em física, não importando com quem estivesse trabalhando. Ele era tão bom nisso, na verdade, que se tornou a arma secreta de Bohr. Feynman, naquela época, era apenas um jovem na multidão de centenas de físicos proeminentes em Los Alamos, mas ele foi escolhido por Bohr para participar de discussões privadas antes de Bohr se encontrar com os outros físicos. Por quê? Feynman era o único que não se sentia intimidado por Bohr e que, quando era o caso, dizia a Bohr que suas ideias não faziam sentido[9].

Como Bohr já sabia, fazer debates livres de ideias e trabalhar com os outros—contanto que eles conheçam a área—pode ser útil. Às vezes, simplesmente não basta usar sua própria potência mental—ambos os hemisférios do cérebro e modos de raciocínio—para analisar seu trabalho. Afinal, todo mundo tem pontos cegos. Seu modo focado é ingenuamente otimista e pode deixar passar erros, especialmente se foi *você* quem cometeu esses erros[10]. Ainda pior, às vezes você pode acreditar cegamente que tudo está bem resolvido intelectualmente, quando na verdade não está. (Este é o tipo de coisa que pode deixá-lo em estado de choque ao descobrir que foi reprovado em uma prova que pensou que tinha gabaritado.)

Estudar com os amigos pode ajudá-lo a descobrir mais facilmente onde seu raciocínio enveredou pelo caminho errado. Seus amigos e companheiros de equipe podem servir como uma espécie de modo difuso fora de seu próprio cérebro, em escala mais ampla e sempre questionando seu trabalho, ajudando você a encontrar erros que deixou passar despercebidos, ou que você não consegue enxergar. E lembre-se de que explicar seu trabalho para os amigos pode fazer você entender melhor o assunto.

248   aprendendo a aprender

O hábito de trabalhar com os outros não está relacionado apenas com a solução de problemas—ele também é importante para a construção de sua carreira. Uma única sugestão de um companheiro de equipe, aparentemente de pouca importância, para fazer um curso de um excelente professor, ou para examinar uma nova oportunidade de emprego, pode fazer uma diferença extraordinária em como sua vida se desenrola. Um dos artigos mais citados em sociologia, "A força dos laços fracos", do sociólogo Mark Granovetter, descreve como o número de conhecidos de uma pessoa—*e não* o número de seus amigos próximos—permite prever seu acesso às ideias mais recentes e também seu sucesso no mercado de trabalho[11]. Seus amigos, afinal de contas, costumam frequentar os mesmos círculos sociais que você. Mas seus conhecidos, e também seus companheiros de classe, costumam frequentar círculos diferentes—isso significa que seu acesso ao modo difuso interpessoal "fora de seu cérebro" é exponencialmente maior.

Aqueles com quem você estuda devem ser capazes, pelo menos às vezes, de criticar vigorosamente o trabalho dos outros. A pesquisa sobre criatividade em equipes demonstrou, aliás, que interações agradáveis, sem juízos de valor, são *menos* produtivas do que as sessões em que a crítica é aceita e mesmo solicitada como parte do jogo[12]. Se um de seus amigos de estudo achar que você entendeu algo errado, é importante que ele seja capaz de dizer isso claramente e de discutir por que você está errado, sem se preocupar em não ferir seus sentimentos. Claro, você não quer atacar gratuitamente outras pessoas, mas por outro lado uma preocupação excessiva com a criação de um "ambiente seguro" realmente mata a capacidade de pensar de forma construtiva e criativa, porque você termina se preocupando mais com as outras pessoas do que com o que esta sendo discutido. Como Feynman, você deve se lembrar de que as críticas, não importa se você as faz ou recebe, não são realmente sobre você. Elas são sobre o que você está tentando entender. Do mesmo modo, as pessoas mui-

evitando o excesso de confiança 249

tas vezes não percebem que a competição pode ser uma coisa boa—a competição é, aliás, uma forma intensa de colaboração que pode ajudar a revelar o melhor das pessoas.

Discutir ideias com os amigos e companheiros pode ajudar de outra forma. Muitas vezes você não se preocupa em não parecer estúpido na frente dos amigos. Mas você não quer parecer estúpido *demais*—pelo menos, não com muita frequência. Estudar com outras pessoas, sob esse aspecto, pode ser um pouco como praticar na frente de uma plateia. A pesquisa mostrou que praticar em público torna mais fácil pensar rapidamente e reagir bem em situações estressantes, como as que você encontra quando faz uma prova ou uma apresentação[13]. Há ainda outra vantagem em estudar com os amigos—quando há um erro no material de estudo. Por melhor que seu instrutor—ou o livro adotado—seja, inevitavelmente você irá se deparar com um erro. Seus amigos podem ajudar a confirmar a existência do erro e resolver a confusão resultante, evitando que você desperdice horas seguindo pistas falsas enquanto tenta encontrar uma maneira de explicar algo que está simplesmente errado.

Mas aqui cabe uma palavra final de advertência. Grupos de estudo podem ser poderosamente eficazes para a aprendizagem em matemática, ciências, engenharia e tecnologia. Mas se as sessões de estudos se transformarem em eventos sociais, você pode se esquecer de tudo que foi dito. Reduza a conversa a um mínimo, não perca de vista seu objetivo e termine seu trabalho[14]. Se suas reuniões de grupo começarem com atraso de 5 a 15 minutos, os membros não lerem o material, e a conversa fugir do assunto constantemente, encontre outro grupo.

250   a p r e n d e n d o   a   a p r e n d e r

TRABALHO EM EQUIPE PARA INTROVERTIDOS

"Eu sou introvertido e não gosto de trabalhar com outras pessoas. Mas quando eu não estava indo tão bem na faculdade de engenharia (na década de 80), decidi que precisava de um segundo par de olhos, embora eu ainda não quisesse trabalhar com ninguém. Como ainda não existia bate-papo online naquela época, nós deixávamos notas nas portas dos quartos dos dormitórios. Meu colega Jeff e eu tínhamos um sistema: por exemplo, eu escrevia '1) 1.7 m/s'—significando que a resposta do problema 1 do dever de casa era 1,7 metros por segundo. Depois de tomar banho eu voltava e via que Jeff tinha escrito, 'Não, 1) 11 m/s'. Desesperadamente eu verificava novamente o meu próprio trabalho e encontrava um erro, mas agora a resposta era 8,45 m/s. Eu ia até o quarto de Jeff e nós discutíamos energeticamente as nossas soluções, Jeff com uma guitarra pendurada no ombro. Mais tarde, ambos voltávamos, separadamente, ao nosso trabalho e de repente eu via que a resposta era 9,37 m/s, e ele também chegava ao mesmo resultado, e nós dois acertávamos todas as questões do dever de casa. Como você pode ver, existem maneiras de trabalhar com os outros que exigem apenas uma interação mínima, caso você não goste de trabalhar em grupos."

—*Paul Blowers, Professor Universitário Benemérito (para ensino extraordinário), Universidade do Arizona*

EM RESUMO

- O modo focado pode permitir que você cometa erros graves apesar de ter certeza de que fez tudo corretamente. Reverificar seu trabalho pode permitir que você o veja sob uma perspectiva mais ampla, usando processos neurais ligeiramente diferentes que podem permitir que você encontre eventuais erros.

evitando o excesso de confiança   251

- Trabalhar com outras pessoas que não têm medo de discordar do que você diz pode:
  - ajudá-lo a encontrar erros em seu raciocínio.
  - tornar mais fácil pensar rapidamente e reagir bem em situações estressantes.
  - melhorar sua aprendizagem, garantindo que você realmente entenda o que você está explicando para os outros e reforçando o que você sabe.
  - construir conexões importantes para sua carreira e ajudar a direcioná-lo para escolhas melhores.
- A crítica em seus estudos, não importa se você a faz ou recebe, não deve ser vista como se fosse sobre você. Ela é sobre o que você está tentando entender.
- A coisa mais fácil do mundo é enganar a si mesmo.

PAUSA E RECORDAÇÃO

Feche o livro e desvie o olhar. Quais foram as principais ideias deste capítulo? Tente se lembrar de algumas dessas ideias quando estiver perto de amigos—isso ajudará seus amigos a saberem como suas interações com eles são valiosas.

PARA MELHORAR SUA APRENDIZAGEM

1. Descreva um exemplo de como você estava absolutamente 100% certo de uma coisa e depois descobriu que estava errado. Como resultado desse incidente, e de outros semelhantes, você acredita que agora é mais capaz de aceitar críticas a suas ideias?

2. O que você faria se seu grupo estivesse se concentrando em outros assuntos além de seus estudos?

3. Como você poderia tornar mais eficaz suas sessões de estudos com colegas?

OBSERVAÇÕES SOBRE A APRENDIZAGEM DO PROFESSOR DE FÍSICA BRAD ROTH, UM MEMBRO DA SOCIEDADE AMERICANA DE FÍSICA E COAUTOR DO LIVRO *INTERMEDIATE PHYSICS FOR MEDICINE AND BIOLOGY*

Brad Roth e seu cachorro Suki, desfrutando o outono em Michigan

"Uma coisa em que insisto em minhas aulas é que você deve pensar antes de calcular. Eu realmente odeio a abordagem mecânica que muitos estudantes usam. Além disso, eu constantemente lembro os alunos de que as equações não são meramente expressões que combinam números para chegar a outros números. As equações contam uma história sobre como o mundo físico funciona. Para mim, o segredo para entender uma equação da física é ver a história por trás dela. Uma compreensão qualitativa de uma equação é mais importante do que usá-la para obter números quantitativamente corretos.

Aqui estão mais algumas dicas:

1) Muitas vezes é mais rápido verificar seu trabalho do que resolver um problema. É uma pena gastar 20 minutos para resolver um problema e terminar obtendo um resultado errado porque você não gastou dois minutos para verificá-lo.

2) As unidades de medida são suas amigas. Se as unidades em cada lado de uma equação não coincidirem, a equação não

evitando o excesso de confiança

está correta. Você não pode adicionar algo em unidades de segundos a algo em unidades de metros. É como adicionar maçãs e pedras—o resultado não é nada comestível. Você pode rever seu trabalho e, se você encontrar o lugar onde as unidades param de corresponder, você provavelmente terá encontrado seu erro. Eu avaliei artigos de pesquisa enviados para revistas profissionais que contêm erros de unidade desse tipo.

3) *Você precisa pensar sobre o que a equação significa para que sua matemática e intuição coincidam. Se elas não coincidirem, então ou você tem um erro em sua matemática, ou um erro em sua intuição. De qualquer forma, você sai ganhando ao descobrir por que as duas não coincidem.*

4) *(Um pouco mais avançado) Frente a uma expressão complicada, examine os casos-limite nos quais uma variável ou outra vai para zero ou infinito, e veja se isso ajuda você a entender o que a equação está dizendo."*

{ 17 }

fazendo provas

Já mencionamos anteriormente, mas vale a pena repetir, em negrito: **fazer provas é por si só uma experiência de aprendizagem extraordinariamente poderosa.** Isto significa que o esforço despendido ao fazer uma prova, incluindo os minitestes preliminares de sua memória e de sua capacidade de resolver problema durante sua preparação para a prova, é de importância fundamental. Se você comparar quanto você aprende estudando durante uma hora e fazendo uma prova de uma hora sobre o mesmo assunto, você descobrirá que você retém e aprende muito mais como resultado da hora que passou fazendo a prova. Fazer provas é uma forma maravilhosa de concentrar a mente.

Praticamente tudo o que já falamos neste livro foi concebido para ajudar a transformar o processo de fazer provas em algo simples e natural—meramente uma extensão dos procedimentos normais que você usa para aprender o material. Então é hora de tratarmos diretamente de um dos componentes centrais deste capítulo e de todo o livro—uma lista de verificação que você pode usar para ver se sua preparação para as provas está no caminho certo.

LISTA DE VERIFICAÇÃO DE PREPARAÇÃO PARA PROVAS

O professor Richard Felder é uma lenda entre os professores de engenharia—ele indiscutivelmente fez tanto quanto ou mais do que qualquer educador neste século para ajudar os estudantes em todo o mundo a se destacarem em matemática e ciências[1]. Uma das técnicas mais simples e talvez mais eficazes que o Dr. Felder usa para ajudar os alunos é explicada em um memorando que ele escreveu para estudantes que se decepcionaram com suas notas[2].

Muitos de vocês disseram para seu instrutor que vocês compreenderam o material do curso muito melhor do que sua nota na última prova mostrou, e alguns de vocês lhe perguntaram o que devem fazer para evitar que a mesma coisa aconteça na próxima prova.

Deixe-me fazer algumas perguntas sobre como vocês se prepararam para a prova. Responda-as o mais honestamente possível. Se você responder "Não" para muitas delas, sua nota decepcionante na prova não deve causar muita surpresa. Se, depois da próxima prova, ainda houver muitas respostas "Não", sua nota decepcionante nessa prova deve causar ainda menos surpresa. Se sua resposta para a maior parte dessas perguntas for "Sim" e você, mesmo assim, tiver obtido uma nota baixa, alguma coisa deve estar acontecendo. Seria uma boa ideia você se encontrar com seu instrutor ou com um orientador para ver se você consegue descobrir qual é o problema.

Você notará que várias perguntas assumem que você está trabalhando com colegas nos deveres de casa—ou comparando as soluções que você primeiro obteve individualmente, ou procurando as soluções juntos. As duas abordagens funcionam bem. Na verdade, se você costuma trabalhar inteiramente isolado e suas notas nas provas são insatisfatórias, eu o en-

corajo fortemente a encontrar um ou dois parceiros e trabalhar nos deveres de casa e estudar junto com eles antes da próxima prova. (Tenha cuidado com a segunda abordagem, no entanto: se o que você está fazendo é essencialmente ver as outras pessoas encontrarem soluções, isso provavelmente está causando mais mal do que bem.)

A resposta para a pergunta "Como devo me preparar para a prova?" deve se tornar clara depois de você preencher a lista de verificação abaixo.

Você Deve Fazer o Que For Necessário para Ser Capaz de Responder 'Sim' para a Maior Parte das Perguntas.

Lista de verificação de preparação para provas

Responda "Sim" apenas se você *geralmente* faz as coisas descritas (e não se as faz apenas às vezes ou nunca).

Dever de casa

__Sim __Não 1. Você fez um esforço substancial para entender o texto? (Apenas ler exercícios resolvidos não conta.)

__Sim __Não 2. Você trabalhou com seus colegas nos problemas do dever de casa, ou no mínimo comparou sua solução com a dos outros?

__Sim __Não 3. Você tentou esboçar a solução de cada problema do dever de casa antes de trabalhar com os colegas?

Preparação para provas

Quanto mais respostas "Sim" você tiver marcado, melhor será sua preparação para a prova. Se você marcou duas ou mais respostas "Não", pense seriamente em fazer algumas mudanças em sua preparação para a próxima prova.

__Sim __Não 4. Você participou ativamente em discussões de grupo sobre o dever de casa (contribuindo com ideias ou fazendo perguntas)?

__Sim __Não 5. Você consultou o instrutor ou os assistentes de ensino quando teve dificuldades com alguma coisa?

__Sim __Não 6. Você entendia as soluções de TODOS os problemas do dever de casa quando o entregou para o professor?

__Sim __Não 7. Você pediu explicações na aula sobre as soluções de problemas do dever de casa que não ficaram claras para você?

__Sim __Não 8. Se você tinha um roteiro de estudos, você fez uma revisão cuidadosa antes da prova e se convenceu de que você poderia fazer tudo que estava no roteiro?

__Sim __Não 9. Você tentou esboçar muitas soluções de problemas rapidamente, sem gastar tempo com a álgebra e os cálculos?

__Sim __Não 10. Você fez uma revisão do roteiro de estudos e dos problemas com os colegas, e vocês fizeram perguntas uns aos outros sobre a matéria?

__Sim __Não 11. Se houve uma sessão de revisão antes da prova, você a assistiu e fez perguntas sobre qualquer coisa em que tinha dúvidas?

__Sim __Não 12. Você conseguiu dormir uma boa noite de sono antes da prova? (Se sua resposta for Não, suas respostas para as questões 1-11 podem não ter importância.)

__Sim __Não *TOTAL*

A Técnica *Começar pelo Difícil—Pular para o Fácil*

A recomendação tradicional é que os alunos comecem a prova fazendo os problemas mais fáceis. Isto é baseado na ideia de que depois de terminar os problemas relativamente simples, você terá mais confiança para enfrentar os problemas mais difíceis.

Essa abordagem funciona para algumas pessoas, principalmente porque qualquer coisa funciona para *algumas* pessoas. Infelizmente, no entanto, para a maioria das pessoas, isso não é uma boa ideia. Os problemas difíceis muitas vezes exigem muito tempo, ou seja, você gostaria de começar uma prova por eles. Os problemas difíceis também clamam pelos poderes criativos do modo difuso. Mas para acessar o modo difuso, você precisa *não* estar se concentrando naquilo que você quer tanto resolver!

O que fazer? Os problemas fáceis primeiro? Ou os difíceis?

A resposta é começar pelos problemas difíceis—mas saltar rapidamente para os fáceis. Aqui está o que quero dizer.

Quando a prova for entregue para você, primeiro dê uma olhada rápida para ter uma noção de seu conteúdo. (Você deve fazer isso de qualquer forma.) Procure o problema que pareça ser o mais difícil.

Então, quando você começar a resolver os problemas, comece com o problema aparentemente mais difícil. Mas se prepare para passar para outro problema se você ficar empacado por um minuto ou dois, ou achar que não está no caminho certo.

Isso é algo extremamente útil. "Começando pelo difícil", você carrega em seu cérebro o problema mais difícil e então desvia atenção para longe dele. *Essas duas atividades são o que permite que o modo difuso inicie seu trabalho.*

Se seu trabalho inicial no primeiro problema difícil o deixou atrapalhado, passe em seguida para um problema fácil e complete-o ou faça o máximo que puder. Em seguida, passe para outro problema aparentemente difícil e tente fazer um pouco de progresso. Novamente, assim que você sentir que está indo devagar ou que está empacado, trabalhe em algo mais fácil.

"Com meus alunos, eu falo sobre a preocupação boa e a preocupação ruim. A preocupação boa ajuda a ter motivação e foco, enquanto a preocupação ruim simplesmente desperdiça energia."

– Professor de matemática Bob Bradshaw, Ohlone College

Quando voltar para os problemas mais difíceis, muitas vezes você ficará satisfeito ao notar que os próximos passos da solução vão parecer mais óbvios. Você pode não ser capaz de chegar até o fim imediatamente, mas pelo menos você pode ir mais longe antes de passar para outra questão em que você pode fazer progresso.

Em certo sentido, usando essa abordagem nas provas, você está trabalhando como um chef eficiente. Enquanto você espera um bife terminar de fritar, você pode rapidamente fatiar o enfeite de tomate, em seguida temperar a sopa e depois remexer a cebola na frigideira. A técnica *começar pelo difícil—pular para o fácil* pode fazer uso mais eficiente de seu cérebro, permitindo que partes diferentes dele trabalhem simultaneamente em pensamentos diferentes[3].

Usando a técnica começar pelo difícil—pular para o fácil, você responderá cada questão pelo menos em parte. Ela também é uma técnica valiosa para ajudá-lo a evitar o Einstellung—ficar empacado em uma abordagem errada—porque você tem uma chance de olhar para os problemas de diferentes perspectivas. Tudo isso é particularmente importante se seu instrutor dá pontos para questões parcialmente corretas.

O único truque com esta abordagem é que *você deve ter a autodisciplina de passar para outro problema se você ficar empacado por um minuto ou dois*. Para a maioria dos estudantes, isso é fácil. Para outros, isso exige disciplina e força de vontade. Em qualquer caso, a esta altura você está bem ciente de que a persistência mal dirigida pode criar desafios desnecessários em matemática e ciências.

Pode ser por isso, na verdade, que às vezes a solução aparece na mente dos estudantes quando eles estão indo embora, já na porta de saída. Quando eles desistiram, a atenção deles abandonou o problema, permitindo que o modo difuso conseguisse o pouquinho de tração que precisava para ir ao trabalho e encontrar a solução. Tarde demais, naturalmente.

Às vezes as pessoas temem que começar um problema e em seguida afastar-se dele pode causar confusão durante um exame. Isso não parece ser um problema para a maioria das pessoas; afinal de contas, os chefs aprendem a coordenar os vários componentes de um jantar. Mas, se você ainda tem dúvidas se essa estratégia pode funcionar para você, teste-a primeiro com os problemas do dever de casa.

Tenha em mente que em algumas ocasiões a técnica começar pelo difícil—pular para o fácil pode não ser apropriada. Se o instrutor dá apenas alguns pontos para um problema muito difícil (alguns instrutores gostam de fazer isso), é provavelmente melhor concentrar seus esforços em outro lugar. Alguns exames computadorizados não permitem voltar às questões anteriores, então sua melhor aposta ao enfrentar uma pergunta difícil é simplesmente respirar profundamente uma ou duas vezes usando o diafragma (e não se esqueça de expirar todo o ar, também) e fazer o melhor que puder. E, se você não se preparou bem para o exame, você não pode contar com muita coisa. Obtenha os pontos que conseguir nas questões simples.

LIDANDO COM O PÂNICO ANTES DE UMA PROVA

"Eu digo para os meus alunos: *enfrentem seus medos*. Muitas vezes seu pior medo é não conseguir as notas de que você precisa para ingressar na carreira que você escolheu. Como você pode lidar com isso? Simples. Tenha um plano B para uma carreira alternativa. Quando você tiver um plano para a pior contingência, você ficará surpreso ao ver que o medo começará a diminuir.

Estude bastante até o dia da prova e depois desencane. Diga a você mesmo, 'Oh, tudo bem, deixe-me ver quantas perguntas eu consigo acertar. Eu sempre posso seguir minha outra escolha de carreira'. Isso ajuda a aliviar o estresse, e você termina se saindo melhor e se aproximando de sua primeira escolha de carreira."

– Tracey Magrann, Professora de Ciências Biológicas da Faculdade de Saddleback, Mission Viejo, Califórnia

Por Que a Ansiedade Pode Surgir em Provas e Como Lidar com Ela

Se você fica nervoso quando faz provas, tenha em mente que o corpo produz substâncias químicas, como o cortisol, quando está sob tensão. Isso pode causar mãos suadas, um coração palpitante e um nó no estômago. Mas, curiosamente, a pesquisa diz que é como você *interpreta* esses sintomas—a história que você conta para si mesmo explicando por que você está estressado—que faz toda a diferença. Se você mudar a sua perspectiva de "esta prova me deixou assustado" para "esta prova me deixou energizado para dar o máximo!", isso pode provocar uma melhora significativa em seu desempenho[4].

Outra boa dica é momentaneamente desviar a atenção para sua respiração. Relaxe o estômago, coloque a mão sobre ele e lentamente respire fundo. Sua mão deve se afastar, ao mesmo tempo em que seu tórax inteiro está se movendo para fora como um barril se expandindo.

Quando você faz esse tipo de respiração profunda, você está enviando oxigênio para áreas críticas de seu cérebro. Isso sinaliza que tudo está bem e ajuda a acalmá-lo. Mas não comece a usar essa respiração no dia da prova. Se você praticou essa técnica de respiração nas semanas anteriores—apenas um ou dois minutos aqui e ali é tudo o que é necessário—você encontrará mais facilmente o padrão de respiração durante a prova. (Lembre-se, a prática torna permanente!) Adotar deliberadamente um padrão de respiração profunda também é útil naqueles momentos finais de ansiedade, quando está chegando a hora de entregar a prova. (E sim, se você estiver interessado, existem dezenas de aplicativos para ajudá-lo.)

Outra técnica envolve a plena atenção[5]. Nessa técnica, você aprende a distinguir um pensamento que surge naturalmente (eu tenho uma prova importante na próxima semana) e a projeção emocional que pode vir de carona com o pensamento inicial (se eu for reprovado na prova, não conseguirei concluir o curso e não tenho certeza do que farei em seguida!). Esses pensamentos de carona parecem ser projeções que surgem como vislumbres do modo difuso. Mesmo algumas semanas de prática simples, aprendendo a perceber esses pensamentos e sentimentos como simples projeções mentais, parecem ajudar a aliviar e acalmar a mente. Reformular sua reação a esses pensamentos intrusivos funciona muito melhor do que simplesmente tentar suprimi-los. Os alunos que passaram algumas semanas praticando a abordagem da plena atenção apresentaram melhor desempenho em suas provas, experimentando menos pensamentos desse tipo.

Agora você pode ver por que esperar até o final da prova para trabalhar nas questões mais difíceis pode causar problemas. Exatamente quando você está cada vez mais estressado porque seu tempo está se esgotando, de repente você está também enfrentando os problemas mais difíceis! À medida que seus níveis de estresse sobem às alturas, você se concentra atentamente, pensando que a atenção concentrada resolverá seus problemas, mas, naturalmente, sua concentração em vez disso impede que o modo difuso faça seu trabalho.

O resultado? "Paralisia por análise"[6]. A técnica "começar pelo difícil—pular para o fácil" ajuda a evitar isso.

MÚLTIPLOS "PALPITES" E PROVAS SIMULADAS... ALGUMAS DICAS

"Quando aplico provas de múltipla escolha, eu às vezes acho que os alunos não compreendem totalmente a pergunta antes de irem em frente e lerem as alternativas de respostas. Eu recomendo que eles cubram as alternativas e tentem se lembrar da resposta, para primeiro responderem a questão sem ajuda.

Quando meus alunos se queixam que a prova simulada foi *muuuuuuito* mais fácil do que a real, eu pergunto: quais são as variáveis que tornam as duas situações diferentes? Quando você fez a prova simulada, você estava em casa relaxando com a música ligada? Você fez a prova junto com um colega? Sem limite de tempo? Com o gabarito e o material de estudo à mão? Essas circunstâncias não são exatamente iguais às de uma sala de aula lotada com o relógio contando os segundos. Eu de fato encorajo aqueles que sofrem com ansiedade durante as provas a levar sua prova simulada para outra classe (classes grandes em que você pode se sentar no fundo sem ser notado) e tentar fazê-la na sala."

– Professora Susan Diana Hebert, Psicologia, Universidade Lakehead, Thunder Bay, Ontário

Considerações Finais sobre Provas

No dia antes de uma prova (ou provas), examine rapidamente os materiais para relembrar-se deles. Você precisará de seus "músculos" dos modos focado e difuso no dia seguinte, então você não quer cansar muito seu cérebro. (Você não corre 20 quilômetros na véspera de uma maratona). Não se sinta culpado se você não conseguir trabalhar muito no dia antes de um grande exame. Se você se preparou corretamente, isso é uma reação natural: você inconscientemente está se segurando para conservar a energia mental.

Ao fazer uma prova, você também deve lembrar-se de como sua mente pode induzi-lo a pensar que o que você fez está correto, mesmo se não estiver. Isso significa que, **sempre que possível, você deve piscar, focalizar sua atenção em outras questões e, depois,** *verificar novamente suas respostas* **usando uma perspectiva de visão global, perguntando "isso realmente** *faz sentido***?".** Muitas vezes há mais de uma maneira de resolver um problema, e verificar suas respostas sob uma perspectiva diferente proporciona uma oportunidade de ouro para confirmar o que você fez.

Se não há nenhuma outra maneira de verificar o resultado, ex-

264   a p r e n d e n d o   a   a p r e n d e r

ceto revisar sua lógica passo a passo, tenha em mente que até mesmo os estudantes mais avançados em matemática, ciências e engenharia foram vítimas de erros simples como sinais de subtração ignorados e números adicionados incorretamente. Apenas faça o melhor que puder para encontrá-los. Em ciências, verificar se as unidades de medida são as mesmas nos dois lados da equação pode ser um indício importante de que você solucionou o problema corretamente.

A ordem em que você resolve as provas também é importante. Os alunos geralmente resolvem as provas do começo para o fim. Quando você estiver verificando seu trabalho, se você começar pelo final e avançar para o início, isso às vezes parece dar a seu cérebro uma perspectiva mais fresca que pode permitir encontrar erros.

Mas nada é garantido. Ocasionalmente, você pode estudar muito e os deuses das provas simplesmente não cooperarem. Mas se você se preparar bem, praticando e construindo uma poderosa biblioteca mental de técnicas de resolução de problemas, e encarar o processo de fazer provas de forma inteligente, você descobrirá que a sorte estará cada vez mais a seu lado.

EM RESUMO

- Não dormir o suficiente na noite anterior a uma prova pode pôr a perder toda a preparação que você fez.
- Fazer uma prova é um negócio sério. Assim como os pilotos de caça e os médicos usam listas de verificação antes de decolar ou de iniciar uma cirurgia, usar sua própria lista de verificação de preparação para provas pode melhorar muito suas chances de sucesso.
- Estratégias contrárias à intuição, como a técnica "começar pelo difícil—pular para o fácil", podem dar a seu cérebro a

chance de refletir sobre os desafios mais difíceis, mesmo enquanto você está se concentrando em outros problemas mais simples.

- O corpo libera substâncias químicas quando está sob tensão. Como você interpreta a reação de seu corpo a essas substâncias faz toda a diferença. Se você mudar seu pensamento de "esta prova me deixou assustado" para "esta prova me deixou energizado para dar o máximo!", isso ajuda a melhorar seu desempenho.

- Se você entrar em pânico durante uma prova, momentaneamente desvie a atenção para sua respiração. Relaxe o estômago, coloque a mão sobre ele e lentamente respire fundo. Sua mão deve se mover para fora, e seu tórax inteiro deve se expandir como um barril.

- Sua mente pode induzi-lo a pensar que o que você fez está correto, mesmo quando não estiver. Isso significa que, sempre que possível, você deve piscar, focalizar sua atenção em outras questões e depois verificar novamente suas respostas usando uma perspectiva de visão global, perguntando "isso realmente *faz sentido*?"

PAUSA E RECORDAÇÃO

Feche o livro e desvie o olhar. Quais foram as principais ideias deste capítulo? Das novas ideias relacionadas com provas, quais você julga que é particularmente importante testar?

PARA MELHORAR SUA APRENDIZAGEM

1. Qual etapa de preparação é extraordinariamente importante para fazer uma prova? (Dica: sem essa etapa, pouco importa todo o resto que você fez para se preparar para a prova.)

2. Explique como você poderia determinar se é hora de parar de trabalhar em um problema difícil em uma prova quando você estiver usando a técnica *começar pelo difícil—pular para o fácil.*

3. Foi sugerida uma técnica de respiração profunda para ajudar com sentimentos de pânico. Por que você acha que a discussão enfatizou respirar de forma que a barriga se expanda, ao invés de apenas a parte superior do tórax?

4. Por que é uma boa ideia tentar deslocar sua atenção momentaneamente antes de verificar novamente suas respostas em uma prova?

A PSICÓLOGA SIAN BEILOCK DISCUTE COMO EVITAR O TEMIDO "BRANCO" NA HORA DA PROVA

Sian Beilock é professora de psicologia na Universidade de Chicago. Ela é uma das maiores especialistas do mundo em como reduzir os sentimentos de pânico sob condições envolvendo altos riscos e é autora do livro *Choke: What the Secrets of the Brain Reveal About Getting It Right When You Have To*[7].

"Situações de aprendizagem e trabalho envolvendo altos riscos podem colocá-lo sob muita tensão. No entanto, há um crescente corpo de pesquisa mostrando que intervenções psicológicas bastante simples podem reduzir a ansiedade relacionada a provas e fazer você aprender mais na sala de aula. Essas intervenções não ensinam conteúdo acadêmico; elas têm como alvo suas atitudes.

Minha equipe de pesquisa descobriu que, se você escrever sobre seus pensamentos e sentimentos a respeito de uma prova imediatamente antes de fazer a prova, isso pode diminuir o impacto negativo da pressão sobre o seu desempenho. Nós acreditamos que a escrita ajuda a liberar pensamentos negativos da mente, diminuindo o risco de que eles o atrapalhem em um momento crítico.

Se você fizer muitas provas simuladas enquanto estiver estudando o material, seu estresse mais reduzido também pode prepará-lo para o estresse mais intenso das provas reais. Como você aprendeu neste livro, fazer provas enquanto você está aprendendo é uma ótima maneira de guardar informações em sua mente, tornando mais fácil lembrar-se delas no calor de um exame importante.

Também é verdade que o diálogo interno negativo—ou seja, pensamentos negativos que surgem em sua mente—pode realmente comprometer seu desempenho, então, quando você estiver se preparando para provas, seja sempre otimista ao falar e pensar sobre si mesmo. Interrompa-se na metade de um pensamento se for preciso para impedir a negativi-

268 a p r e n d e n d o   a   a p r e n d e r

dade, mesmo se você sentir que os dragões da ruína estão esperando por você. Se você errar um problema, ou mesmo muitos problemas, não se deixe abater e concentre-se no próximo problema.

Finalmente, uma razão que faz os alunos às vezes sofrerem bloqueios durante uma prova é que eles saem freneticamente resolvendo um problema antes de realmente pensarem sobre o que eles têm a sua frente. Aprender a fazer uma pausa por alguns segundos antes de começar a resolver um problema, ou quando você se depara com uma dificuldade, pode ajudá-lo a ver o melhor caminho para solucionar o problema—isso pode ajudar a prevenir o pânico congelante que ocorre quando você de repente percebe que gastou muito tempo e chegou a um beco sem saída.

Você pode definitivamente aprender a manter seu estresse dentro de limites. Surpreendentemente, você não quer eliminar completamente o estresse, porque um pouco de estresse pode ajudá-lo a melhorar seu desempenho quando isso é mais importante.

Boa sorte!"

{ 18 }

libere seu potencial

Richard Feynman, o ganhador do Prêmio Nobel de física que tocava bongô, era um uma pessoa despreocupada. Mas houve alguns anos—os melhores e piores de sua vida—durante os quais sua exuberância foi desafiada.

No início da década de 40, a amada esposa de Feynman, Arlene, estava desenganada, internada com tuberculose em um hospital distante. Ele raramente conseguia ir vê-la porque estava trabalhando em um dos projetos mais importantes da Segunda Guerra Mundial na isolada cidade de Los Alamos, no Novo México—o ultrassecreto Projeto Manhattan. Naquela época, Feynman ainda não era famoso. Ele não recebia nenhum privilégio.

Para ajudar a manter sua mente ocupada quando terminava sua jornada de trabalho, e a ansiedade ou o tédio se tornavam problemas, Feynman começou a dedicar-se à arte de desvendar os segredos mais profundos e sombrios das pessoas: ele começou a estudar como abrir cofres.

270   a p r e n d e n d o   a   a p r e n d e r

Tornar-se um exímio arrombador de cofres não é fácil. Feynman desenvolveu sua intuição, dominando as estruturas internas das trancas, praticando como um pianista de concerto, para que seus dedos conseguissem testar rapidamente as permutações restantes, se ele conseguisse descobrir os primeiros números de uma combinação.

Eventualmente, Feynman soube que um chaveiro profissional tinha recentemente sido contratado em Los Alamos—alguém capaz de abrir cofres em segundos.

Um especialista, bem a seu lado! Feynman sabia que, se ele apenas conseguisse fazer amizade com esse homem, os mais profundos segredos do arrombamento de cofres seriam seus.

NESTE LIVRO, exploramos novas formas de pensar sobre como você aprende. Às vezes, como descobrimos, **seu desejo de descobrir as coisas *imediatamente* é o que *impede* que você seja capaz de descobri--las.** É quase como se, ao tentar alcançar algo muito rapidamente com a mão direita, a mão esquerda automaticamente a agarrasse, evitando que você progrida.

Grandes artistas, engenheiros, cientistas e mestres de xadrez como Magnus Carlsen se conectam com o ritmo natural de seus cérebros concentrando inicialmente sua atenção, trabalhando duro para que o problema fique bem alojado em sua mente. Em seguida eles desviam sua atenção para outra coisa. Essa alternância entre os métodos difuso e focado de raciocínio permite que as nuvens de pensamento viagem mais facilmente por novas áreas do cérebro. Eventualmente, trechos dessas nuvens—aprimorados, em forma de novas nuvens—podem retornar com partes úteis de uma solução.

Remodelar seu cérebro é algo que você pode fazer. O segredo é a persistência paciente—trabalhar com discernimento nos pontos fortes e fracos de seu cérebro.

Você pode melhorar sua capacidade de concentração redirecionando aos poucos suas respostas às sugestões que a perturbam, como o toque de seu telefone ou o sinal sonoro de uma mensagem de texto. O Pomodoro—um período breve, cronometrado de atenção concentrada—é uma poderosa ferramenta para desviar os zumbis bem-intencionados de suas respostas habituais. Depois de terminar um período de trabalho duro e concentrado, você pode então relaxar de verdade.

O resultado de semanas e meses de esforço gradual? Estruturas neurais sólidas, com cada novo período de aprendizagem bem cimentado sobre o anterior. Aprendendo dessa forma, com períodos regulares de relaxamento entre sessões de atenção concentrada, nós não só nos divertimos mais, mas também aprendemos mais profundamente. Os períodos de relaxamento são uma oportunidade para ganhar perspectiva—para assimilarmos o contexto e a visão global do que estamos fazendo.

Tenha em mente que partes de nosso cérebro são programadas para acreditar que tudo o que fazemos, mesmo que evidentemente errado, está simplesmente em ordem, *muito obrigado*. Na verdade, nossa capacidade de nos enganar é parte da razão para verificarmos novamente nossas respostas—*isso realmente faz sentido?*—antes de entregarmos um exame. Para identificar melhor nossas ilusões de competência em aprendizagem, devemos nos distanciar e ver nosso trabalho sob uma nova perspectiva, testar se nós conseguimos nos recordar do material e permitir que nossos amigos nos questionem. São essas ilusões, e não apenas a falta de entendimento, que podem nos derrubar no caminho para o sucesso no estudo de matemática e ciências.

A memorização mecânica, muitas vezes no último minuto, dá a muitos estudantes nos níveis iniciais a sensação ilusória de que eles compreendem a matemática e as ciências. À medida que eles avançam para níveis mais altos, sua fraca compreensão eventualmente desmorona. Mas nossa compreensão crescente de como a mente verdadeiramente aprende está nos ajudando a superar a ideia simplista de que a memorização é sempre ruim. Agora sabemos que a interiorização, profunda e baseada na prática, de blocos bem compreendidos é *essencial* para dominar a matemática e as ciências. Sabemos também que, assim como os atletas que não conseguiriam desenvolver adequadamente seus músculos se treinassem na última hora, os estudantes de matemática e ciências não conseguirão desenvolver blocos neurais sólidos se ficarem adiando seus estudos.

Não importa qual seja nossa idade e grau de sofisticação, partes do nosso cérebro permanecem semelhantes àquelas de uma criança. Isso significa que às vezes podemos nos sentir frustrados, um sinal para pararmos de trabalhar e tomarmos fôlego. Mas nossa sempre presente criança interior também nos dá o potencial de relaxar e usar nossa criatividade para nos ajudar a visualizar, memorizar, assimilar e verdadeiramente compreender conceitos em matemática e ciências que, a princípio, podem parecer terrivelmente difíceis.

De forma semelhante, vimos que a persistência pode às vezes ser mal empregada—que o foco contínuo em um problema bloqueia nossa capacidade de resolver esse problema. Ao mesmo tempo, a persistência por períodos longos e de visão global é crucial para o sucesso em praticamente qualquer área. Esse tipo de determinação é o que pode nos ajudar a superar as críticas destrutivas ou as infelizes dificuldades da vida que podem temporariamente fazer nossos objetivos e sonhos parecerem fora de nosso alcance.

Um tema central deste livro é a natureza paradoxal da aprendizagem. A atenção concentrada é indispensável para resolver problemas, mas também pode bloquear nossa capacidade de resolvê-los. A persistência é crucial, mas também pode nos levar a ficar batendo nossas cabeças contra a parede desnecessariamente. A memorização é um aspecto essencial da aquisição de conhecimentos, mas também pode nos manter concentrados nos detalhes, impedindo que vejamos o todo. A metáfora nos ajuda a assimilar novos conceitos, mas também pode nos manter apegados a concepções imperfeitas.

Estudar em grupo ou sozinhos, começar pelo difícil ou começar pelo fácil, aprender concretamente ou em abstrato... No final, combinar os diversos paradoxos da aprendizagem dá mais valor e significado a tudo o que fazemos.

Parte da magia usada há muito tempo pelos melhores pensadores do mundo tem sido simplificar—colocar as coisas em termos que mesmo uma criança seria capaz de entender. Essa, na verdade, era a abordagem de Richard Feynman; ele desafiou alguns dos matemáticos teóricos que ele conhecia a colocar suas teorias aparentemente impenetráveis em termos simples.

E eles descobriram que eram capazes de fazer isso. Você também é capaz. E como Feynman e Santiago Ramón y Cajal, você pode usar os pontos fortes da aprendizagem para ajudar a alcançar seus sonhos.

ENQUANTO FEYNMAN continuava aperfeiçoando suas habilidades, praticando abrir cofres, ele fez amizade com o chaveiro profissional. Com o passar do tempo, Feynman gradualmente foi deixando de lado as cordialidades superficiais e foi direcionando as conversas cada vez mais para as particularidades por trás do que, para ele, era a maestria absoluta do chaveiro.

Uma noite, já tarde, o mais valioso segredo foi finalmente revelado.

O conhecimento oculto do chaveiro era que ele conhecia as combinações de fábrica dos cofres.

Conhecendo as combinações padrão, o chaveiro frequentemente era capaz de abrir os cofres cujos segredos não tinham sido alterados desde que haviam sido recebidos do fabricante. Onde todos pensavam que estava sendo usado algum tipo de magia voltada para o arrombamento de cofres, era a simples compreensão de como os dispositivos chegavam do fabricante que era fundamental.

274 aprendendo a aprender

Como Feynman, você pode alcançar uma compreensão surpreendente sobre como aprender mais simples e facilmente e com menos frustração. Entendendo as configurações padrão de seu cérebro— sua maneira natural de aprender e pensar—e tirando proveito desse conhecimento, você, também, pode se tornar um especialista.

No início do livro, eu mencionei que existem truques mentais simples que podem colocar a matemática e as ciências em foco, truques que são úteis não só para as pessoas que são ruins em matemática e ciências, mas também para aquelas que são boas nessas áreas. Você viu neste livro todos esses truques passo a passo. Mas, como você sabe agora, não há nada melhor do que entender a essência simplificada e transformada em blocos. Então aqui estão meus pensamentos finais—a essência em blocos de algumas das ideias centrais deste livro, destiladas nas dez melhores e piores regras para estudar.

Lembre-se—a sorte favorece quem tenta. Um pouco de conhecimento sobre o que funciona melhor também não faz mal.

10 REGRAS PARA ESTUDAR BEM

1. **Leia e se recorde.** Após ler uma página, desvie o olhar e se recorde das principais ideias. Não destaque muitos trechos de texto e nunca destaque nada que você não tenha antes guardado em sua cabeça através da recordação. Tente se recordar das ideias principais quando você está caminhando para a classe ou em uma sala diferente de onde você aprendeu o material originalmente. A capacidade de se recordar— de trazer à mente as ideias sem auxílio externo—é um dos indicadores chave de uma boa aprendizagem.

2. **Teste seu conhecimento.** Em tudo. O tempo todo. Flash-cards (cartões com respostas no verso) são seus amigos.

3. **Transforme em blocos a forma de resolver os problemas.** Formar blocos é compreender e praticar a solução de um

libere seu potencial

problema para que ela possa vir à mente em um piscar de olhos. Depois de encontrar a solução para um problema, ensaie-a. Certifique-se de que você pode resolvê-lo sem hesitar—que você domina cada passo da solução. Finja que ela é uma música e toque-a repetidamente em sua mente, para que a informação se combine em um bloco quase instintivo, que você pode usar sempre que quiser.

4. **Faça revisões espaçadas no tempo.** Distribua sua aprendizagem em qualquer assunto, fazendo um pouco a cada dia, como um atleta. Seu cérebro é como um músculo—ele só pode fazer uma quantidade limitada de exercícios sobre um assunto de cada vez.

5. **Quando estiver praticando, alterne entre técnicas diferentes de resolução de problemas.** Nunca fique muito tempo na mesma sessão treinando apenas uma técnica de resolução de problemas—depois de um tempo, você está apenas repetindo o que você fez no problema anterior. Misture os problemas para que você possa trabalhar em tipos diferentes na mesma sessão. Isso lhe ensinará *como* e *quando* usar uma técnica. (Os livros geralmente não são organizados dessa forma, então você precisará fazer isso por conta própria.) Depois de cada lição e prova, faça uma revisão de seus erros, certifique-se de que você entende o que errou e então refaça suas soluções. Para estudar da maneira mais eficaz, escreva à mão (não digite) um problema de um lado de um cartão e a solução do outro. (Escrever à mão forma estruturas neurais mais fortes na memória do que digitar.) Você também pode fotografar o cartão se quiser carregá-lo em um aplicativo de estudos em seu smartphone. Teste aleatoriamente se você sabe resolver diferentes tipos de problemas. Outra maneira de fazer isso é abrir seu livro ao acaso, escolher um problema e ver se você consegue resolvê-lo sem ajuda.

6. **Faça pausas.** É comum, no início, não ser capaz de resolver problemas ou entender conceitos em matemática ou ciências. É por isso que estudar um pouco todos os dias é muito melhor do que estudar tudo de uma vez. Quando você ficar frustrado com um problema de matemática ou ciências, faça

uma pausa para que outra parte de sua mente possa assumir e trabalhar em segundo plano.

7. **Use questões explicativas e analogias simples.** Sempre que você tiver dificuldades com um conceito, pergunte-se—*como posso explicar isso de forma que uma criança de 10 anos poderia entender?* Usar uma analogia, como dizer que o fluxo de eletricidade é parecido com o fluxo de água, realmente ajuda. Não pense apenas em sua explicação—diga-a em voz alta ou escreva-a em um papel. O esforço adicional de falar e escrever permite que você codifique (isto é, converta em estruturas neurais da memória) mais profundamente o que você está aprendendo.

8. **Concentre-se.** Desligue todos os bipes e toques de seu telefone e computador que possam interrompê-lo e coloque um alarme para tocar em 25 minutos. Concentre-se atentamente durante esses 25 minutos e tente trabalhar do modo mais diligente que puder. Quando o tempo terminar, recompense-se com um pouco de diversão. Algumas dessas sessões em um dia podem fazer seus estudos realmente progredirem. Experimente selecionar horários e lugares em que estudar —e não ficar olhando para seu computador ou telefone— seja algo que você simplesmente faz naturalmente.

9. **Coma primeiro seus sapos.** Faça a coisa mais difícil logo no começo do dia, quando você está descansado.

10. **Faça um contraste mental.** Imagine de onde você veio e contraste isso com o sonho para onde seus estudos o levarão. Coloque uma imagem ou palavras em seu espaço de trabalho para lembrá-lo de seu sonho. Olhe para esse lembrete quando estiver se sentindo desmotivado. Esse trabalho trará recompensas para você e para aqueles que você ama!

libere seu potencial

10 REGRAS PARA ESTUDAR MAL

Evite estas técnicas—elas podem desperdiçar seu tempo, iludindo-o que está aprendendo!

1. **Reler passivamente**—sentar passivamente e passar os olhos novamente sobre cada linha da página. A menos que você possa *provar* que o material está sendo transferido para dentro de seu cérebro, recordando-se das principais ideias sem olhar para a página, a releitura é uma perda de tempo.

2. **Deixar que os destaques de texto escapem ao controle**— sublinhar o texto pode iludi-lo que você está colocando algo em sua mente, quando você não está realmente fazendo mais do que mover a mão. Sublinhar um trecho aqui e ali é aceitável—às vezes isso pode ser útil para sinalizar pontos importantes. Mas, se você está usando os destaques como uma ferramenta de memória, certifique-se de que o que você sublinha também está indo para seu cérebro.

3. **Simplesmente olhar para a solução do problema e pensar que você sabe resolvê-lo.** Esse é um dos piores erros que os alunos cometem ao estudar. Você precisa ser capaz de *resolver* um problema passo a passo, sem olhar para a solução.

4. **Esperar até o último minuto para estudar.** Você deixaria tudo para o último minuto se estivesse treinando para uma competição atlética? Seu cérebro é como um músculo—ele só pode fazer uma quantidade limitada de exercício sobre um assunto de cada vez.

5. **Resolver repetidamente problemas do mesmo tipo, que você já sabe resolver.** Se você ficar sentado resolvendo problemas semelhantes, na verdade você não está se preparando para uma prova—é como preparar-se para um importante jogo de basquete apenas praticando seu drible.

6. **Deixar as sessões de estudos com amigos se transformarem em sessões de bate-papo.** Comparar suas respostas com as de seus colegas e fazer perguntas uns aos outros para testar seu conhecimento pode tornar a aprendizagem

278   a p r e n d e n d o   a   a p r e n d e r

mais divertida, expor falhas em seu raciocínio e aprofundar sua aprendizagem. Mas, se suas sessões de estudos se voltarem para a diversão antes de o trabalho ser feito, você está perdendo seu tempo e deve encontrar outro grupo de estudos.

7. **Deixar de ler o livro antes de começar a trabalhar nos problemas.** Você mergulharia em uma piscina antes de aprender a nadar? O livro é seu instrutor de natação—ele mostra como chegar às respostas. Você enfrentará dificuldades e desperdiçará seu tempo se não o ler. Antes de começar a ler, no entanto, examine rapidamente o capítulo ou a seção para ter uma noção do que será visto.

8. **Não pedir para seus instrutores ou colegas esclarecerem pontos confusos.** Os professores estão acostumados a receber estudantes com dúvidas—ajudar você é nosso trabalho. Os alunos com os quais nos preocupamos são aqueles que não vêm falar conosco. Não seja um desses alunos.

9. **Pensar que você pode aprender profundamente apesar de se distrair o tempo todo.** Cada minúscula distração de uma mensagem instantânea ou conversa significa que você tem menos potência mental para dedicar à aprendizagem. Cada vez que sua atenção é atraída para outra coisa, isso arranca as pequenas raízes neurais que estão se formando antes que elas possam crescer.

10. **Não dormir o suficiente.** Seu cérebro reúne as peças das técnicas de resolução de problemas enquanto você dorme, e também pratica e repete o que você colocou em sua mente antes de dormir. A fadiga prolongada faz com que toxinas se acumulem no cérebro e atrapalhem as conexões neurais de que você precisa para pensar bem e rápido. Se você não dormir uma boa noite de sono antes de uma prova, NADA MAIS DO QUE VOCÊ FEZ IMPORTARÁ.

libere seu potencial

PAUSA E RECORDAÇÃO

Feche o livro e desvie o olhar. Quais são as ideias mais importantes neste livro? Enquanto você pensa, considere também como você usará essas ideias para ajudá-lo a reformular sua aprendizagem.

posfácio

Meu professor de matemática e ciências da oitava série teve uma grande influência na minha vida. Ele me arrancou do fundo da classe e me motivou a buscar a excelência. Eu lhe retribuí no ensino médio tirando um D em geometria—duas vezes. Eu simplesmente não conseguia entender o material sozinho, e eu não tinha o luxo de um grande professor para me encorajar da maneira que eu precisava. Eventualmente, na faculdade, eu entendi a matéria. Mas foi uma viagem frustrante. Quem me dera ter tido um livro como este naquela época.

Avancemos uma década e meia. Minha filha transformou os deveres de matemática em uma forma de tortura que deixaria até Dante chocado. Ela encontrava uma dificuldade e tentava repetidamente superá-la, mas não conseguia. Quando finalmente terminava de chorar, ela ficava dando voltas e com o tempo descobria a solução. Mas eu nunca consegui fazê-la apenas dar um tempo e depois voltar ao problema sem drama. Eu dei este livro para que ela lesse. A primeira coisa que ela disse foi: "como eu gostaria de ter tido esse livro quando

282 aprendendo a aprender

estava na escola!"

Há muito tempo os cientistas vêm produzindo um fluxo de sugestões potencialmente produtivas sobre como estudar. Infelizmente elas raramente foram traduzidas de forma que o aluno médio pudesse facilmente entendê-las e usá-las. Nem todo cientista tem talento para escrever para leigos, e nem todo escritor tem uma firme compreensão da ciência. Neste livro, Barbara Oakley harmonizou esses aspectos de forma brilhante. Os exemplos vívidos e as explicações das estratégias revelam não só como essas ideias são úteis, mas também como elas são convincentes. Quando eu perguntei para a minha filha por que ela gostava dos conselhos no livro, apesar de eu ter mencionado várias dessas técnicas quando ela estava no ensino médio, ela disse: "ela explica por que e faz sentido". Mais um golpe em meu ego de pai!

Agora que você terminou de ler este livro, você tomou conhecimento de algumas estratégias simples, mas potencialmente poderosas—estratégias, a propósito, que podem beneficiá-lo em mais do que apenas no estudo de matemática e ciências. Como você descobriu, essas estratégias se desenvolveram a partir de evidências sólidas sobre como funciona a mente humana. A interação entre emoção e cognição, embora raramente traduzida em palavras, é um componente essencial de toda a aprendizagem. À sua maneira, minha filha chamou atenção para o fato de que estudar não é apenas uma questão de conhecer estratégias. Você tem que estar convencido de que essas estratégias podem realmente funcionar. A evidência clara e convincente que você leu nesse livro deve lhe dar confiança para experimentar as técnicas sem a dúvida e a resistência que muitas vezes sabotam nossos melhores esforços. A aprendizagem é, sem sombra de dúvida, pessoalmente empírica. A prova final virá quando você avaliar seu desempenho e atitude, depois de ter resolutamente implantado essas estratégias.

Agora sou professor universitário e orientei milhares de estudantes ao longo dos anos. Muitos estudantes tentam evitar a matemática e as ciências porque eles "não são bons nisso" ou "não gostam disso". Meu conselho para esses estudantes sempre é o mesmo conselho que dei para a minha filha: "Torne-se bom nisso, então veja se você ainda quer desistir". Afinal de contas, a educação não deveria envolver tornar-se bom em coisas desafiadoras?

Você se lembra de como foi difícil aprender a dirigir? Agora isso é quase automático e dá a muitas pessoas um senso de independência, que elas valorizam em toda sua vida adulta. Sendo receptivos a novas estratégias, como as encontradas neste livro, os estudantes têm agora a oportunidade de superar a ansiedade e a evasão, e progredir em direção à maestria e confiança.

Cabe agora a você: torne-se bom!

—David B. Daniel, Ph.D.
Professor, Departamento de Psicologia
Universidade James Madison

agradecimentos

Ao reconhecer a ajuda destas pessoas, eu gostaria de deixar claro que os erros de fato ou interpretação neste livro são meus. A qualquer pessoa cujo nome eu possa ter inadvertidamente omitido, minhas desculpas.

Por trás de todo este esforço esteve o inabalável apoio, incentivo, entusiasmo e excelentes sugestões de meu marido, Philip Oakley. Há trinta anos nós nos conhecemos na Estação Polo Sul na Antártica—literalmente, eu tive que ir até os confins da terra para encontrar esse homem extraordinário. Ele é minha alma gêmea e meu herói. (E, se você estiver se perguntando, ele também é o homem na figura do quebra-cabeça).

Um de meus principais mentores durante toda minha carreira docente foi o Dr. Richard Felder—ele fez uma enorme diferença em como essa carreira se desenrolou. Kevin Mendez, o artista deste livro, fez um trabalho extraordinário desenhando as ilustrações—estou admirada com sua habilidade e visão artística. Nossa filha mais velha,

286   aprendendo a aprender

Rosie Oakley, contribuiu com sugestões aguçadas e encorajamento inacreditável durante o desenvolvimento deste livro. Nossa filha mais nova, Rachel Oakley, sempre foi um pilar de apoio em nossas vidas.

Minha boa amiga Amy Alkon tem o que equivale a visão de raios X editorial—ela tem uma incrível capacidade de localizar áreas que podem ser melhoradas e, com sua ajuda, este livro atingiu um nível muito mais elevado de clareza, precisão e sagacidade. Meu velho amigo Guruprasad Madhavan, da Academia Nacional de Ciências, e nosso amigo mútuo Josh Brandoff me ajudaram a ver as implicações de natureza global. A instrutora de redação Daphne Gray-Grant também me ajudou muito no desenvolvimento deste trabalho.

Gostaria especialmente de reconhecer os esforços de base de Rita Rosenkranz, uma agente literária de excelência incomparável. Na Penguin, meu mais profundo agradecimento e apreço vão para Sara Carder e Joanna Ng, cuja visão, perspicácia editorial e vasta experiência ajudaram imensamente no fortalecimento deste livro. Em particular, só posso desejar que todos os autores tivessem a sorte de trabalhar com alguém com o extraordinário talento editorial de Joanna Ng. Eu também gostaria de estender meus agradecimentos a Amy J. Schneider, cujas habilidades na edição de texto foram uma dádiva maravilhosa para este trabalho.

Agradecimentos especiais vão para Paul Kruchko, cuja simples pergunta sobre como eu me transformei fez com que eu começasse a trabalhar neste livro. Dante Rance, do departamento de empréstimos entre bibliotecas da Universidade de Oakland, foi constantemente acima e além da chamada do dever—meus agradecimentos também para Pat Clark, sempre supremamente capaz. Muitos colegas me apoiaram muito neste trabalho, particularmente os professores Anna Spagnuolo, László Julia e Laura Wicklund em matemática; Barb Penprase e Kelly Berishaj em enfermagem; Chris Kobus, Mike Polis, Mohammad-Reza Siadat e Lorenzo Smith em engenharia; e Brad Roth em física. Aaron Bird, gerente de treinamento nos Estados

agradecimentos

Unidos da CD-adapco e seu colega Nick Appleyard, Vice-Presidente da CD-adapco, foram de ajuda excepcional. Eu também gostaria de agradecer a Tony Prohaska por sua aguçada visão editorial.

Os especialistas a seguir também foram extremamente úteis, compartilhando seus conhecimentos: Sian Beilock, Marco Bellini, Robert M. Bilder, Maria Angeles Ramón y Cajal, Norman D. Cook, Terrence Deacon, Javier DeFelipe, Leonard DeGraaf, John Emsley, Norman Fortenberry, David C. Geary, Kary Mullis, Nancy Cosgrove Mullis, Robert J. Richards, Doug Rohrer, Sheryl Sorby, Neel Sundaresan e Nicholas Wade.

Alguns dos professores universitários mais bem classificados do mundo, segundo RateMyProfessors, deram apoio inestimável a este esforço. Sua experiência inclui matemática, física, química, biologia, ciências, engenharia, negócios, economia, finanças, educação, psicologia, sociologia, enfermagem e inglês. Professores das melhores escolas de ensino médio também contribuíram. Eu gostaria de agradecer particularmente a assistência dos seguintes indivíduos, que leram todo o livro ou partes dele, e fizeram sugestões ou observações úteis: Lola Jean Aagaard-Boram, Shaheem Abrahams, John Q. Adams, Judi Addelston, April Lacsina Akeo, Ravel F. Ammerman, Rhonda Amsel, J. Scott Armstrong, Charles Bamforth, David E. Barrett, John Bartelt, Celso Batalha, Joyce Miller Bean, John Bell, Paul Berger, Sydney Bergman, Roberta L. Biby, Paul Blowers, Aby A. Boumarate, Daniel Boylan, Bob Bradshaw, David S. Bright, Ken Broun Jr., Mark E. Byrne, Lisa K. Davids, Thomas Day, Andrew DeBenedictis, Jason Dechant, Roxann DeLaet, Debra Gassner Dragone, Kelly Duffy, Alison Dunwoody, Ralph M. Feather Jr., A. Vennie Filippas, John Frye, Costa Gerousis, Richard A. Giaquinto, Michael Golde, Franklin F. Gorospe IV, Bruce Gurnick, Catherine Handschuh, Mike Harrington, Barrett Hazeltine, Susan Sajna Hebert, Linda Henderson, Mary M. Jensen, John Jones, Arnold Kondo, Patrycja Krakowiak, Anuska Larkin, Kenneth R. Leopold, Fok-Shuen Leung, Mark Levy,

Karsten Look, Kenneth MacKenzie, Tracey Magrann, Barry Margulies, Robert Mayes, Nelson Maylone, Melissa McNulty, Elizabeth McPartlan, Heta-Maria Miller, Angelo B. Mingarelli, Norma Minter, Sherese Mitchell, Dina Miyoshi, Geraldine Moore, Charles Mullins, Richard Musgrave, Richard Nadel, Forrest Newman, Kathleen Nolta, Pierre-Philippe Ouimet, Delgel Pabalan, Susan Mary Paige, Jeff Parent, Vera Pavri, Larry Perez, William Pietro, Debra Poole, Mark Porter, Jeffrey Prentis, Adelaida Quesada, Robert Riordan, Linda Rogers, Janna Rosales, Mike Rosenthal, Joseph F. Santacroce, Oraldo "Buddy" Saucedo, Donald Sharpe, Dr. D. A. Smith, Robert Snyder, Roger Solano, Frances R. Spielhagen, Hilary Sproule, William Sproule, Scott Paul Stevens, Akello Stone, James Stroud, Fabian Hadipriono Tan, Cyril Thong, B. Lee Tuttle, Vin Urbanowski, Lynn Vazquez, Charles Weidman, Frank Werner, Dave Whittlesey, Nader Zamani, Bill Zettler e Ming Zhang.

Os estudantes a seguir contribuíram com comentários, relatos de suas experiências ou observações, pelos quais eu sou grata: Natalee Baetens, Rhiannon Bailey, Lindsay Barber, Charlene Brisson, Randall Broadwell, Mary Cha, Kyle Chambers, Zachary Charter, Joel Cole, Bradley Cooper, Christopher Cooper, Aukury Cowart, Joseph Coyne, Michael Culver, Andrew Davenport, Katelind Davidson, Brandon Davis, Alexander Debusschere, Hannah DeVilbiss, Brenna Donovan, Shelby Drapinski, Trevor Drozd, Daniel Evola, Katherine Folk, Aaron Garofalo, Michael Gashaj, Emanuel Gjoni, Cassandra Gordon, Yusra Hasan, Erik Heirman, Thomas Herzog, Jessica Hill, Dylan Idzkowski, Weston Jeshurun, Emily Johns, Christopher Karras, Allison Kitchen, Bryan Klopp, William Koehle, Chelsey Kubacki, Nikolas Langley-Rogers, Xuejing Li, Christoper Loewe, Jonathon McCormick, Jake McNamara, Paula Meerschaert, Mateusz Miegoc, Kevin Moessner, Harry Mooradian, Nadia Noui-Mehidi, Michael Orrell, Michael Pariseau, Levi Parkinson, Rachael Polaczek, Michelle Radcliffe, Sunny Rishi, Jennifer Rose, Brian Schroll, Paul Schwalbe, An-

agradecimentos

thony Sciuto, Zac Shaw, David Smith, Kimberlee Somerville, Davy Sproule, P. J. Sproule, Dario Strazimiri, Jonathan Strong, Jonathan Sulek, Ravi Tadi, Aaron Teachout, Gregory Terry, Amber Trombetta, Rajiv Varma, Bingxu Wang, Fangfei Wang, Jessica Warholak, Shaun Wassell, Malcolm Whitehouse, Michael Whitney, David Wilson, Amanda Wolf, Anya Young, Hui Zhang e Cory Zink.

notas de fim

Capítulo 1: Abra a Porta

1 Eu gostaria de remeter os educadores ao livro *Redirect*, do professor de psicologia Timothy Wilson, que descreve a importância das histórias de ascensão do fracasso para o sucesso (Wilson, 2011). Ajudar os alunos a mudar suas narrativas internas é um dos objetivos importantes deste livro. Carol Dweck é uma notável popularizadora da importância das mudanças na forma de ver as coisas (Dweck, 2006).

2 Sklar *et al.*, 2012; Root-Bernstein e Root-Bernstein, 1999, Capítulo 1.

Capítulo 2: Vá com Calma—Por Que o Esforço Excessivo Pode às Vezes Ser Parte do Problema

1 Andrews-Hanna, 2012; Raichle e Snyder, 2007; Takeuchi *et al.*, 2011. Em uma linha de investigação muito diferente, Mangan observou que a descrição de William James da periferia da consciência inclui a seguinte característica: "Há uma 'alternância' da consciência, de forma que a periferia da consciência vem à tona breve mas frequentemente e é dominante sobre o núcleo da consciência" (Cook, 2002, 237, Mangan, 1993).

2 Immordino-Yang *et al.*, 2012.

3 Edward de Bono é o grande mestre dos estudos de criatividade e sua terminologia *vertical* e *lateral* é aproximadamente análoga a meu uso dos termos *focado* e *difuso* (de Bono, 1970).

Os leitores astutos notarão a minha observação de que o modo difuso parece às vezes trabalhar em segundo plano enquanto o modo focado está ativo. No entanto, os resultados da pesquisa mostram que a rede de modo padrão parece ficar inativa enquanto o modo focado está ativo. Então, qual é o certo? Minha sensação como educadora e também como estudante é que algumas atividades não concentradas podem continuar em segundo plano enquanto o trabalho em modo focado está ocorrendo, quando a atenção é deslocada para longe da área de interesse. Em certo sentido, meu uso do termo "modo difuso" pode ser entendido como "ativida-

292   a p r e n d e n d o   a   a p r e n d e r

des de modo não focado direcionadas à aprendizagem" ao invés de simplesmente "rede de modo padrão".

4   Existem também algumas conexões em modo focado para pontos mais distantes do cérebro, como exploraremos mais tarde com a analogia do polvo da atenção.

5   O modo difuso também pode envolver áreas pré-frontais, mas ele provavelmente tem em geral mais conexões e menos filtragem de conexões aparentemente irrelevantes.

6   O psicólogo Norman Cook propôs que "os primeiros elementos de um dogma central para a psicologia humana podem ser expressos como (1) o fluxo de informações entre os hemisférios direito e esquerdos e (2) entre o [hemisfério esquerdo] 'dominante' e os mecanismos efetores periféricos usados para comunicação verbal" (Cook, 1989), mas também deve ser notado que as diferenças hemisféricas têm sido utilizadas como base para inúmeras extrapolações espúrias e conclusões fúteis (Efron, 1990).

7   De acordo com a Pesquisa Nacional de Empenho dos Estudantes, Estados Unidos, 2012, os estudantes de engenharia são os que passam mais tempo estudando—estudantes do último ano de engenharia passam 18 horas por semana em média preparando-se para as aulas, enquanto os alunos do último ano em educação passam 15 horas, e os de ciências sociais e negócios passam cerca de 14 horas. Em um artigo do *New York Times* intitulado "Why Science Majors Change Their Minds (It's Just So Darn Hard)"—Por que os Estudantes de Exatas Mudam de Ideia (É Simplesmente Muito Difícil), o Professor Emérito de Engenharia David E. Goldberg observou que a carga de trabalho pesada de cálculo, física e química pode iniciar a "marcha da morte da matemática e ciências", à medida que os estudantes desistem (Drew, 2011).

8   Para uma discussão sobre as considerações evolutivas no pensamento matemático, consulte Geary, 2005, Capítulo 6.

Claro, existem muitos termos abstratos que não estão relacionados com a matemática. Um número surpreendente desses tipos de ideias abstratas, no entanto, referem-se às emoções. Nós podemos não ser capazes de *ver* esses termos, mas nós podemos *senti-los,* ou pelo menos sentir importantes aspectos deles.

Terrence Deacon, autor de *The Symbolic Species,* observa a complexidade inerente do problema da criptografia/descriptografia da matemática:

"Tente se lembrar de quando você encontrou pela primeira vez um novo tipo de conceito matemático, como a subtração recursiva (ou seja, a divisão). Na maior parte das vezes esse conceito abstrato é ensinado fazendo as crianças simplesmente aprenderem um conjunto de regras para manipular caracteres representando números e operações e, em seguida, usarem essas regras novamente com números diferentes na esperança de que isso as ajudará a "ver" um paralelo com certas relações físicas. Muitas vezes descrevemos isso como aprendendo inicialmente a fazer as manipulações 'de cor' (o que em minha terminologia é a aprendizagem indexical) e então, quando isso puder ser feito quase sem pensar, esperamos que elas vejam como isso corresponde a um processo do mundo físico. Em algum ponto, se tudo correr bem, as crianças 'entendem' a semelhança abs-

notas de fim

trata geral que está 'por trás' desse conjunto de operações individuais de símbolo para símbolo e de fórmula para fórmula. Elas, dessa forma, reorganizam o que já sabem de cor de acordo com o mnemônico de ordem superior relacionados a essas possibilidades combinatórias e sua correspondência abstrata com a manipulação de coisas. Essa etapa de abstração é frequentemente difícil para muitas crianças. Mas agora considere que essa mesma transformação em um nível ainda mais elevado de abstração é necessária para compreender o cálculo. A diferenciação é efetivamente a divisão recursiva e a integração é efetivamente a multiplicação recursiva, cada uma realizada indefinidamente, ou seja, para valores infinitesimais (o que é possível porque elas dependem de séries convergentes, sendo elas mesmas conhecidas apenas por inferência, e não pela inspeção direta). Essa habilidade de projetar o que uma operação implica quando realizada infinitamente é o que resolve o paradoxo de Zeno, que parece impossível quando formulado em palavras. Mas, além dessa dificuldade, o formalismo leibniziano que agora usamos contrai essa recursão infinita em um operador de único caractere (por exemplo, o sinal de integral) porque na prática não podemos continuar escrevendo as operações para sempre. Isso torna a manipulação de caracteres do cálculo ainda menos icônica do referente físico correspondente.

Então a referência a uma operação expressa em cálculo é efetivamente criptografada duas vezes. Sim, nós evoluímos capacidades mentais bem adequadas para a manipulação de objetos físicos, então naturalmente isso é difícil. Mas *a matemática é uma forma de "criptografia"*, não apenas de representação, e a decodificação é intrinsecamente um processo muito difícil em razão dos desafios combinatórios que ela apresenta. É por isso que a criptografia dificulta a recuperação do conteúdo referencial das comunicações. Meu ponto é que isso é *intrínseco ao que é a matemática*, independentemente de nossas capacidades evoluídas. É difícil pela mesma razão que é difícil decifrar uma mensagem codificada.

O que me surpreende é que todos nós sabemos que equações matemáticas são mensagens criptografadas, que para compreendê-las você precisa conhecer a chave para decifrar o código e saber o que é representado. No entanto, nós nos perguntamos por que é difícil ensinar matemática avançada e muitas vezes culpamos o sistema educacional ou maus professores. Eu acho que é da mesma maneira um pouco equivocado culpar a evolução" (comunicação privada com a autora, 11 de julho de 2013).

9 Bilalić *et al.*, 2008.

10 Geary, 2011. Veja também o documentário *Um Universo Privado*, disponível em http://www.learner.org/resources/series28.html, que é um marco e resultou em muitas pesquisas sobre equívocos na ciência da compreensão.

11 Alan Schoenfeld, 1992, observa que em sua coleção de mais de uma centena de "vídeos de universitários e estudantes do ensino médio resolvendo problemas com os quais não estavam familiarizados, aproximadamente sessenta por cento das tentativas de solução são do tipo 'ler, tomar uma decisão rapidamente e prosseguir nessa direção faça chuva ou faça sol'. Você poderia caracterizar isso como o pior tipo de raciocínio focado".

12. Goldacre, 2010.
13. Gerardi *et al.*, 2013
14. Diferenças hemisféricas podem, às vezes, ser importantes, mas, de novo, as afirmações nessa área devem ser vistas com cautela. Norman Cook resume bem isso quando ele observa: "muitas discussões na década de 1970 foram bem além dos fatos—quando as diferenças de hemisfério foram invocadas para explicar, de uma só tacada, todos os enigmas da psicologia humana, incluindo a mente subconsciente, a criatividade e os fenômenos parapsicológicos—mas a inevitável reação também foi exagerada" (Cook, 2002, p. 9).
15. Demaree *et al.*, 2005; Gainotti, 2012.
16. McGilchrist, 2010; Mihov *et al.*, 2010.
17. Nielsen *et al.*, 2013.
18. Immordino-Yang *et al.*, 2012.
19. Esse problema com uma disposição diferente foi apresentado em de Bono, 1970—que foi a inspiração para o problema descrito aqui. O livro clássico de de Bono contém uma abundância de problemas como esse e vale a pena lê-lo.
20. Embora eu esteja falando na comunicação entre os modos focado e difuso, parece haver um processo análogo de troca de informações entre os hemisférios. Podemos ter alguma ideia de como as informações podem fluir de um lado para o outro entre os hemisférios em seres humanos examinando os estudos de pintinhos. Aprender a não bicar um grânulo amargo envolve um complexo processamento dos traços de memória entre os hemisférios durante algumas horas (Güntürkün, 2003).

Anke Bouma observa que "um padrão observado de lateralidade não significa que o mesmo hemisfério é superior para todos os estágios de processamento exigidos por uma tarefa específica. Há indicações de que [o hemisfério direito] pode ser dominante para um estágio de processamento, enquanto o [hemisfério esquerdo] pode ser dominante para o processamento de outro estágio. A dificuldade relativa de um estágio de processamento específico parece determinar qual hemisfério é superior para uma tarefa específica" (Bouma, 1990, p. 86).
21. Apenas mova as moedas como indicado—você vê como o novo triângulo apontará para baixo?

Capítulo 3: Aprender é Criar—Lições da Frigideira de Thomas Edison

1 O modelo de distância cerebral desenvolvido por Marcel Kinsbourne e Merrill Hiscock, 1983, formula a hipótese de que a interferência entre tarefas simultâneas será maior para tarefas processadas mais perto umas das outras no cérebro. Duas tarefas simultâneas utilizando o mesmo hemisfério e particularmente a mesma

notas de fim

área do cérebro podem bagunçar as coisas (Bouma, 1990, p. 122). Talvez o modo difuso seja mais capaz de lidar com várias tarefas ao mesmo tempo em razão da natureza sem foco dos processos difusos.

2 Rocke, 2010, p. 316, citando Gruber, 1981.

3 Ibid, pp. 3-4.

4 Kaufman *et al.*, 2010, veja em particular a hipótese da desinibição, pp. 222-224; Takeuchi *et al.*, 2012.

5 Na tentativa de rastrear a origem dessa lenda, eu me correspondi com Leonard DeGraaf, arquivista do Parque Nacional Histórico Thomas Edison. Ele notou que "já ouvi a história de Edison e os rolamentos de esferas, mas nunca vi qualquer documentação que poderia confirmá-la. Eu também não conheço a origem da história. Ela pode ser um daqueles relatos que tinham alguma base na realidade, mas se tornaram parte da mitologia do Edison".

6 Dalí, 1948 (reimpresso em 1992).

7 Gabora e Ranjan, 2013, p. 19.

8 Christopher Lee Niebauer e Garvey, 2004. Niebauer refere-se à distinção entre raciocínio *objeto* versus *em metanível*. O terceiro erro paradoxal na frase, aliás, é que não há terceiro erro.

9 Kapur e Bielczyc, 2012, contém um excelente levantamento da importância do fracasso na solução de problemas.

10 Você encontra uma boa discussão das muitas variações do que Edison teria dito ou escrito em http://quoteinvestigator.com/2012/07/31/edison-lot-results/

11 Andrews-Hanna, 2012; Raichle e Snyder, 2007.

12 Doug Rohrer e Harold Pashler, 2010, p. 406, observam: "… recente análise da dinâmica temporal de aprendizagem mostra que a aprendizagem é mais durável quando o tempo de estudo é distribuído ao longo de períodos muito maiores do que é habitual em contextos educativos". Como isso se relaciona com a alternância entre o modo focado e a rede neural em modo padrão é objeto da pesquisa de Mary Helen Immordino-Yang e seu grupo. Em outras palavras, o que eu descrevi é uma suposição razoável para o que ocorre enquanto aprendemos, mas precisa ser corroborado por mais pesquisas.

13 Baumeister e Tierney, 2011.

14 Quero deixar claro que esses são apenas meus "melhores palpites" sobre o que pode promover o pensamento em modo difuso, com base em onde as pessoas parecem ter muitas de suas ideias mais criativas.

15 Bilalić *et al.*, 2008.

16 Nakano *et al.*, 2012.

17 Kounios e Beeman, 2009, p. 212.

18 Dijksterhuis *et al.*, 2006.

19 A memória de curto prazo são as informações registradas que não são ativamente ensaiadas. A memória de trabalho é o subconjunto das informações da memória de curto prazo que é o foco de atenção e processamento ativo (Baddeley *et al.*, 2009).

20 Cowan, 2001.

296   a p r e n d e n d o   a   a p r e n d e r

21 Se você está interessado na geografia neural subjacente a tudo isso, parece que ambas as memórias de longo prazo e de trabalho usam regiões sobrepostas nos lobos frontal e parietal. Mas o lobo temporal medial é usado apenas para a memória de longo prazo—não para a memória de trabalho. Veja Guida *et al.*, 2012, pp. 225-226, e também Dudai, 2004.

22 Baddeley *et al.*, 2009, pp. 71-73; Carpenter *et al.*, 2012. *A repetição espaçada* é também conhecida como *prática distribuída*. Dunlosky *et al.*, 2013, seção 9, apresenta uma excelente análise da prática distribuída. Infelizmente, como observado em Rohrer e Pashler, 2007, muitos educadores, particularmente de matemática, acreditam que a sobreaprendizagem é uma boa maneira de aumentar a retenção no longo prazo—em consequência, os estudantes fazem muitos problemas semelhantes, o que termina sendo uma forma de trabalho repetitiva com poucos benefícios no longo prazo.

23 Xie *et al.*, 2013.

24 Stickgold e Ellenbogen, 2008.

25 Ji e Wilson, 2006.

26 Ellenbogen et al. 2007. O modo difuso também pode estar relacionado à baixa inibição latente—isto é, ter tendência a sonhar acordado e ser facilmente distraído (Carson *et al.*, 2003). Há esperança criativa para aqueles de nós que se esquecem do que estavam pensando no meio de uma frase!

27 Erlacher e Schredl, 2010.

28 Wamsley et al., 2010.

Capítulo 4: Formando Blocos e Evitando Ilusões de Competências—Os Segredos para se Tornar um "Encantador de Equações"

1 Luria, 1968.

2 Beilock, 2010, pp. 151-154.

3 As crianças aprendem através da atenção concentrada, mas elas também usam o modo difuso, com pouco controle executivo, para aprender mesmo quando *não* estão prestando atenção focada (Thompson-Schill *et al.*, 2009). Em outras palavras, parece que as crianças não precisam usar o modo focado como os adultos quando aprendem um novo idioma, e pode ser por isso que é mais fácil para as crianças aprenderem um novo idioma. Mas pelo menos alguma aprendizagem focada é necessária para aprender um novo idioma depois da primeira infância.

4 Guida *et al.*, 2012, seção 8.

5 Brent e Felder, 2012; Sweller *et al.*, 2011, Cap. 8.

6 Alessandro Guida e colegas (2012, p. 235) observam que a criação de blocos parece empregar inicialmente a memória de trabalho, localizada na área pré-frontal, e resulta da atenção concentrada, que ajuda a conectar os blocos. Esses blocos também começam a se localizar, com o desenvolvimento da competência, na memória de longo prazo relacionada às regiões parietais. Um aspecto muito diferente da memória envolve ritmos oscilatórios neurais, que ajudam a vincular informações perceptuais e contextuais de muitas áreas do cérebro (Nyhus e Cur-

notas de fim   297

ran, 2010). Veja em Cho *et al.*, 2012, um estudo de imagiologia do desenvolvimento da fluência de recuperação na resolução de problemas aritméticos em crianças.

7 Baddeley *et al.*, 2009, Capítulo 6; Cree and McRae, 2003.

8 Ibid, pp. 101-104.

9 O "quadro global" ao qual estou me referindo pode ser visto como um modelo cognitivo. Veja Guida *et al.*, 2012, em especial a seção 3.1. Os modelos decorrentes do estudo da matemática e da ciência tendem, naturalmente, a ser mais amorfos do que aqueles decorrentes dos contornos precisos do xadrez. Blocos, Guida observa, podem ser construídos muito rapidamente, mas modelos que envolvem reorganização funcional levam tempo—pelo menos cinco semanas ou mais (Guida *et al.*, 2012). Veja também a discussão de esquemas em Cooper e Sweller, 1987; Mastascusa *et al.*, 2011, 23-43. A discussão de Bransford *et al.*, 2000, Capítulo 2, também é útil na compreensão dessas ideias relacionadas ao desenvolvimento de competências. O conhecimento prévio pode ser útil ao aprender algo novo e relacionado—mas o conhecimento prévio também pode atuar como um obstáculo, já que ele pode tornar mais difícil fazer alterações na estruturação dos conhecimentos. Isso é particularmente perceptível com crenças arraigadas errôneas de estudantes sobre conceitos básicos da física, que são notoriamente resistentes à mudança (Hake, 1998; Halloun e Hestenes, 1985). Como Paul Pintrich e colegas, 1993, p. 170, observam: "um paradoxo existe para o aluno; por um lado, as concepções atuais potencialmente resistem a mudanças conceituais, mas também oferecem as estruturas que o aluno pode usar para interpretar e compreender informações novas, potencialmente conflitantes".

10 Geary *et al.*, 2008, pp. 4-6 a 4-7; Karpicke, 2012; Karpicke *et al.*, 2009; Karpicke e Grimaldi, 2012; Kornell *et al.*, 2009; Roediger e Karpicke, 2006. Veja comentários em McDaniel e Callender, 2008; Roediger e Butler, 2011.

11 Karpicke e *et al.*, 2009, p. 471. Veja também o efeito Dunning-Kruger, em que pessoas incompetentes erroneamente avaliam sua habilidade acima do que deveriam. Dunning et al. 2003; Kruger e Dunning 1999; Ehrlinger et al. 2008; Bursonet et al. 2006.

12 Baddeley *et al.*, 2009, p. 111.

13 Dunlosky *et al.*, 2013, seção 4.

14 Longcamp *et al.*, 2008.

15 Dunlosky *et al.*, 2013, seção 7.

16 Veja em particular Guida *et al.*, 2012, que observa como especialistas aprendem a usar a memória de longo prazo para expandir sua memória de trabalho. Veja também Geary *et al.*, 2008, pp. 4-5, que observa "a capacidade da memória de trabalho limita o desempenho matemático, mas a prática pode superar essa limitação alcançando a automaticidade".

17 A solução para o anagrama é "Iracema".

18 Jeffrey Karpicke e colegas (2009) sugeriram a relação entre ilusões de competência na aprendizagem e a dificuldade de anagramas quando você vê a solução ao contrário de quando você não vê a solução.

19 Henry Roediger e Mary Pyc (2012, p. 243) observam: "Os professores, universitá-

298   a p r e n d e n d o   a   a p r e n d e r

rios ou não, muitas vezes se preocupam com a criatividade dos alunos, um objetivo louvável. As técnicas que defendemos mostram melhorias na aprendizagem básica e retenção dos conceitos e fatos, e algumas pessoas criticaram essa abordagem como enfatizando a 'aprendizagem mecânica' ou 'a simples memorização' ao invés da síntese criativa. A educação não deveria promover um senso de deslumbramento, descoberta e criatividade nas crianças? A resposta à pergunta é sim, claro, mas nós argumentamos que uma forte base de conhecimento é um pré-requisito para ser criativo em um domínio específico. É improvável que um estudante faça descobertas criativas em qualquer assunto sem um conjunto abrangente de fatos e conceitos sob seu comando. Não há nenhum conflito necessário entre a aprendizagem de conceitos e fatos e o pensamento criativo; os dois são simbióticos".

20 Geary, 2005, Capítulo 6; Johnson, 2010.

21 Johnson, 2010, 123.

22 Simonton, 2004, 112.

23 Essa é minha própria reformulação de um sentimento comum em ciências. Santiago Ramón y Cajal cita Duclaux ao observar "A sorte sorri não para aqueles que a desejam, mas sim para aqueles que a merecem". Cajal observa em seguida que "na ciência, assim como na loteria, a sorte favorece quem aposta mais—isto é, usando outra analogia, aquele que constantemente cultiva a terra em seu jardim" (Ramón y Cajal, 1999 [1897], pp. 67-68). Louis Pasteur observou: "Nos campos que envolvem observação, a sorte favorece apenas as mentes preparadas". Expressões relacionadas incluem o provérbio de base latina "A sorte favorece os audazes" e o lema do Serviço Aéreo Especial britânico: "Quem ousa vence".

24 Kounios e Beeman, 2009; Ramón y Cajal, 1999 [1897], p. 5.

25 Rocke, 2010.

26 Thurston, 1990, p. 846–847.

27 Consulte a obra seminal de Karl Anders Ericsson sobre o desenvolvimento de competências, por exemplo, Ericsson, 2009. Você encontra abordagens populares informativas relacionadas ao desenvolvimento de talentos em Coyle, 2009; Greene, 2012; Leonard, 1991.

28 Karpicke e Blunt, "A prática de recuperação produz mais aprendizagem do que formas de estudar mais elaboradas, como o mapeamento de conceitos", 2011. Consulte também Guida et al., 2012, 239.

29 De interesse, as regiões pré-frontais do hemisfério esquerdo parecem ativas durante a fase de codificação da memorização, enquanto as regiões do hemisfério direito parecem ativas durante a recuperação. Isso foi relatado por muitos grupos usando uma grande variedade de técnicas de imagiologia (Cook, 2002, p. 37). É possível que recuperar materiais memorizados dê início às conexões de mapeamento de conceitos em modo difuso? Veja também Geary et al., 2008, 4-6 a 4-7.

30 Existem, claro, limitações aqui. Por exemplo, se for solicitado que um aluno se recorde do material para determinar o que pertence a um mapa de conceitos? Também existem diferenças disciplinares, sem dúvida. Alguns assuntos, como aqueles que envolvem os processos de comunicação nas células biológicas, pres-

notas de fim

tam-se, por sua natureza, mais facilmente a abordagens de "mapas de conceito" para a compreensão de ideias-chave.

31 Brown *et al.*, 1989.

32 Johnson, 2010, p. 110.

33 Baddeley *et al.*, 2009, Capítulo 8.

34 Ken Koedinger, professor de psicologia e interação humano-computador na Universidade Carnegie Mellon, observa "Para maximizar a retenção do material, é melhor começar expondo o aluno à informação em intervalos curtos, aumentando gradualmente os intervalos. Tipos diferentes de informações—conceitos abstratos versus fatos concretos, por exemplo—exigem diferentes cronogramas de exposição" (Paul, 2012).

35 Dunlosky *et al.*, 2013, Seção 10; Roediger e Pyc, 2012; Taylor e Rohrer, 2010.

36 Rohrer e Pashler, 2007.

37 Parece que técnicas de "prática em bloco" criam uma ilusão de competência no ensino. Os alunos parecem aprender rapidamente, mas como os estudos têm mostrado, também se esquecem rapidamente. Roediger e Pyc, 2012 observa: "esses resultados mostram por que professores e alunos podem ser enganados, utilizando estratégias que são ineficientes no longo prazo. Quando aprendemos, nós estamos tão concentrados em como estamos aprendendo que gostamos de adotar estratégias que tornam a aprendizagem fácil e rápida. A prática repetida faz isso. No entanto, para conseguir uma melhor retenção no longo prazo, devemos usar a prática espaçada e intercalada, mas, enquanto estamos aprendendo, esse procedimento parece mais árduo. A intercalação dificulta a aprendizagem inicial, mas é mais desejável porque no longo prazo a retenção é melhor".

38 Rohrer *et al.*, 2013.

39 Rohrer e Pashler, 2010, observam: "Terceiro, a intercalação da prática de diferentes tipos de problemas (que é bastante raro em textos de matemática e ciências) melhora sensivelmente a aprendizagem".

40 Comunicação privada com a autora. Veja também Carey, 2012

41 Longcamp *et al.*, 2008.

42 Para encontrar exemplos, consulte http://usefulshortcuts.com/alt-codes.

Capítulo 5: Evitando a Procrastinação: Alistando seus Hábitos ("Zumbis") como Ajudantes

1 Emsley, 2005, 103.

2 Chu e Choi, 2005; Graham, 2005; Partnoy, 2012.

3 Steel, 2007, p. 65, observa: "estima-se que de 80% a 95% dos estudantes universitários têm o hábito de procrastinar, entre eles aproximadamente 75% se consideram procrastinadores e quase 50% procrastinam problemática e consistentemente. A quantidade absoluta de procrastinação é considerável, com os alunos relatando que normalmente ela ocupa mais de um terço de suas atividades diárias, muitas vezes sob a forma de dormir, jogar ou assistir TV… Além disso, essas porcentagens parecem estar aumentando… Além de ser endêmica durante a faculdade, a pro-

300   a p r e n d e n d o   a   a p r e n d e r

crastinação é generalizada na população em geral, afetando cronicamente de 15% a 20% dos adultos".

4 Ainslie e Haslam, 1992; Steel, 2007.
5 Lyons e Beilock, 2012.
6 Emmett, 2000.
7 Consulte a ampla discussão em Duhigg, 2012, que, por sua vez, cita Weick, 1984.
8 Robert Boice, 1996, p. 155, observou que "a procrastinação parece envolver um estreitamento do campo da consciência..." Veja também as páginas 118-119.
9 Boice, 1996, p. 176.
10 Ticer Baumeister, 1997.
11 Boice, 1996, p. 131.

Capítulo 6: Zumbis por Toda Parte: Investigando mais Fundo para Entender o Hábito da Procrastinação

1 McClain, 2011; Wan *et al.*, 2011.
2 Duhigg, 2012, p. 274.
3 Steel, 2007, p. 90, citando Oaten e Cheng (2006) e Oaten e Chen (2007).
4 Baumeister e Tierney, 2011, 43-51.
5 Steel, 2010, citando o trabalho original de Eisenberger e outros.
6 Ibid, pp. 128-130, referindo-se, por sua vez, ao trabalho de Oettingen.
7 Beilock, 2010, pp. 34-35.
8 Ericsson *et al.*, 2007
9 Boice, 1996, 18-22.
10 Paul, pp. 2013.

Capítulo 7: Blocos e Bloqueios—Como Aumentar sua Perícia e Reduzir a Ansiedade

1 Um ponto importante é que grande parte da literatura sobre peritos envolve indivíduos que treinaram durante anos para atingir seu nível de especialização. Mas há diferentes níveis de peritos e de perícia. Por exemplo, se você sabe as siglas do FBI e IBM, é fácil lembrar-se da sequência como um bloco de duas abreviações, ao invés de um agrupamento díspar de seis letras. *Mas essa facilidade na formação de blocos presume que você já seja um perito, não só no significado de FBI e IBM, mas também no próprio alfabeto latino.* Imagine como seria mais difícil memorizar uma sequência tibetana como esta: ༡༤༥ཀཿ ཅ | .

Quando estamos aprendendo matemática e ciências na sala de aula, estamos começando com algum grau de perícia, e o que aprendemos em um semestre não é *nada* comparado ao vasto salto de conhecimento experimentado na transformação de um novato em um grande mestre no xadrez. Quando você faz um curso em algum assunto, você não observará uma diferença neural dramática em um semestre, semelhante à diferença dramática entre um novato e um grande mestre. Mas há algumas indicações de que diferenças neurais na maneira como você processa

notas de fim

o material podem aparecer mesmo em um período de algumas semanas (Guida *et al.*, 2012). Mais especificamente, Guida e colegas observam que os peritos preferencialmente fazem uso das regiões temporais, que são cruciais para a memória de longo prazo. Em outras palavras, quando afastamos os estudantes da construção de estruturas na memória de longo prazo, eles têm mais dificuldade em adquirir conhecimentos. Claro, a concentração apenas na memorização sem aplicação criativa também é um problema. Novamente—qualquer método de ensino pode ser mal-empregado; a variedade (para não mencionar a competência) é o tempero da vida!

2 Já falamos sobre a intercalação do estudo de diferentes técnicas enquanto você está estudando um tópico. Mas e a intercalação do estudo de assuntos completamente diferentes? Infelizmente, ainda não há nenhuma literatura de pesquisa disponível (Roediger e Pyc, 2012, p. 244), então o que estou sugerindo sobre variar o que você está estudando é simplesmente senso comum e prática comum. Será interessante observar as futuras pesquisas nessa área.

3 Kalbfleisch, 2004.

4 Guida e colegas, 2012, pp. 236-237, observam que blocos na memória de trabalho e, em consequência, na memória de longo prazo (MLP) "ficam maiores com a prática e a experiência... os blocos também ficam mais elaborados porque há mais conhecimento de MLP associado a cada um deles. Além disso, vários blocos de MLP podem tornar-se conectados ao conhecimento. E, eventualmente, se um indivíduo se torna um perito, a presença dessas conexões entre várias partes pode resultar na criação de blocos hierárquicos de alto nível. Por exemplo, no jogo de xadrez, modelos podem se conectar '...a planos, movimentos, conceitos estratégicos e táticos, e também a outros modelos...'. Sugerimos que a reorganização funcional do cérebro pode ser detectada na aquisição de conhecimento quando blocos de MLP e estruturas de conhecimento existam e sejam eficazes no campo de perícia".

5 Duke *et al.*, 2009.

6 Você encontra uma boa análise das circunstâncias em que a prática deliberada é mais eficaz em Pachman *et al.*, 2013.

7 Roediger e Karpicke, 2006, p. 199.

8 Wan *et al.*, 2011. Esse estudo procurou definir os circuitos neurais responsáveis pela geração intuitiva rápida (em até 2 segundos) da melhor jogada seguinte em jogos de shogi, um jogo de estratégia extraordinariamente complexo. A parte do cérebro associada aos hábitos rápidos, implícitos e inconscientes (o circuito pré--cuneo-caudado) parece ser central para a geração rápida do melhor próximo movimento de jogadores profissionais. Veja também McClain, 2011.

9 Charness *et al.*, 2005.

10 Karpicke *et al.*, 2009; McDaniel e Callender, 2008.

11 Fischer e Bidell, 2006, 363-370.

12 Roediger and Karpicke, 2006, citando *Principles of Psychology* de William James.

13 Beilock, 2010, 54-57.

14 Karpicke e Blunt, 2011b; Mastascusa *et al.*, 2011, Capítulo 6; Pyc e Rawson, 2010;

302 a p r e n d e n d o   a   a p r e n d e r

Roediger e Karpicke, 2006; Rohrer and Pashler, 2010. Dunlosky *et al.*, 2013, em sua análise em profundidade de várias técnicas de aprendizagem, avaliam que as provas simuladas têm grande utilidade devido a sua eficácia, ampla aplicabilidade e facilidade de uso.

15 Keresztes *et al.*, 2013, fornece evidência de que as provas simuladas promovem a aprendizagem no longo prazo através da estabilização de padrões de ativação em uma grande rede de áreas do cérebro.

16 Pashler *et al.*, 2005.

17 Dunlosky *et al.*, 2013, seção 8; Karpicke e Roediger, 2008; Roediger e Karpicke, 2006.

Capítulo 8: Ferramentas, Dicas e Truques

1 llen, 2001, 85, 86.

2 Steel, 2010, p. 182.

3 Beilock, 2010, 162-165; Chiesa e Serretti, 2009; Lutz *et al.*, 2008

4 Os interessados podem encontrar recursos adicionais listados em The Association for Contemplative Mind in Higher Education, www.acmhe.org.

5 Boice, 1996, p. 59.

6 Ferriss, 2010, p. 485.

7 Ibid, p. 482.

8 Fiore, 2007, p.44

9 Scullin e McDaniel, 2010.

10 Newport 2012; Newport 2006.

11 Fiore, 2007, p. 82.

12 Baddeley *et al.*, 2009, pp. 378-379.

Capítulo 9: Palavras Finais sobre os Zumbis da Procrastinação

1 Johansson, 2012, Capítulo 7.

2 Boice, 1996, p. 120; Fiore, 2007, Capítulo 6.

3 Boice, 1996, p. 125.

4 Amabile *et al.*, 2002; Baer e Oldham, 2006; Boice, 1996, p. 66

5 Rohrer *et al.*, no prelo.

6 Chi *et al.*, 1981.

7 Noesner, 2010.

8 Newport, 2012, particularmente o Capítulo 1 ("Regra nº 1").

9 Nakano *et al.*, 2012.

10 Duhigg, 2012, p 137.

11 Newport, 2012.

12 Veja em Edelman, 2012, muitas ideias como essa.

notas de fim

Capítulo 10: Melhorando sua Memória

1 Elranor Maguire e colegas, 2003, estudaram indivíduos renomados por notáveis feitos de memória em fóruns como o Campeonato Mundial de Memória. "Usando medidas neuropsicológicas, bem como imagens cerebrais estruturais e funcionais", eles constataram que "a memória superior não era consequência de uma excepcional capacidade intelectual ou de diferenças estruturais do cérebro. Pelo contrário, [eles] descobriram que os memorizadores de alto nível utilizavam uma estratégia de aprendizagem espacial, envolvendo regiões do cérebro como o hipocampo que são críticas para a memória e para a memória espacial em particular".

Tony Buzan contribuiu muito para levar ao público em geral a importância das técnicas de memória. Seu livro *Use Your Perfect Memory* (Buzan, 1991) apresenta mais informações sobre algumas técnicas populares.

2 Eleanor Maguire e colegas, 2003, observam que as técnicas de memória muitas vezes são consideradas muito complicadas para serem usadas, mas algumas técnicas, como o Palácio da Memória, podem de fato ser muito naturais e úteis, permitindo que nós nos lembremos de informações que são importantes para nós.

3 Cai *et al.*, 2013; Foer, 2011. O trabalho de Cai indica que a especialização em um hemisfério (geralmente o esquerdo) para a linguagem é acompanhada de especialização similar no outro hemisfério para recursos visuoespaciais. A especialização de uma função em um hemisfério, em outras palavras, parece causar a especialização da outra função no outro hemisfério.

4 Ross e Lawrence, 1968

5 Baddeley *et al.*, 2009, pp. 363-365

6 http://www.ted.com/talks/joshua_foer_feats_of_memory_anyone_can_do.html

7 http://www.skillstoolbox.com/career-and-education-skills/learning-skills/memory-skills/mnemonics/applications-of-mnemonic-systems/how-to-memorize-formulas/

8 É apresentada uma noção da importância do raciocínio espacial em Kell *et al.*, 2013.

Capítulo 11: Mais Dicas de Memória

1 Duas fontes de informações relacionadas a metáforas na física do final do século XIX são Cat, 2001, e Lützen, 2005. Sobre metáforas em química e mais amplamente em todas as ciências, consulte Rocke, 2010, em especial o Capítulo 11. Veja também Gentner e Jeziorski, 1993. A imagiologia e visualização estão além do escopo de qualquer livro isolado—veja, por exemplo, o *Journal of Mental Imagery*.

2 Como o proeminente criador de modelos matemáticos Emanuel Derman observa: "As teorias descrevem e lidam com o mundo em seus próprios termos e devem andar com seus próprios pés. Os modelos se sustentam sobre os pés de outras pessoas. Eles são metáforas que comparam o objeto de sua atenção a outra coisa semelhante. A semelhança é sempre parcial, e então modelos necessariamente simplificam as coisas e reduzem as dimensões do mundo... Em poucas palavras, as teorias dizem *o que* algo é; os modelos dizem meramente *como* algo é" (Derman,

304   a p r e n d e n d o a a p r e n d e r

2011, 6).

3   Solomon, 1994.

4   Rocke, 2010, xvi.

5   Ibid, p. 287, citando *Berichte der Durstigen Chemischen Gesellschaft*, 1886, p. 3536.

6   Rawson e Dunlosky, 2011.

7   Dunlosky *et al.*, 2013; Roediger e Pyc, 2012, em um estudo do uso de flashcards (cartões com respostas no verso) pelos estudantes, Kathryn Wissman e colegas (2012, p. 568) observam que "os estudantes compreendem os benefícios da prática para obter notas melhores (quantidade de prática), mas normalmente não implementam ou entendem os benefícios da prática com defasagens de tempo cada vez maiores (cronograma de prática)".

8   Morris *et al.*, 2005.

9   Baddeley *et al.*, 2009, 207-209.

10   Com a adição agora de "Pergunta" (Question, em inglês), você poderia pensar que, no conjunto, eu discuti todos os componentes do método SQ3R (às vezes chamado de SQ4R, de Survey, Question, Read, Recite, Review e wRite) e poderia perguntar por que ainda não explorei esse método mais detalhadamente no texto. O SQ3R foi desenvolvido pelo psicólogo Francis Pleasant Robinson como uma ferramenta geral de estudo. A solução de problemas ocupa posição central no estudo de matemática e ciências—e a abordagem SQ3R simplesmente não se presta a isso. Eu não sou a única a notar. Como o professor de física Ronald Aaron e seu filho Robin Aaron observam em *Improve Your Physics Grade*, "....um texto de psicologia sugere estudar pelo método SQ3R... Para fazer anotações em sala de aula sugere a abordagem LISAN... Você acredita que tais abordagens podem ajudá-lo? Você acredita no Papai Noel? No coelhinho da Páscoa?" (Aaron e Aaron, 1984, p. 2).

11   Curiosamente, parece que foi feito muito pouco trabalho nessa área—e o pouco que está disponível parece simplesmente afirmar que escrever à mão ajuda a assimilar informações melhor do que digitar. Veja Rivard e Straw, 2000; Smoker *et al.*, 2009; Velay e Longcamp, 2012.

12   Cassilhas *et al.*, 2012; Nagamatsu *et al.*, 2013; van Praag *et al.*, 1999.

13   Guida *et al.*, 2012, p. 230; Leutner *et al.*, 2009.

14   Levin *et al.*, 1992, descreve como os alunos que usam mnemônicos superam os estudantes que aplicam estilos de aprendizagem contextual e livre.

15   Guida *et al.*, 2012, destaca que treinar usando técnicas de memória pode acelerar o processo de aquisição de blocos e estruturas de conhecimento, ajudando dessa forma as pessoas a se tornarem especialistas mais rapidamente, permitindo que elas usem parte de sua memória de longo prazo como memória de trabalho.

16   Baddeley *et al.*, 2009, pp. 376-377, citando a pesquisa de Helga e Tony.

Capítulo 12: Aprendendo a Apreciar seu Talento

1   Jin et al. 2014.

2   Partnoy, 2012, p. 73. Partnoy observa mais adiante que: "às vezes, ter um entendi-

notas de fim 305

mento de exatamente o que estamos fazendo inconscientemente pode matar a espontaneidade natural. Se formos autoconscientes demais, nós bloquearemos nossos instintos quando precisarmos deles. Por outro lado, se não tivermos nenhuma autoconsciência, nós nunca melhoraremos nossos instintos. O desafio durante um período de segundos é estar consciente dos fatores que entram em nossas decisões... mas não estar tão consciente deles a ponto de fazer com que nossas decisões se tornem reprimidas e ineficazes..." (Partnoy, 2012, 111).

3 Partnoy, 2012, p 72, citando Klein.

4 Klein, 1999, p. 150, citando Klein e Klein, 1981. Mas observe o pequeno tamanho da amostra.

5 Mauro Pesenti e colegas observam que "Nós demonstramos que a perícia ao fazer cálculos não foi devida ao aumento da atividade dos processos existentes em não peritos; pelo contrário, os peritos e não peritos usaram áreas diferentes do cérebro para fazer cálculos. Nós constatamos que os peritos podem alternar entre estratégias de armazenamento de curto prazo que exigem esforço, e codificação e recuperação de memória episódica altamente eficiente, um processo que foi sustentado por áreas temporais pré-frontais e mediais direitas".

Já em 1899, o brilhante psicólogo William James escreveu, em seu clássico *Talks to Teachers on Psychology*: "você vê agora por que estudar tudo de última hora é um modo de estudo tão medíocre. Ao estudar de última hora, você procura gravar as coisas pelo esforço intenso imediatamente antes da prova. Mas uma coisa aprendida dessa maneira pode formar apenas poucas associações. Por outro lado, a mesma coisa repetida em dias diferentes, em contextos diferentes, lida, recitada, mencionada novamente, relacionada a outras coisas e revista, fica bem forjada na estrutura mental. Essa é a razão pela qual você deve estimular em seus alunos hábitos de esforço contínuo" (William, 2008 [1899], p. 73).

6 Em um estudo clássico, Chase e Simon, 1973, constataram que a geração intuitiva dos próximos movimentos em especialistas de xadrez se baseia na percepção rápida e de alto nível de padrões que foi alcançada através da prática. Gobet *et al.*, 2001, define um bloco como "... um conjunto de elementos com associações fortes uns com os outros, mas associações fracas com elementos em outros blocos".

7 Amidzic *et al.*, 2001; Elo, 1978; Simon, 1974. 300.000 citado por Gobet e Simon, 2000.

8 Gobet, 2005. Gobet observa mais adiante que a perícia em um domínio não se transfere para outro. Isso é verdade—certamente se você aprendeu espanhol, isso não o ajudará quando você for comprar um chucrute na Alemanha. Mas as meta-habilidades são importantes. Se você aprender como aprender um idioma, você pode aprender um segundo idioma mais facilmente.

É aqui, novamente, que desenvolver perícia em algo como o xadrez pode ser muito valioso—ela fornece um conjunto de estruturas neurais que são semelhantes às que você precisa para aprender matemática e ciências. Mesmo se as estruturas neurais são tão simples quanto àquelas de que *você precisa para internalizar as regras do jogo*—essa é uma constatação valiosa.

9 Beilock, 2010, pp. 77-78; White e Shah, 2006.

306   aprendendo a aprender

10 De fato, há evidências modestas para esse tipo de constatação na literatura de pesquisa. Veja Simonton, 2009.

11 Carson *et al.*, 2003; Ellenbogen *et al.*, 2007; White e Shah, 2011.

12 Merim Bilalić e colegas (2007) destacam que alguns jogadores com QI entre 108 e 116 chegaram ao grupo de elite de jogadores em virtude de sua prática extra. O grupo de elite tinha um QI médio de 130. Veja também Duckworth e Seligman, 2005.

O vencedor do Prêmio Nobel Richard Feynman gostava de chamar a atenção para sua pontuação relativamente baixa de QI, de 125, como evidência de que você poderia ir bem longe independentemente do que os testes pudessem indicar sobre sua inteligência. Feynman claramente tinha inteligência natural, mas desde jovem ele treinava obsessivamente para desenvolver seus conhecimentos matemáticos e físicos e sua intuição (Gleick, 1992).

13 Klingberg, 2008.

14 Silverman, 2012.

15 Felder, 1988. Veja também Justin Kruger e David Dunning (1999), que observa: "o erro de calibração dos incompetentes decorre de um erro sobre eles próprios, enquanto o erro de calibração dos altamente competentes decorre de um erro sobre os outros".

Capítulo 13: Esculpindo seu Cérebro

1 DeFelipe, 2002.

2 Ramón y Cajal, 1937, p. 309.

3 Ramón y Cajal, 1999 [1897], xv-xvi; Ramón y Cajal, 1937, p. 278.

4 Ramón y Cajal, 1937, p. 154.

5 Fields, 2008; Giedd, 2004; Spear, 2013.

6 Ramón y Cajal 1999 [1897].

7 Bengtsson *et al.*, 2005; Spear, 2013.

8 Cajal claramente conseguia planejar bem—como prova o canhão que ele construiu. Mas parece que ele não conseguia associar as ações com suas consequências mais amplas—empolgado com a excitante tarefa de explodir o portão do vizinho, por exemplo, ele não era capaz de fazer a previsão óbvia de que ele estaria em apuros como consequência. Veja Shannon *et al.*, 2011, com sua descoberta intrigante de que a conectividade funcional em adolescentes problemáticos conecta o córtex pré-motor dorsolateral com a rede de modo padrão ("uma constelação de áreas do cérebro associadas à cognição espontânea, sem restrições e autorreferencial"). Conforme os adolescentes problemáticos amadurecem e seu comportamento melhora, o córtex pré-motor dorsolateral, em vez disso, parece começar a se conectar com as redes de atenção e controle.

9 Bengtsson *et al.*, 2005; Spear, 2013; Thomas e Baker, 2013. Como Cibu Thomas e colegas observam(p. 226): "as evidências de estudos com animais sugerem que a organização em grande escala de axônios e dendritos é muito estável e, no cérebro adulto, a plasticidade estrutural em razão da experiência ocorre localmente e é

notas de fim

transitória". Em outras palavras, nós podemos fazer mudanças modestas em nosso cérebro, mas nós não podemos fazer uma reprogramação maciça. É o que o bom senso nos faria esperar. Para ler um livro magnífico para leigos sobre a plasticidade do cérebro, consulte Doidge, 2007. A melhor abordagem técnica sobre esse tópico é Shaw e McEachern, 2001. É apropriado que o próprio trabalho de Cajal esteja agora ganhando reconhecimento como fundamental em nosso entendimento da plasticidade cerebral (DeFelipe, 2006).

10 Ramón y Cajal, 1937, p. 58.

11 Ibid, p. 131. A capacidade de captar as ideias-chave—a essência dos problemas—parece ser mais importante do que a capacidade de memorizar textualmente, palavra por palavra. As memórias textuais, em oposição às memórias da "essência", parecem ser codificadas de forma diferente. Ver Geary et al., 2008, 4-9.

12 DeFelipe, 2002.

13 Ramón y Cajal, 1937, p. 59.

14 Root-Bernstein e Root-Bernstein, 1999, pp. 88-89.

15 Bransford et al., 2000, Capítulo 3; Mastascusa et al., 2011, Capítulos 9-10.

16 Fauconnier e Turner, 2002.

17 Mastascusa et al., 2011, p. 165.

18 Gentner e Jeziorski, 1993.

Capítulo 14: Desenvolvendo a Imaginação Através de Equações Poemas

1 Plath, 1971, p. 34.

2 Feynman, 2001, p. 54.

3 Feynman, 1965, 2010.

4 Esta seção baseia-se no maravilhoso artigo de Prentis, 1996.

5 Trechos da canção "Mandelbrot Set", © Jonathan Coulton, com permissão de Jonathan Coulton. Letra da canção em sua integralidade em http://www.jonathan-coulton.com/wiki/Mandelbrot_Set/Lyrics.

6 Prentis, 1996.

7 Cannnon, 1949, xiii; Ramón y Cajal, 1937, p. 363. Similarmente, veja a extraordinária obra de Javier DeFelipe, Butterflies of the Soul, que contém algumas das belas ilustrações produzidas nos dias iniciais das pesquisas em neurociências (DeFelipe, 2010).

8 Mastascusa et al., 2011, p. 165.

9 Keller, 1984, p. 117.

10 Veja discussões de perguntas elaborativas e autoexplicação em Dunlosky et al., 2013.

11 http://www.youtube.com/watch?v=FrNqSLPaZLc

12 http://www.reddit.com/r/explainlikeimfive

13 Veja também a nota 7 do Capítulo 12.

14 Mastascusa et al., 2011, Capítulos 9-10.

15 Foerde et al., 2006; Paul, 2013.

308   a p r e n d e n d o   a   a p r e n d e r

Capítulo 15: Aprendizagem Renascentista

1 Colvin, 2008; Coyle, 2009; Gladwell, 2008.
2 Deslauriers *et al.*, 2011; Felder *et al.*, 1998; Hake, 1998; Mitra *et al.*, 2005; Conselho de Consultores do Presidente para a Ciência e Tecnologia, 2012.
3 Ramón y Cajal, 1999 [1897].
4 Kankwamba e Mealer, 2009.
5 Pert, 1997, p. 33.
6 McCord, 1978. Veja em Armstrong, 2012, uma discussão ampla desse e de estudos relacionados.
7 Oakley *et al.*, 2013.
8 Veja Armstrong, 2012, e referências citadas no artigo.
9 Oakley, 2013.

Capítulo 16: Evitando o Excesso de Confiança—O Poder do Trabalho em Equipe

1 Schutz, 2005.
2 McGilchrist, 2010, apresenta uma descrição abrangente sustentando a existência de diferenças na função hemisférica, enquanto Efron, 1990, embora desatualizado, fornece uma excelente nota de advertência sobre os problemas da pesquisa hemisférica. Veja também Nielsen *et al.*, 2013; Jeff Anderson, MD, Ph.D., que estava envolvido no estudo, observa que "é absolutamente verdade que algumas funções cerebrais ocorrem em um ou outro lado do cérebro. A linguagem tende a estar para a esquerda, a atenção mais para a direita. Mas as pessoas não tendem a ter uma rede mais forte do lado esquerdo ou direito do cérebro. Isso parece ser determinado mais conexão por conexão" (University of Utah Health Care Office of Public Affairs 2013).
3 McGilchrist, 2010, pp. 192-194, 203.
4 Houdé e Tzourio-Mazoyer, 2003. Houdé, 2002, p. 341, observa que "nossos resultados de neuroimagem demonstram o envolvimento direto, em indivíduos neurologicamente intactos, de uma área pré-frontal ventromedial direita na formação da consciência lógica, ou seja, no que coloca a mente no 'caminho lógico' em que ela pode implementar os instrumentos de dedução... Portanto, o córtex pré-frontal ventromedial pode ser o componente emocional do dispositivo de correção de erros do cérebro. Mais exatamente, essa área pode corresponder ao dispositivo que detecta as condições sob as quais erros de raciocínio lógico têm maior probabilidade de ocorrer..."
5 Ver Stephen Christman e colegas, 2008, p. 403, que observam que "o hemisfério esquerdo mantém nossas crenças atuais enquanto o hemisfério direito avalia e atualiza essas crenças quando apropriado. A avaliação de crenças, portanto, dependente de interações inter-hemisféricas..."
6 Ramachandran, 1999, p. 136.
7 Gazzaniga, 2000; Gazzaniga *et al.*, 1996.

notas de fim

8 Feynman 1985, p. 341. Originalmente expresso em sua aula inaugural para Caltech, 1974.

9 Feynman 1985, pp. 132–133.

10 Como Alan Baddeley e colegas (2009, 148-149) observam, "não nos faltam formas de nos defendermos contra as ameaças à nossa autoestima. Aceitamos elogios prontamente, mas temos a tendência de ser céticos quanto às críticas, muitas vezes atribuindo-as ao preconceito por parte do crítico. Estamos inclinados a levar o crédito pelo sucesso, quando ele ocorre, mas negar a responsabilidade pelo fracasso. Se esse estratagema falhar, nós somos bastante bons em seletivamente esquecer-nos dos fracassos e lembrar-nos dos sucessos e dos elogios". (Referências omitidas.)

11 Granovetter, 1983; Granovetter, 1973

12 Ellis *et al.*, 2003.

13 Beilock, 2010, p. 34.

14 Arum e Roksa, 2010, p. 120.

Capítulo 17: Fazendo Provas

1. Visite o site do Dr. Felder em http://www4.ncsu.edu/unity/lockers/users/f/felder/public/ para encontrar uma enorme variedade de informações úteis sobre a aprendizagem na área de exatas.

2. Felder, 1999. Usado com permissão do Dr. Richard Felder e *Chemical Engineering Education*.

3. Você encontra mais ao longo dessas linhas em McClain, 2011, e no trabalho dos pesquisadores que McClain cita.

4. Beilock, 2010, 140-141.

5 Mrazek *et al.*, 2013.

6. Beilock, 2010, p. 60, observa que "atletas sob pressão às vezes tentam controlar seu desempenho de forma que afeta o desempenho negativamente. Esse controle, que é muitas vezes chamado de 'paralisia por análise', decorre de um córtex pré-frontal hiperativo".

7. Beilock, 2010, www.sianbeilock.com.

referências

Aaron, R, e RH Aaron. *Improve Your Physics Grade*. New York: Wiley, 1984.

Ainslie, G, e N Haslam. "Self-control." Em *Choice over Time*, editado por G Loewenstein e J Elster, 177–212. New York: Russell Sage Foundation, 1992.

Allen, D. *Getting Things Done*. New York: Penguin, 2001.

Amabile, TM, et al. "Creativity under the gun." *Harvard Business Review* 80, 8 (2002): 52.

Amidzic, O, et al. "Pattern of focal γ-bursts in chess players." *Nature* 412 (2001): 603–604.

Andrews-Hanna, JR. "The brain's default network and its adaptive role in internal mentation." *Neuroscientist* 18, 3 (2012): 251–270.

Armstrong, JS. "Natural learning in higher education." Em *Encyclopedia of the Sciences of Learning*, 2426–2433. New York: Springer, 2012.

Arum, R, e J Roksa. *Academically Adrift*. Chicago: University of Chicago Press, 2010.

Baddeley, A, et al. *Memory*. New York: Psychology Press, 2009.

Baer, M, e GR Oldham. "The curvilinear relation between experienced creative time pressure and creativity: Moderating effects of openness to experience and support for creativity." *Journal of Applied Psychology* 91, 4 (2006): 963–970.

Baumeister, RF, e J Tierney. *Willpower*. New York: Penguin, 2011.

Beilock, S. *Choke:* New York: Free Press, 2010.

Bengtsson, SL, et al. "Extensive piano practicing has regionally specific effects on white matter development." *Nature Neuroscience* 8, 9 (2005): 1148–1150.

Bilalić, M, et al. "Does chess need intelligence?—A study with young chess players." *Intelligence* 35, 5 (2007): 457–470.

———. "Why good thoughts block better ones: The mechanism of the pernicious Einstellung (set) effect." *Cognition* 108, 3 (2008): 652–661.

Boice, R. *Procrastination and Blocking*. Westport, CT: Praeger, 1996.

Bouma, A. *Lateral Asymmetries and Hemispheric Specialization*. Rockland, MA: Swets &

Zeitlinger, 1990.

Bransford, JD, et al. *How People Learn*. Washington, DC: National Academies Press, 2000.

Brent, R, e RM Felder. "Learning by solving solved problems." *Chemical Engineering Education* 46, 1 (2012): 29–30.

Brown, JS, et al. "Situated cognition and the culture of learning." *Educational Researcher* 18, 1 (1989): 32–42.

Burson K, et al. "Skilled or unskilled, but still unaware of it: how perceptions of difficulty drive miscalibration in relative comparisons." *Journal of Personality and Social Psychology* 90, 1 (2006): 60–77.

Buzan, T. *Use Your Perfect Memory*. New York: Penguin, 1991.

Cai, Q, et al. "Complementary hemispheric specialization for language production and visuospatial attention." *PNAS* 110, 4 (2013): E322–E330.

Cannon, DF. *Explorer of the Human Brain*. New York: Schuman, 1949.

Carey, B. "Cognitive science meets pre-algebra." *New York Times*, September 2, 2012; http://www.nytimes.com/2013/09/03/science/cognitive-science-meets-pre-algebra.html?ref=science.

Carpenter, SK, et al. "Using spacing to enhance diverse forms of learning: Review of recent research and implications for instruction." *Educational Psychology Review* 24, 3 (2012): 369–378.

Carson, SH, et al. "Decreased latent inhibition is associated with increased creative achievement in high-functioning individuals." *Journal of Personality and Social Psychology* 85, 3 (2003): 499–506.

Cassilhas, RC, et al. "Spatial memory is improved by aerobic and resistance exercise through divergent molecular mechanisms." *Neuroscience* 202 (2012): 309–17.

Cat, J. "On understanding: Maxwell on the methods of illustration and scientific metaphor." *Studies in History and Philosophy of Science Part B* 32, 3 (2001): 395–441.

Charness, N, et al. "The role of deliberate practice in chess expertise." *Applied Cognitive Psychology* 19, 2 (2005): 151–165.

Chase, WG, e HA Simon. "Perception in chess." *Cognitive Psychology* 4, 1 (1973): 55–81.

Chi, MTH, et al. "Categorization and representation of physics problems by experts and novices." *Cognitive Science* 5, 2 (1981): 121–152.

Chiesa, A, e A Serretti. "Mindfulness-based stress reduction for stress management in healthy people: A review and meta-analysis." *Journal of Alternative Complementary Medicine* 15, 5 (2009): 593–600.

Cho, S, et al. "Hippocampal-prefrontal engagement and dynamic causal interactions in the maturation of children's fact retrieval." *Journal of Cognitive Neuroscience* 24, 9 (2012): 1849–1866.

Christman, SD, et al. "Mixed-handed persons are more easily persuaded and are more gullible: Interhemispheric interaction and belief updating." *Laterality* 13, 5 (2008): 403–426.

Chu, A, e JN Choi. "Rethinking procrastination: Positive effects of 'active' procrastination behavior on attitudes and performance." *Journal of Social Psychology* 145, 3 (2005): 245–264.

referências 313

Colvin, G. *Talent Is Overrated*. New York: Portfolio, 2008.

Cook, ND. *Tone of Voice and Mind*. Philadelphia: Benjamins, 2002.

———. "Toward a central dogma for psychology." *New Ideas in Psychology* 7, 1 (1989): 1–18.

Cooper, G, e J Sweller. "Effects of schema acquisition and rule automation on mathematical problem-solving transfer." *Journal of Educational Psychology* 79, 4 (1987): 347.

Cowan, N. "The magical number 4 in short-term memory: A reconsideration of mental storage capacity." *Behavioral and Brain Sciences* 24, 1 (2001): 87–114.

Coyle, D. *The Talent Code*. New York: Bantam, 2009.

Cree, GS, e K McRae. "Analyzing the factors underlying the structure and computation of the meaning of chipmunk, cherry, chisel, cheese, and cello (and many other such concrete nouns)." *Journal of Experimental Psychology: General* 132, 2 (2003): 163–200.

Dalí, S. *Fifty Secrets of Magic Craftsmanship*. New York: Dover, 1948 (reimpresso 1992).

de Bono, E. *Lateral Thinking*. New York: Harper Perennial, 1970.

DeFelipe, J. "Brain plasticity and mental processes: Cajal again." *Nature Reviews Neuroscience* 7, 10 (2006): 811–817.

———. *Cajal's Butterflies of the Soul: Science and Art*. New York: Oxford University Press, 2010.

———. "Sesquicentenary of the birthday of Santiago Ramón y Cajal, the father of modern neuroscience." *Trends in Neurosciences* 25, 9 (2002): 481–484.

Demaree, H, et al. "Brain lateralization of emotional processing: Historical roots and a future incorporating 'dominance.'" *Behavioral and Cognitive Neuroscience Reviews* 4, 1 (2005): 3–20.

Derman, E. *Models. Behaving. Badly*. New York: Free Press, 2011.

Deslauriers, L, et al. "Improved learning in a large-enrollment physics class." *Science* 332, 6031 (2011): 862–864.

Dijksterhuis, A, et al. "On making the right choice: The deliberation-without-attention effect." *Science* 311, 5763 (2006): 1005–1007.

Doidge, N. *The Brain That Changes Itself*. New York: Penguin, 2007.

Drew, C. "Why science majors change their minds (it's just so darn hard)." *New York Times*, November 4, 2011.

Duckworth, AL, e ME Seligman. "Self-discipline outdoes IQ in predicting academic performance of adolescents." *Psychological Science* 16, 12 (2005): 939–944.

Dudai, Y. "The neurobiology of consolidations, or, how stable is the engram?" *Annual Review of Psychology* 55 (2004): 51–86.

Duhigg, C. *The Power of Habit*. New York: Random House, 2012.

Duke, RA, et al. "It's not how much; it's how: Characteristics of practice behavior and retention of performance skills." *Journal of Research in Music Education* 56, 4 (2009): 310–321.

Dunlosky, J, et al. "Improving students' learning with effective learning techniques: Promising directions from cognitive and educational psychology." *Psychological Science in the Public Interest* 14, 1 (2013): 4–58.

314 aprendendo a aprender

Dunning, D, et al. "Why people fail to recognize their own incompetence." *Current Directions in Psychological Science* 12, 3 (2003): 83–87.

Dweck, C. *Mindset*. New York: Random House, 2006.

Edelman, S. *Change Your Thinking with CBT.* New York: Ebury, 2012.

Efron, R. *The Decline and Fall of Hemispheric Specialization*. Hillsdale, NJ: Erlbaum, 1990.

Ehrlinger, J, et al. "Why the unskilled are unaware: Further explorations of (absent) self-insight among the incompetent." *Organizational Behavior and Human Decision Processes* 105, 1 (2008): 98–121.

Eisenberger, R. "Learned industriousness." *Psychological Review* 99, 2 (1992): 248.

Ellenbogen, JM, et al. "Human relational memory requires time and sleep." *PNAS* 104, 18 (2007): 7723–7728.

Ellis, AP, et al. "Team learning: Collectively connecting the dots." *Journal of Applied Psychology* 88, 5 (2003): 821.

Elo, AE. *The Rating of Chessplayers, Past and Present*. London: Batsford, 1978.

Emmett, R. *The Procrastinator's Handbook*. New York: Walker, 2000.

Emsley, J. *The Elements of Murder*. New York: Oxford University Press, 2005.

Ericsson, KA. *Development of Professional Expertise*. New York: Cambridge University Press, 2009.

Ericsson, KA, et al. "The making of an expert." *Harvard Business Review* 85, 7/8 (2007): 114.

Erlacher, D, e M Schredl. "Practicing a motor task in a lucid dream enhances subsequent performance: A pilot study." *The Sport Psychologist* 24, 2 (2010): 157–167.

Fauconnier, G, e M Turner. *The Way We Think*. New York: Basic Books, 2002.

Felder, RM. "Memo to students who have been disappointed with their test grades." *Chemical Engineering Education* 33, 2 (1999): 136–137.

——————— "Impostors everywhere." *Chemical Engineering Education* 22, 4 (1988): 168–169.

Felder, RM, et al. "A longitudinal study of engineering student performance and retention. V. Comparisons with traditionally-taught students." *Journal of Engineering Education* 87, 4 (1998): 469–480.

Ferriss, T. *The 4-Hour Body*. New York: Crown, 2010.

Feynman, R. *The Feynman Lectures on Physics Vol. 2*. New York: Addison Wesley, 1965.

———. *"Surely You're Joking, Mr. Feynman."* New York: Norton, 1985.

———. *What Do You Care What Other People Think?* New York: Norton, 2001.

Fields, RD. "White matter in learning, cognition and psychiatric disorders." *Trends in Neurosciences* 31, 7 (2008): 361–370.

Fiore, NA. *The Now Habit*. New York: Penguin, 2007.

Fischer, KW, e TR Bidell. "Dynamic development of action, thought, and emotion." Em *Theoretical Models of Human Development: Handbook of Child Psychology*, editado por W Damon e RM Lerner. New York: Wiley, 2006: 313–399.

Foer, J. *Moonwalking with Einstein*. New York: Penguin, 2011.

Foerde, K, et al. "Modulation of competing memory systems by distraction." *Proceedings of the National Academy of the Sciences* 103, 31 (2006): 11778–11783.

referências

Gabora, L, e A Ranjan. "How insight emerges in a distributed, content-addressable memory." Em *Neuroscience of Creativity*, editado por O Vartanian et al. Cambridge, MA: MIT Press, 2013: 19–43.

Gainotti, G. "Unconscious processing of emotions and the right hemisphere." *Neuropsychologia* 50, 2 (2012): 205–218.

Gazzaniga, MS. "Cerebral specialization and interhemispheric communication: Does the corpus callosum enable the human condition?" *Brain* 123, 7 (2000): 1293–1326.

Gazzaniga, MS, et al. "Collaboration between the hemispheres of a callosotomy patient: Emerging right hemisphere speech and the left hemisphere interpreter." *Brain* 119, 4 (1996): 1255–1262.

Geary, DC. *The Origin of Mind*. Washington, DC: American Psychological Association, 2005.

———. "Primal brain in the modern classroom." *Scientific American Mind* 22, 4 (2011): 44–49.

Geary, DC, et al. "Task Group Reports of the National Mathematics Advisory Panel; Chapter 4: Report of the Task Group on Learning Processes." 2008. http://www2.ed.gov/about/bdscomm/list/mathpanel/report/learning-processes.pdf.

Gentner, D, e M Jeziorski. "The shift from metaphor to analogy in western science." Em *Metaphor and Thought*, editado por A Ortony. 447–480, Cambridge, UK: Cambridge University Press, 1993.

Gerardi, K, et al. "Numerical ability predicts mortgage default." *Proceedings of the National Academy of Sciences* 110, 28 (2013): 11267–11271.

Giedd, JN. "Structural magnetic resonance imaging of the adolescent brain." *Annals of the New York Academy of Sciences* 1021, 1 (2004): 77–85.

Gladwell, M. *Outliers*. New York: Hachette, 2008.

Gleick, J. *Genius*. New York: Pantheon Books, 1992.

Gobet, F. "Chunking models of expertise: Implications for education." *Applied Cognitive Psychology* 19, 2 (2005): 183–204.

Gobet, F, et al. "Chunking mechanisms in human learning." *Trends in Cognitive Sciences* 5, 6 (2001): 236–243.

Gobet, F, e HA Simon. "Five seconds or sixty? Presentation time in expert memory." *Cognitive Science* 24, 4 (2000): 651–682.

Goldacre, B. *Bad Science*. London: Faber & Faber, 2010.

Graham, P. "Good and bad procrastination." 2005. http://paulgraham.com/procrastination.html.

Granovetter, M. "The strength of weak ties: A network theory revisited." *Sociological Theory* 1, 1 (1983): 201–233.

Granovetter, MS. "The strength of weak ties." *American Journal of Sociology* (1973): 1360–1380.

Greene, R. *Mastery*. New York: Viking, 2012.

Gruber, HE. "On the relation between aha experiences and the construction of ideas." *History of Science Cambridge* 19, 1 (1981): 41–59.

Guida, A, et al. "How chunks, long-term working memory and templates offer a cognitive explanation for neuroimaging data on expertise acquisition: A two-stage framework." *Brain and Cognition* 79, 3 (2012): 221–244.

Güntürkün, O. "Hemispheric asymmetry in the visual system of birds." Em *The Asymmetrical Brain*, editado por K Hugdahl e RJ Davidson, 3–36. Cambridge, MA: MIT Press, 2003.

Hake, RR. "Interactive-engagement versus traditional methods: A six-thousand-student survey of mechanics test data for introductory physics courses." *American Journal of Physics* 66 (1998): 64–74.

Halloun, IA, e D Hestenes. "The initial knowledge state of college physics students." *American Journal of Physics* 53, 11 (1985): 1043–1055.

Houdé, O. "Consciousness and unconsciousness of logical reasoning errors in the human brain." *Behavioral and Brain Sciences* 25, 3 (2002): 341–341.

Houdé, O, e N Tzourio-Mazoyer. "Neural foundations of logical and mathematical cognition." *Nature Reviews Neuroscience* 4, 6 (2003): 507–513.

Immordino-Yang, MH, et al. "Rest is not idleness: Implications of the brain's default mode for human development and education." *Perspectives on Psychological Science* 7, 4 (2012): 352–364.

James, W. *Principles of Psychology*. New York: Holt, 1890.

———. *Talks to Teachers on Psychology: And to Students on Some of Life's Ideals*. Rockville, MD: ARC Manor, 2008 [1899].

Ji, D, e MA Wilson. "Coordinated memory replay in the visual cortex and hippocampus during sleep." *Nature Neuroscience* 10, 1 (2006): 100–107.

Jin, X. "Basal ganglia subcircuits distinctively encode the parsing and concatenation of action sequences." *Nature Neuroscience* 17 (2014): 423–430.

Johansson, F. *The Click Moment*. New York: Penguin, 2012.

Johnson, S. *Where Good Ideas Come From*. New York: Riverhead, 2010.

Kalbfleisch, ML. "Functional neural anatomy of talent." *The Anatomical Record Part B: The New Anatomist* 277, 1 (2004): 21–36.

Kamkwamba, W, e B Mealer. *The Boy Who Harnessed the Wind*. New York: Morrow, 2009.

Kapur, M, e K Bielczyc. "Designing for productive failure." *Journal of the Learning Sciences* 21, 1 (2012): 45–83.

Karpicke, JD. "Retrieval-based learning: Active retrieval promotes meaningful learning." *Current Directions in Psychological Science* 21, 3 (2012): 157–163.

Karpicke, JD, e JR Blunt. "Response to comment on 'Retrieval practice produces more learning than elaborative studying with concept mapping.'" *Science* 334, 6055 (2011a): 453–453.

———. "Retrieval practice produces more learning than elaborative studying with concept mapping." *Science* 331, 6018 (2011b): 772–775.

Karpicke, JD, et al. "Metacognitive strategies in student learning: Do students practice retrieval when they study on their own?" *Memory* 17, 4 (2009): 471–479.

Karpicke, JD, e PJ Grimaldi. "Retrieval-based learning: A perspective for enhancing meaningful learning." *Educational Psychology Review* 24, 3 (2012): 401–418.

Karpicke, JD, e HL Roediger. "The critical importance of retrieval for learning."

referências 317

Science 319, 5865 (2008): 966–968.

Kaufman, AB, et al. "The neurobiological foundation of creative cognition." *Cambridge Handbook of Creativity* (2010): 216–232.

Kell, HJ, et al. "Creativity and technical innovation: Spatial ability's unique role." *Psychological Science* 24, 9 (2013): 1831–1836.

Keller, EF. *A Feeling for the Organism, 10th Aniversary Edition: The Life and Work of Barbara McClintock.* New York: Times Books, 1984.

Keresztes, A, et al. "Testing promotes long-term learning via stabilizing activation patterns in a large network of brain areas." *Cerebral Cortex* (advance access, published June 24, 2013).

Kinsbourne, M, e M Hiscock. "Asymmetries of dual-task performance." Em *Cerebral Hemisphere Asymmetry*, editado por JB Hellige, 255–334. New York: Praeger, 1983.

Klein, G. *Sources of Power.* Cambridge, MA: MIT Press, 1999.

Klein, H, e G Klein. "Perceptual/cognitive analysis of proficient cardio-pulmonary resuscitation (CPR) performance." Midwestern Psychological Association Conference, Detroit, MI, 1981.

Klingberg, T. *The Overflowing Brain.* New York: Oxford University Press, 2008.

Kornell, N, et al. "Unsuccessful retrieval attempts enhance subsequent learning." *Journal of Experimental Psychology: Learning, Memory, and Cognition* 35, 4 (2009): 989.

Kounios, J, e M Beeman. "The Aha! moment: The cognitive neuroscience of insight." *Current Directions in Psychological Science* 18, 4 (2009): 210–216.

Kruger, J, e D Dunning. "Unskilled and unaware of it: How difficulties in one's own incompetence lead to inflated self-assessments." *Journal of Personality and Social Psychology* 77, 6 (1999): 1121–1134.

Leonard, G. *Mastery.* New York: Plume, 1991.

Leutner, D, et al. "Cognitive load and science text comprehension: Effects of drawing and mentally imaging text content." *Computers in Human Behavior* 25 (2009): 284–289.

Levin, JR, et al. "Mnemonic vocabulary instruction: Additional effectiveness evidence." *Contemporary Educational Psychology* 17, 2 (1992): 156–174.

Longcamp, M, et al. "Learning through hand- or typewriting influences visual recognition of new graphic shapes: Behavioral and functional imaging evidence." *Journal of Cognitive Neuroscience* 20, 5 (2008): 802–815.

Luria, AR. *The Mind of a Mnemonist.* Translated by L Solotaroff. New York: Basic Books, 1968.

Lutz, A, et al. "Attention regulation and monitoring in meditation." *Trends in Cognitive Sciences* 12, 4 (2008): 163.

Lützen, J. *Mechanistic Images in Geometric Form.* New York: Oxford University Press, 2005.

Lyons, IM, e SL Beilock. "When math hurts: Math anxiety predicts pain network activation in anticipation of doing math." *PLOS ONE* 7, 10 (2012): e48076.

Maguire, EA, et al. "Routes to remembering: The brains behind superior memory." *Nature Neuroscience* 6, 1 (2003): 90–95.

Mangan, BB. "Taking phenomenology seriously: The 'fringe' and its implications for cognitive research." *Consciousness and Cognition* 2, 2 (1993): 89–108.

Mastascusa, EJ, et al. *Effective Instruction for STEM Disciplines.* San Francisco: Jossey-Bass, 2011.

McClain, DL. "Harnessing the brain's right hemisphere to capture many kings." *New York Times*, January 24 (2011). http://www.nytimes.com/2011/01/25/science/25chess.html?_r=0.

McCord, J. "A thirty-year follow-up of treatment effects." *American Psychologist* 33, 3 (1978): 284.

McDaniel, MA, e AA Callender. "Cognition, memory, and education." Em *Cognitive Psychology of Memory, Vol. 2 of Learning and Memory*, editado por HL Roediger, 819–843. Oxford, UK: Elsevier, 2008.

McGilchrist, I. *The Master and His Emissary.* New Haven, CT: Yale University Press, 2010.

Mihov, KM, et al. "Hemispheric specialization and creative thinking: A meta-analytic review of lateralization of creativity." *Brain and Cognition* 72, 3 (2010): 442–448.

Mitra, S, et al. "Acquisition of computing literacy on shared public computers: Children and the 'hole in the wall.'" *Australasian Journal of Educational Technology* 21, 3 (2005): 407.

Morris, PE, et al. "Strategies for learning proper names: Expanding retrieval practice, meaning and imagery." *Applied Cognitive Psychology* 19, 6 (2005): 779–798.

Moussa, MN, et al. "Consistency of network modules in resting-state fMRI connectome data." *PLOS ONE* 7, 8 (2012): e49428.

Mrazek, M, et al. "Mindfulness training improves working memory capacity and GRE performance while reducing mind wandering." *Psychological Science* 24, 5 (2013): 776–781.

Nagamatsu, LS, et al. "Physical activity improves verbal and spatial memory in adults with probable mild cognitive impairment: A 6-month randomized controlled trial." *Journal of Aging Research* (2013): 861893.

Nakano, T, et al. "Blink-related momentary activation of the default mode network while viewing videos." *Proceedings of the National Academy of Sciences* 110, 2 (2012): 702–706.

National Survey of Student Engagement. *Promoting Student Learning and Institutional Improvement: Lessons from NSSE at 13.* Bloomington: Indiana University Center for Postsecondary Research, 2012.

Newport, C. *How to Become a Straight-A Student.* New York: Random House, 2006.

———. *So Good They Can't Ignore You.* New York: Business Plus, 2012.

Niebauer, CL, e K Garvey. "Gödel, Escher, and degree of handedness: Differences in interhemispheric interaction predict differences in understanding self-reference." *Laterality: Asymmetries of Body, Brain and Cognition* 9, 1 (2004): 19–34.

Nielsen, JA, et al. "An evaluation of the left-brain vs. right-brain hypothesis with resting state functional connectivity magnetic resonance imaging." *PLOS ONE* 8, 8 (2013).

Noesner, G. *Stalling for Time.* New York: Random House, 2010.

Noice, H, e T Noice. "What studies of actors and acting can tell us about memory and

referências

cognitive functioning." *Current Directions in Psychological Science* 15, 1 (2006): 14–18.

Nyhus, E, e T Curran. "Functional role of gamma and theta oscillations in episodic memory." *Neuroscience and Biobehavioral Reviews* 34, 7 (2010): 1023–1035.

Oakley, BA. "Concepts and implications of altruism bias and pathological altruism." *Proceedings of the National Academy of Sciences* 110, Supplement 2 (2013): 10408–10415.

Oakley, B, et al. "Turning student groups into effective teams." *Journal of Student Centered Learning* 2, 1 (2003): 9–34.

Oaten, M, e K Cheng. "Improved self-control: The benefits of a regular program of academic study." *Basic and Applied Social Psychology* 28, 1 (2006): 1–16.

Oaten, M, e K Cheng. "Improvements in self-control from financial monitoring." *Journal of Economic Psychology* 28, 4 (2007): 487–501.

Oettingen, G, et al. "Turning fantasies about positive and negative futures into self-improvement goals." *Motivation and Emotion* 29, 4 (2005): 236–266.

Oettingen, G, e J Thorpe. "Fantasy realization and the bridging of time." Em *Judgments over Time: The Interplay of Thoughts, Feelings, and Behaviors*, editado por Sanna, LA e EC Chang, 120–142. New York: Oxford University Press, 2006.

Oudiette, D, et al. "Evidence for the re-enactment of a recently learned behavior during sleepwalking." *PLOS ONE* 6, 3 (2011): e18056.

Pachman, M, et al. "Levels of knowledge and deliberate practice." *Journal of Experimental Psychology* 19, 2 (2013): 108–119.

Partnoy, F. *Wait*. New York: Public Affairs, 2012.

Pashler, H, et al. "When does feedback facilitate learning of words?" *Journal of Experimental Psychology: Learning, Memory, and Cognition* 31, 1 (2005): 3–8.

Paul, AM. "The machines are taking over." *New York Times*, September 14 (2012). http://www.nytimes.com/2012/09/16/magazine/how-computerized-tutors-are-learning-to-teach-humans.html?pagewanted=all.

———. "You'll never learn! Students can't resist multitasking, and it's impairing their memory." *Slate*, May 3 (2013). http://www.slate.com/articles/health_and_science/science/2013/05/multitasking_while_studying_divided_attention_and_technological_gadgets.3.html.

Pennebaker, JW, et al. "Daily online testing in large classes: Boosting college performance while reducing achievement gaps." *PLOS ONE* 8, 11 (2013): e79774.

Pert, CB. *Molecules of Emotion*. New York: Scribner, 1997.

Pesenti, M, et al. "Mental calculation in a prodigy is sustained by right prefrontal and medial temporal areas." *Nature Neuroscience* 4, 1 (2001): 103–108.

Pintrich, PR, et al. "Beyond cold conceptual change: The role of motivational beliefs and classroom contextual factors in the process of conceptual change." *Review of Educational Research* 63, 2 (1993): 167–199.

Plath, S. *The Bell Jar*. New York: Harper Perennial, 1971.

Prentis, JJ. "Equation poems." *American Journal of Physics* 64, 5 (1996): 532–538.

President's Council of Advisors on Science and Technology. *Engage to Excel: Producing One Million Additional College Graduates with Degrees in Science, Technology, Engineering, and Mathematics*. 2012. http://www.whitehouse.gov/sites/default/files/micro-

320   a p r e n d e n d o   a   a p r e n d e r

sites/ostp/pcast-engage-to-excel-final_feb.pdf

Pyc, MA, e KA Rawson. "Why testing improves memory: Mediator effectiveness hypothesis." *Science* 330, 6002 (2010): 335–335.

Raichle, ME, e AZ Snyder. "A default mode of brain function: A brief history of an evolving idea." *NeuroImage* 37, 4 (2007): 1083–1090.

Ramachandran, VS. *Phantoms in the Brain.* New York: Harper Perennial, 1999.

Ramón y Cajal, S. *Advice for a Young Investigator.* Traduzido por N Swanson e LW Swanson. Cambridge, MA: MIT Press, 1999 [1897].

———. *Recollections of My Life.* Cambridge, MA: MIT Press, 1937. Originally published as *Recuerdos de Mi Vida*, translated by EH Craigie (Madrid, 1901–1917).

Rawson, KA, e J Dunlosky. "Optimizing schedules of retrieval practice for durable and efficient learning: How much is enough?" *Journal of Experimental Psychology: General* 140, 3 (2011): 283–302.

Rivard, LP, e SB Straw. "The effect of talk and writing on learning science: An exploratory study." *Science Education* 84, 5 (2000): 566–593.

Rocke, AJ. *Image and Reality.* Chicago: University of Chicago Press, 2010.

Roediger, HL, e AC Butler. "The critical role of retrieval practice in long-term retention." *Trends in Cognitive Sciences* 15, 1 (2011): 20–27.

Roediger, HL, e JD Karpicke. "The power of testing memory: Basic research and implications for educational practice." *Perspectives on Psychological Science* 1, 3 (2006): 181–210.

Roediger, HL, e MA Pyc. "Inexpensive techniques to improve education: Applying cognitive psychology to enhance educational practice." *Journal of Applied Research in Memory and Cognition* 1, 4 (2012): 242–248.

Rohrer, D., Dedrick, R. F., & Burgess, K. (in press). The benefit of interleaved mathematics practice is not limited to superficially similar kinds of problems. *Psychonomic Bulletin & Review.*

Rohrer, D, e H Pashler. "Increasing retention without increasing study time." *Current Directions in Psychological Science* 16, 4 (2007): 183–186.

———. "Recent research on human learning challenges conventional instructional strategies." *Educational Researcher* 39, 5 (2010): 406–412.

Root-Bernstein, RS, e MM Root-Bernstein. *Sparks of Genius.* New York: Houghton Mifflin, 1999.

Ross, J, e KA Lawrence. "Some observations on memory artifice." *Psychonomic Science* 13, 2 (1968): 107–108.

Schoenfeld, AH. "Learning to think mathematically: Problem solving, metacognition, and sense-making in mathematics." Em *Handbook for Research on Mathematics Teaching and Learning*, editado por D Grouws. 334–370, New York: Macmillan, 1992.

Schutz, LE. "Broad-perspective perceptual disorder of the right hemisphere." *Neuropsychology Review* 15, 1 (2005): 11–27.

Scullin, MK, e MA McDaniel. "Remembering to execute a goal: Sleep on it!" *Psychological Science* 21, 7 (2010): 1028–1035.

Shannon, BJ, et al. "Premotor functional connectivity predicts impulsivity in

referências 321

juvenile offenders." *Proceedings of the National Academy of Sciences* 108, 27 (2011): 11241–11245.

Shaw, CA, e JC McEachern, eds. *Toward a Theory of Neuroplasticity*. New York: Psychology Press, 2001.

Silverman, L. *Giftedness 101*. New York: Springer, 2012.

Simon, HA. "How big is a chunk?" *Science* 183, 4124 (1974): 482–488.

Simonton, DK. *Creativity in Science*. New York: Cambridge University Press, 2004.

———. *Scientific Genius*. New York: Cambridge University Press, 2009.

Sklar, AY, et al. "Reading and doing arithmetic nonconsciously." *Proceedings of the National Academy of Sciences* 109, 48 (2012): 19614–19619.

Smoker, TJ, et al. "Comparing memory for handwriting versus typing." Em *Proceedings of the Human Factors and Ergonomics Society Annual Meeting*, 53 (2009): 1744–1747.

Solomon, I. "Analogical transfer and 'functional fixedness' in the science classroom." *Journal of Educational Research* 87, 6 (1994): 371–377.

Spear, LP. "Adolescent neurodevelopment." *Journal of Adolescent Health* 52, 2 (2013): S7–S13.

Steel, P. "The nature of procrastination: A meta-analytic and theoretical review of quintessential self-regulatory failure." *Psychological Bulletin* 133, 1 (2007): 65–94.

———. *The Procrastination Equation*. New York: Random House, 2010.

Stickgold, R, e JM Ellenbogen. "Quiet! Sleeping brain at work." *Scientific American Mind* 19, 4 (2008): 22–29.

Sweller, J, et al. *Cognitive Load Theory*. New York: Springer, 2011.

Takeuchi, H, et al. "The association between resting functional connectivity and creativity." *Cerebral Cortex* 22, 12 (2012): 2921–2929.

———. "Failing to deactivate: The association between brain activity during a working memory task and creativity." *NeuroImage* 55, 2 (2011): 681–687.

Taylor, K, e D Rohrer. "The effects of interleaved practice." *Applied Cognitive Psychology* 24, 6 (2010): 837–848.

Thomas, C, e CI Baker. "Teaching an adult brain new tricks: A critical review of evidence for training-dependent structural plasticity in humans." *NeuroImage* 73 (2013): 225–236.

Thompson-Schill, SL, et al. "Cognition without control: When a little frontal lobe goes a long way." *Current Directions in Psychological Science* 18, 5 (2009): 259–263.

Tice, DM, e RF Baumeister. "Longitudinal study of procrastination, performance, stress, and health: The costs and benefits of dawdling." *Psychological Science* 8, 6 (1997): 454–458.

Thurston, W. P. (1990). "Mathematical education." *Notices of the American Mathematical Society*, 37 (7), 844–850.

University of Utah Health Care Office of Public Affairs. "Researchers debunk myth of 'right-brain' and 'left-brain' personality traits." 2013. http://healthcare.utah .edu/publicaffairs/news/current/08-14-13_brain_personality_traits.html.

Van Praag, H, et al. "Running increases cell proliferation and neurogenesis in the adult mouse dentate gyrus." *Nature Neuroscience* 2, 3 (1999): 266–270.

Velay, J-L, e M Longcamp. "Handwriting versus typewriting: Behavioural and cerebral consequences in letter recognition." Em *Learning to Write Effectively*, editado por M Torrance et al. Bradford, UK: Emerald Group, 2012: 371–373.

Wamsley, EJ, et al. "Dreaming of a learning task is associated with enhanced sleep--dependent memory consolidation." *Current Biology* 20, 9 (2010): 850–855.

Wan, X, et al. "The neural basis of intuitive best next-move generation in board game experts." *Science* 331, 6015 (2011): 341–346.

Weick, KE. "Small wins: Redefining the scale of social problems." *American Psychologist* 39, 1 (1984): 40–49.

White, HA, e P Shah. "Creative style and achievement in adults with attention-deficit/hyperactivity disorder." *Personality and Individual Differences* 50, 5 (2011): 673–677.

———. "Uninhibited imaginations: Creativity in adults with attention-deficit/hyperactivity disorder." *Personality and Individual Differences* 40, 6 (2006): 1121–1131.

Wilson, T. *Redirect.* New York: Little, Brown, 2011.

Wissman, KT, et al. "How and when do students use flashcards?" *Memory* 20, 6 (2012): 568–579.

Xie, L, et al. "Sleep drives metabolite clearance from the adult brain." *Science* 342, 6156 (2013): 373–377.

créditos

1 "Eu com 10 anos (setembro de 1966) com Earl, o carneirinho." Foto cortesia da autora
2 Magnus Carlsen e Garry Kasparov, Imagem cortesia de CBS News
3 Córtex pré-frontal, imagem © 2013 Kevin Mendez
4 Máquina de Pinball, imagem © 2013 Kevin Mendez
5 Raciocínio concentrado e difuso, imagem © 2013 Kevin Mendez
6 Pingpong, imagem ©2013 Kevin Mendez
7 Triângulos, imagem cortesia da autora, baseado em uma ideia original de de Bono, 1970, 53
8 Pirâmide de moedas, cortesia da autora
9 Nadia Noui-Mehidi, foto cortesia de Kevin Mendez
10 Thomas Edison, cortesia do Departamento do Interior dos Estados Unidos, Serviço Nacional de Parques, Parque Histórico Nacional Thomas Edison
11 Salvador Dali com jaguatirica e bengala, 1965; http://en.wikipedia.org/wiki/file:Salvador_Dali_NYWTS.jpg, da Biblioteca do Congresso. Coleção New York World-Telegram & Sun. http://hdl.loc.gov/loc.pnp/cph.3c14985 ; Autor: Roger Higgins, fotógrafo de World Telegram; sem restrição de direitos de autor conhecida. Direitos de reprodução transferidos para a Biblioteca do Congresso através de Instrumento de Doação
12 Paredes de tijolo, imagem © 2013 Kevin Mendez
13 Quatro itens na memória de trabalho, imagem cortesia da autora
14 Robert Bilder, foto cortesia de Chad Ebesutani
15 Polvo do modo concentrado e mistura louca do modo difuso, imagem © 2013 Kevin Mendez
16 Um padrão neural, imagem © 2013 Kevin Mendez
17 Quebra-cabeça do rosto de um homem, imagem © 2013 Kevin Mendez
18 Aprendizagem de cima para baixo e de baixo para cima, imagem cortesia da

324 aprendendo a aprender

autora

19 Quebra-cabeça de um homem em um Mustang, parcialmente montado, imagem © 2013 Kevin Mendez e Philip Oakley

20 Quebra-cabeça de um homem em um Mustang, quase todo montado, imagem © 2013 Kevin Mendez e Philip Oakley

21 Formando um bloco para um conceito como uma faixa, imagem cortesia da autora

22 Saltando para a solução certa, imagem © 2013 Kevin Mendez

23 A prática torna permanente, imagem © 2013 Kevin Mendez

24 Quebra-cabeça de um Mustang, imagem fraca e parcialmente montada, © 2013 Kevin Mendez

25 Gancho neural, imagem © 2013 Kevin Mendez

26 Paul Kruchko e família, foto cortesia de Paul Kruchko

27 Canalizando a procrastinação, imagem © 2013 Kevin Mendez

28 Norman Fortenberry, imagem © 2011, Sociedade Americana para a Educação em Engenharia; foto de Lung-I Lo

29 Muitas pequenas realizações, imagem cortesia da autora

30 Temporizador Pomodoro, autore: Francesco Cirillo, rilasciata um Erato nelle sottostanti licenze seguirá OTRS http://en.wikipedia.org/wiki/File:Il_pomodoro.jpg

31 O físico Antony Garrett Lisi surfando, autor Cjean42, http://en.wikipedia.org/wiki/File:Garrett_Lisi_surfing.jpg

32 Oraldo "Buddy" Saucedo, foto cortesia de Oraldo "Buddy" Saucedo

33 Neel Sundaresan, foto cortesia de Toby Burditt

34 Lista de tarefas zumbi, imagem © 2013 Kevin Mendez

35 Mary Cha, foto cortesia de Mary Cha

36 Zumbi sorridente, imagem © 2013 Kevin Mendez

37 Foto de Joshua Foer © Christopher Lane

38 Mula voadora, imagem © 2013 Kevin Mendez

39 Imagem mnemônica da mão de um zumbi, imagem © 2013 Kevin Mendez

40 Palácio da memória, imagem © 2013 Kevin Mendez

41 Sheryl Sorby, foto de Brockit, Inc, fornecida por cortesia de Sheryl Sorby

42 Macacos formando um anel, de Berichte der Durstigen Chemischen Gesellschaft p (1886). 3536; e o anel de benzeno, modificado de http://en.wikipedia.org/wiki/File:Benzene-2D-full.svg

43 Vampiros metabólicos, imagem © 2013 Kevin Mendez

44 Jogador de beisebol zumbi, imagem © 2013 Kevin Mendez

45 Nick Appleyard, foto cortesia de Nick Appleyard

46 Santiago Ramón y Cajal, com permissão dos herdeiros de Santiago Ramón y Cajal, com a graciosa ajuda de Maria Angeles Ramón y Cajal

47 Faixas neurais formando ondas, imagem cortesia da autora

48 Fótons, ilustração cortesia de Marco Bellini, Istituto Nazionale di Ottica – CNR, Florença, Itália

49 Barbara McClintock, foto cortesia dos Arquivos do Smithsonian Institution, ima-

créditos

gem #SIA2008-5609

50 Ben Carson, foto cortesia de Johns Hopkins Medicine

51 Nicholas Wade, foto cortesia de Nicholas Wade

52 Acidente vascular cerebral isquêmico, tomografia do cérebro com um infarto ACM, por Lucien Monfils, http://en.wikipedia.org/wiki /File:MCA_Territory_Infarct.svg

53 Niels Bohr com Einstein em 1925, foto de Paul Ehrenfest, http://en.wikipedia.org/wiki/File:Niels_Bohr_Albert_Einstein_by_Ehrenfest.jpg

54 Brad Roth, foto de Yang Xia, fornecida por cortesia de Brad Roth

55 Richard M. Felder, foto cortesia de Richard M. Felder

56 Sian Beilock, foto cortesia da Universidade de Chicago

57 Solução do problema das moedas, imagem cortesia da autora

ANOTAÇÕES

ANOTAÇÕES

ANOTAÇÕES

ANOTAÇÕES

ANOTAÇÕES